知心書V

書知

心理医生的人生故事

LES PSYS SE CONFIENT:
POUR VOUS AIDER À TROUVER L'ÉQUILIBRE INTÉRIEUR

Christophe André

[法] 克里斯托夫·安德烈 等著　欧瑜 译

生活·讀書·新知 三联书店　生活書店出版有限公司

图书在版编目（CIP）数据

心理医生的人生故事 /（法）克里斯托夫・安德烈等著；欧瑜译. -- 北京：生活书店出版有限公司，2019.7

ISBN 978-7-80768-294-3

Ⅰ. ①心… Ⅱ. ①克… ②欧… Ⅲ. ①心理学－通俗读物 Ⅳ. ① B84-49

中国版本图书馆CIP数据核字(2019)第074836号

策划编辑 李 娟
责任编辑 陈富余
封面设计 视觉共振设计工作室
版式设计 申亚文化
封面插画 罗可一
责任印制 常宁强
出版发行 **生活書店**出版有限公司
（北京市东城区美术馆东街22号）
图 字 01-2016-2824
邮 编 100010
经 销 新华书店
印 刷 北京新华印刷有限公司
版 次 2019年7月北京第1版
2019年7月北京第1次印刷
开 本 880毫米×1230毫米 1/32 印张14
字 数 266千字
印 数 00,001-10,000册
定 价 58.00元
（印装查询：010-64052066；邮购查询：010-84010542）

前 言

选择成为心理医生很少会是偶然之举，因为这个选择往往需要特定的动因，这些动因通常是私密和个人的，因而也是饶有趣味的。但这个选择还需要且尤其需要坚持不懈的努力，因为这样才能达到心理医生这个令人醉心却艰巨的职业的极高要求：人们前来向我们吐露自己的苦楚，期待我们能够理解他们、帮助他们，让他们得到解脱，有时更是治愈他们。我们既不能令这些人失望，也不能背叛他们。

我们为了胜任这项职业而付出的努力，会促使我们个人发生改变，而且往往是深刻的改变。为了成为最好的心理医生，我们往往会努力成为最好的人：最可靠、最清醒、最懂得倾听和最慷慨。我们绝无意宣称自己已经成为这样的人，但我们拼尽全力期望能够成为这样的人。

我们认为，这项自我构建和不断进步的工作，说到底，也是所有人在自己的生活中要去开展的一项工作。

这就是为什么，我们决定在这本书中，通过描述动因和个人努力来讲述我们的职业历程。因此，我们在这本书中会大量着墨于自己。这其中并无丝毫的自恋和自我满足之意。你可以看到，我们这些自传式的描述并非为了一己私利，而且，对于我们中的大多数人来说，写下这些文字是一件非同寻常、微妙棘手，甚至困难重重的事情。

但我们对此已经做好了准备，因为我们坚信，这么做对读者而言，是有益的。衷心希望这本书能够对读者在付出努力和避免错误上有所启发！

现在，就由你来做出判断吧……

目录

第一章　一列叫作生命的电车 1
克里斯托夫·安德烈（Christophe André）

第二章　分享回忆的花束 23
尼古拉·迪歇纳（Nicolas Duchesne）

第三章　痴迷联系 41
贝尔纳·格贝罗维奇（Bernard Geberowicz）

第四章　两度成为精神科医生 61
法蒂玛·布韦·德·迈松纳夫（Fatma Bouvet de la Maisonneuve）

第五章　索菲的选择 81
索菲·舍瓦尔（Sophie Cheval）

第六章　想象西西弗的幸福　101
克洛德 · 佩内（Claude Penet）

第七章　“长大之后，我要成为心理医生！”　115
卡罗琳 · 迪雷（Caroline Duret）

第八章　是的，我们能做到，但不是所有的事情　137
斯特凡妮 · 阿于索（Stéphanie Hahusseau）

第九章　“可你天生就是做精神科医生的料儿”　157
克里斯蒂安 · 盖伊（Christian Gay）

第十章　成为精神科医生绝非偶然　177
布鲁诺 · 科埃兹（Bruno Koeltz）

第十一章　聚散成团　195
亚斯明 · 利埃纳尔（Yasmine Liénard）

第十二章　商贩、亡童与仙女 211

安妮·洛兰（Anne Lorin）

第十三章　圣母与牧羊人 231

若埃尔·本（Joël Pon）

第十四章　与自己、他人和世界和谐相处 249

克莱尔·米齐（Claire Mizzi）

第十五章　探索世界，爱上世界 269

让-路易·莫内斯蒂耶斯（Jean-Louis Monestès）

第十六章　一个“叛逆心理医生”的故事…… 285

迪迪埃·普勒（Didier Pleux）

第十七章　行动，就是存在…… 309

斯特凡娜·罗伊（Stéphane Roy）

第十八章　心理学，一个讲不完的故事 329

阿兰·索特罗（Alain Sauteraud）

第十九章　为追寻意义而活 351

玛丽－克里斯蒂娜·西蒙（Marie-Christine Simon）

第二十章　接受挑战，不断演变 367

奥利维耶·斯平勒（Olivier Spinnler）

第二十一章　应对制约我们的无常 387

雅克·冯·希拉尔（Jacques Van Rillaer）

第二十二章　心理医生之所想 407

弗雷德里克·方热（Frédéric Fanget）

作者简介 429

第一章

一列叫作生命的电车

Un tramway nommé La Vie

克里斯托夫·安德烈（Christophe André）

我继承了强大的焦虑和抑郁基因，但却没有获得令这些基因失活的机制：我的父母和亲人都曾忙于应付物质的匮乏和个人的难题，而且也不可能去操心怎样成为幸福和平衡的典范——这既非他们的首要问题，又非他们的能力所及。

老实说，我本可以快乐地成为一个园丁、小学老师、僧侣或水手，但我成了精神科医生。今天，在我自己和身边的人看来，这已经是一件理所当然的事情了。尽管我对此毫无遗憾，尽管我很快乐，但是我有时依然会对自己的现状心存疑惑。

我们的职业就像我们的名字，长久地背负着这样或那样的称呼，我们似乎已经无法再以其他的名字来称呼自己。但事实上，我们或许可以对很多其他可能的名字，很多其他的职业、其他的家庭和其他的命运轨迹习以为常。

因此，根据每天的心情扪心自问为什么和怎样成了这样的自己，会是一件令人头痛、不舒服，或者有意思的事情，这个问题会让我们不得不回首往事。无论是自己选择的还是被动承受的，是这些往事书写了我们的生命。这股往事的洪流拖拽着我们，以错误或理性的方式，在生命的轨迹中搜寻那根牵动全局的引线……

偶然和必然

第一个问题是：我为什么会被心理学所吸引？

我的家族中没有一个人是医生，更没有人是心理学家或精神病学家。相反，我们家的人是精神科护理的消费者，比如我的曾祖母，她是在精神病院走到生命终点的。但是家里的人从来不谈论这些事情，尤其是在孩子们面前。

因此，我踏上心理学的道路有一部分偶然因素：在高中三年级的时候，哲学课老师按照教学大纲的要求，让我们研读有关精神分析的著作，在此之前，我从未读过任何有关心理学的书籍。我忽然间开了窍！我贪婪地阅读了所有能找到的弗洛伊德的著作，而且对他的理论深深着迷。我觉得这就是我要走的道路，这就是我想要从事的职业：这种灵魂的考古学让我痴迷不已。于是，我决心成为一名精神病学家，就像大师弗洛伊德那样，然后我就报考了医学专业。我身边的人都有点儿茫然不解：作为学校理科班的优等生，我当时本跟很多同龄的男孩子一样，梦想着成为工程师，去造火箭、火车，去研究原子或电子学。但医生是一个可以安抚病人的职业，所以，尽管我身边的人对精神病学有所怀疑（他们可能觉得我无法胜任），但还是顺了我的意。就像医科学生经常说的那样："我学医是因为本应让父母感到高兴；我学精神病学是因为总无法让父母感到高兴……"

这就是偶然，但也是必然。我生长在一个身边之人病痛不断的家庭，我也因此而备受煎熬。我继承了强大的焦虑和抑郁基因，但却没有获得令这些基因失活的机制：我的父母和亲人都曾忙于应付物质的匮乏和个人的难题，而且也不可能去操心怎样成为幸福和平衡的典范——这既非他们的首要问题，又非他们的能力所及。不过，他们给予了我很多，给予了我他们所能拥有的一切：对工作的热忱和责任感、对他人的尊重、对承诺的恪守以及对书籍和知识的热爱。我为此对他们心怀感激，因为，如果没有这块基石，我将永远无法顺利完成学业，更无法从事医生的工作。

按照长久以来调侃心理医生跟病人一样惶惶不安的说法，我是为了疗愈自己而成了心理医生。我知道，我的病人并非疯子，我从来没有治疗过疯子，他们只是一些迷失在自己痛苦之中的人。所以，我跟我的病人一样惶惶不安，或者说，我也曾堕入惶惶不安。问题在哪里呢？因为几乎我们所有的人都是病人，都是痛苦之人，有些人是在生命中的某个时刻，有些人则是终其一生。

有一点需要明确：我是在成年和成为心理医生之后，才意识到这些曾经存在于自己家庭中的心理痛苦（焦虑、抑郁、酗酒和其他）。然而，尽管我在童年时对此并无意识，但我或许已经清楚地有所察觉了。又或许，我在保护自己远离大人痛苦的同时，无意识地试图让自己能够去安慰和照顾这些痛苦的大人。而且我自己也是个忧心忡忡、满腹愁肠的人，小小年纪就知道什么是焦虑症和生存疑虑。我喜欢适度地坠入这些状态之中，虽然那时候我不知道它们的术语名称，也不知道如何进行调节。

你瞧，这就是为什么，我觉得自己被心理学吸引了。

便宜和脆弱

接下来，是另一个问题：为什么我在心理医生这个行当里坚持了下来？

我说得不一定对：有时候，我们会被一种使命感召唤，之后会因为这种使命的日常现实而感到失望，或者意识到我们并不适于这种使命的实践。尽管我曾经碰到过这种情况（我最终对精神分析感到失望，有时还会在我的工作上陷入困境），但是我坚持了下来。或许是因为我怎么说还有那么几分便宜，也总有几分需要疗愈的脆弱……

说到便宜，因为那时候我是个内向、孤独的小男孩，我喜欢一声不吭地观察别人，这已早早表明我不大可能成为生意人或是政治家，而更有可能去选择那些需要倾听的职业。我还是个多愁善感、有同理心的人，所以更有可能去选择那些照料人的职业。我感觉自己生来如此，生物构造如此，因而没有什么竭力而为，也没有什么功德成绩。

说到脆弱，当然了，它们一直都在。但我知道这些脆弱是什么，我明白它们的机制，我懂得在疗愈病人的同时去疗愈它们。我很快就做出了选择：专门研究情绪障碍（焦虑和抑郁），也就是那些我饱受其苦的问题。出于这个事实，成为心理医生显然对我颇有裨益，甚至或许还拯救了我。

还好，我没有成为工程师！如今我意识到，心理治疗这个职业，对我（和我身边之人）来说，简直就是莫大的恩宠——我得以不断地疗愈自己！或许我可以成为优秀的工程师，但我的精神将一片荒芜。我需要面对的将是怎样的一项自我改造工程啊！克服自己的羞怯，战胜自己的阴郁想法和悲观念头，平复自己的情绪，学会拒绝和自我保护，还要学会更多地给予，学会慷慨。内向并没有让我成为一个自私的人，却成了一个保守的人。我只会在别人要求的情形下给予——我的建议、我的帮助……

因此，疗愈我的病人让我得以疗愈自己。他们的谬误和犹疑让我看到了自己的谬误和犹疑，他们的努力推动了我的努力。我现在对他们感激涕零：我跟病人们共同实现的一切，最终都为我自己所用。多亏了他们，我战胜了自己的抑制（比如在地铁里和他们一起唱歌），我战胜了自己的无法释怀，在生活中的方方面面都取得了进步。通过倾听他们，我听到了自己；通过让他们做功课，我也做了自己的功课。

你瞧，这就是为什么我在心理医生的行当里坚持了下来。

对的人

然后，还有一个问题：为什么我成了现在这样的心理医生？

首先，因为我没能成为精神分析师——尽管这是我们那代精神科医生的惯常选择。我曾无数次尝试躺在长沙发上，但我感到无聊至极，不得安生。其次，因为那些我经常见到的、在医院里坐诊的精神分析师，他们看起来太过安静，跟病人太过疏远，而大多数病人都为此而感到痛苦。我那个时候就知道，如果选择了精神分析的道路，我永远都不可能成为一个快乐的精神科医生。

再者，因为我在对的时间遇到了对的人。在我的生命中，曾有过停滞不前的时候，觉得自己无法解决任何问题：无法适应精神分析，于是我接受了催眠、家庭疗法、生物精神病学和化学医学的培训，这些都是值得称道的学派，但我既不觉得快乐，也不觉得有效。我不知所措、犹豫不决，开始寻找适合的诊疗模式，并通过对的人来实际体验这些模式的实效。他们让我获得启发。这些对的人有很多，我在这里只想说说其中最重要的几位。

首先是我的人文主义精神病学导师吕西安·米耶（Lucien Millet），他已经去世了。他是第一个在职业善意上为我树立了清晰榜样的人。他是第一个告诉我可以用名字来称呼病人但不会不分彼此的人。通过他们的症状，关注他们的个人；在疗愈他们的同时，为他们提供建议和解释，对他们表达出善意和热情。这一切没有什么不可调和的，而是相反，如果病人感觉到我们对他的尊重和爱意，就会更专注地去听我们说的话。而这并不仅仅限于医学领域，是可以推至所有领域的人类活动！

然后是我的两位精神病学同行帕特里克·莱热隆（Patrick Légeron）和弗朗索瓦·勒洛尔（François Lelord）。他们比我稍早进入这个行业，在我从图卢兹来到巴黎的时候，他们热情地接待了我。他们的素养（专业上的，尤其是幽默感）令我深受启发，他们很信任我，让我参与他们的工作，也是在他们的鼓励下，我开始写东西。在那之前，我会给病人写一些短小的文字说明，内容是针对他们病症的解释、采用练习方式的建议，等等。但多亏了这两个朋友，我才真正迈出了与他们共同撰写书籍的第一步。我们堪称幸运的作者，在著作出版后很快就拥有了一大批读者。因此我们又陆续出了几本书，接着又是几本，共同撰写或是单独撰写（因为我们走上了不同的研究道路）。在写书的过程中，我重新找回了自己在文学上的使命感：事实上，我被定下的方向是科普系列，因为我是个好学生。无论过去还是现在，好学生的意思，就是觉得自己擅长数学，这种观念很可笑，但也很顽固。但实际上，我成绩优异、自己最感兴趣的科目，是文学、哲学、法语、拉丁语和希腊语，而且我非常喜欢看书。多年以后的今天，投身写作让我找回了这种水到渠成和快乐欣喜的感觉，还有一份迟来的使命感。曾经的我，是个“不高兴的文学青年”，而我在年近四十、出版了第一本书的时候，才明白了这一点。自那以后，这种写作的乐趣伴随着读者不断寄来的致谢信变得越来越浓厚，帮助读者给我带来的幸福感和帮助病人带来的幸福感是一样的。这里并无自夸之意，我跟任何有良知的手艺人没有什么区别，只是在做自己擅长做的事情罢了。这并非自豪感，而是为能够远距离地与人为益，能够在寂寂无声的阅读中引发交流渴望的默契而产生的满足感。这种满足，也是源于一种归还了负债的感觉：我读大学念医科几乎没交什么学费，因为国家减免了我这个父母曾在小时候挨饿受冻的学生的大学学费。这也是为什么我在公立医院执业，为什么我写的书一经出版为口袋书版本，价格跟一个三明治差不多。

之后，我结识了两位哲学家朋友——安德烈·孔特-斯彭维尔（André Comte-Sponville）和亚历山大·若连（Alexandre Jollien），他们也对我成为现在这样的心理学家起到了不小的作用，但这种帮助，既非心有所知，也非刻意而为。他们令我对哲学有了全新的认识：哲学并非对概念的探究，而是为了帮助人类更好地驾驭人生而做出的思考和努力。对价值观的分享、谦逊、怀疑和对既成思考的诘问，以及澄清我们观念混淆的拳拳之心，所有这些，都是他们通过个人的行为操守言传身教给我的。我最先是从这两位的个人专著中知道他们的，之后，我有幸见到了他们本人，并亲眼见到他们是如何生活、思考和努力的，最后还跟他们成了朋友。这两位先生堪称不懈追求真诚、公正与和谐的典范。

还有一位无比和谐之人——诗人克里斯蒂安·博班（Christian Bobin），我最先也是通过他的著作了解他的，后来才见到他本人。虽然他不愿意被人理想化[比如他在《复苏》（*Ressusciter*）中写道："人们在谈论我的书时提到的那个人，是不存在的。"]，但他确实是生活智慧和越舍弃越丰沛的模范代表。如果说真正的丰沛存在于幸福、爱和真实之中，那么克里斯蒂安就是这世上最丰沛的人之一。他那些充满智慧的话语总令我深思，如咒语般令我反复吟诵。他是我所知道的作家里最令人感到快慰的一个。他那言简意赅、富于诗意的字句总能直抵人心，不仅因为真实，更因为其简单和美丽。而在这种美的背后，是善意和仁慈。想让别人听到你说的话，只需说得简朴而优美——那种忘却自我的简朴，以及那种诞生在当下的优美，而不是对外表的念念不忘。

我曾经接触过一些低调的非凡人物，比如皮埃尔（Pierre），我的岳父。皮埃尔是个幸福大师。我从没见过像他那样擅长品味生活的人。但那不仅是一种天赋，在他身边度过的数年时间也让我看到了他付出的努力——只为擒获生命和人性中光辉的一面；看到了他的渴望——不要陷入负面、阴暗和问题的泥潭。他拥有一种可以在任何情况中乐在当下的能力——疾病，对他而言就是受益于精良医术的机会；意外，对他而言则是一睹消防员精湛技能的机会。诸如此类。随着时间的流逝，我明白了，这一切全与天真无关，只关乎信仰。这个人，他对生活的美好坚信不疑。当生活不再阳光灿烂时，信仰可以支撑他等待阳光再来，等待雨过天晴——雨过之后总会天晴。皮埃尔去世后，我感觉自己成了孤儿。在葬礼上，我坚持在进出教堂时为他抬棺，好让自己在最后一刻再承继几分他的衣钵。棺椁很重，压得我脚步趔趄，仿佛在提醒我对皮埃尔欠下的巨额人情债，还有他离去之后的重担。他是个好人，对人满腔柔情、善解人意、充满好奇。他就是那种能在战争之后带来和平，能在争执之后促成对话的人。他让我懂得了，尽管忧伤的阴霾会时不时地遮住幸福的晴空，但幸福有着自己光明和持久的一面。

还有其他很多这样的人。我之前已经说过，他们中有我的病人，也有我的朋友、同事、邻里，以及所有给予我灵感的偶遇之人。从前，我总会首先盯住别人的缺点，而今，我第一眼已经开始关注优点了。我现在更倾向于专注好的一面，并对那一面反复加以咀嚼，而不是反之。过去，我的时间大多花在观察、讨论和思考人的缺点上。现在，我依然会看到人的缺点，但我更愿意从他们的优点中汲取养分，那可是养心愉情的金矿，是获得个人进步的源泉，能够使生活变得更加丰富。我并不觉得这样会让人变成应声虫，或是给点儿阳光就灿烂的人。即便如此，我也不在乎。这么着习惯了，我的目光就会牵引着我去尽享生活的欢乐。

在这里，我不会讲述我的三个女儿——她们愉快地将我“束缚”在了幸福与和谐之中，她们自身的优点给予了我种种灵感；我也不会谈论我的妻子——因为这不是恰当的时机。

奇怪的是，这些无异于老天恩宠的相遇，在我看来并不是了不起的机遇，而不过是平常的生活事件。我们一生中不断与给人启迪者相遇，而我们的问题，或许只在于眼睛睁得不够大，没能看到这些人。

在心理学中老去

老去，在我看来，除了其他的方面，主要在于意识到我曾对别人的亏欠，也在于更好地意识到我和别人之间相互的依赖——我在很长一段时间里都想要尽量不依赖别人。(那时的我，觉得成年人既不太可靠，又不太让人放心。)

我觉得这两种意愿是相互影响的，或者说，是在我们身上交替而行的。我们在获得独立自主的过程中进行自我构建，并随之懂得了“只信自己”这样一种机制的极限。自我效率的极限在于，我们需要他人才能走得更远和有效地做出反应。自我诚信的极限在于，我们无可避免地依赖他人；不论我们能否看到这一点或能否乐在其中，相互依赖始终都处在我们人类本性的核心位置。

那就承认这种依赖，让它为己所用，并以它为乐吧！通过不断察觉他人给予我们的恩惠来承认它——那些先我们而行，创建起民主社会，从而令我们有机会享受生活的人；那些与我们远隔千山万水，种植粮食、制造用具、提供能源，从而令我们的生活更加便捷的人；那些让我们得以过上眼下生活的身边人；那些困扰我们，迫使我们痛定思痛、不断前进的人；以及那些帮助我们，让我们每天可以轻装上路的人。

我们可以通过向他人提出自己的需求，来让这种依赖为己所用，比如征求他人的意见、建议和寻求帮助。如果我们在心存疑虑的时候，能够谦虚地听取他人的意见，我们就会少犯错误。如果我们在面对超出自己能力和经验的情况时，懂得向他人寻求帮助，就不会令自己那么狼狈不堪。通过学会提出自己的需求，我们会懂得要尽量地给予，在别人向我们提出要求或求助之前就去给予。

最后，以这种依赖为乐——感觉到自己对他人有所赊欠，但那是快乐的赊欠。这就是我们所说的感恩，即对他人恩惠的感激意识。至于是给予的恩惠、允许的恩惠、出售的恩惠，全都无关紧要。没有他人，这种恩惠就不会存在。这种恩惠几乎涉及我们生活中所有美好的事物。所有发生在我们身上的好事情，其中总会有一部分是我们对他人的亏欠。其中的奥秘就是感恩，按照个人主义的标准来看，应该是令人不舒服和痛苦脆弱的。（亏欠某人是怎样的一种个人孱弱和不足的标志啊！）其实不然，感恩实际上应该是令人感到惬意和舒适的。感恩能让我们知道其他人就在那里，曾经在那里，或是会在那里；而他们的存在，他们的聪明才智，他们的所知所晓，就如同无尽的资源——我们自己没有的资源，但在需要的时候又可以寻求得到。

平心而论，我也不知道自己为什么成了心理医生，但经过一番思索，我找到了答案：我有成为心理医生的需要，我有成为心理医生的倾向，我有幸认识了那些非同一般的人。

倘若再细究一番，我还在自己的成长历程中看到了一些本质性的东西，这是别人看不到的，因为我们对结果的关注总是胜过对过程的关注：我曾像个疯子一般地努力！因为我并非天生心理平衡的典范，而我又不想以谎言和欺骗去面对自己的病人，所以我竭尽所能想要成为一个拥有内在平衡的人。现在看来，我还是取得了一些进步的（但要走的路还很长……）。而最终，我很高兴自己平静安逸的感觉来自这些埋头苦干的努力，来自对幸福的不擅把握，来自渴求淡然的忧心忡忡；这样的获得在我看来要更加稳固，在工作中获得这种感觉让我安心。这些努力中的一部分有时是不言自明的（比如关于智慧就往往是这样），但它们让我发现，在应用心理学领域，没有什么是显而易见的，只有做了的和没有做的（即便知道应该去做……）。因为真正的问题是：在生活教给我的一切和我在生活中学会的一切之中，我真正加以运用的是什么？进步的关键并不在于我知道些什么，而是我做了些什么……

心烦意乱和啧啧称赞

当然了，在成为心理医生之前，我就知道人会陷入痛苦之中，但我只关心这些人是否在我面前痛苦难当，或是这些人是否能够清楚地向我表达出自己的痛苦。今天，我且借用诗人克里斯蒂安·博班在《天国的废墟》（*Les Ruines du ciel*）中所说："无论你眼前的这个人是谁，要知道，这个人早已在地狱走了几遭。"成为心理医生以来，我从来不曾小瞧过生活中偶遇之人的痛苦，尽管他们对此既不抱怨也不诉说。不必说，这些人中自然有我的病人，但也有非病患。其中不乏那些令人头疼的人、不动声色的人、满面笑容的人和强势能干的人。我接待过人们口中的"成功人士"，如身居高位者、万人仰慕的大明星等。我目睹了很多痛苦，目睹了强悍者的脆弱。他们的悲伤与无名之辈的悲伤并无差别：没人爱、不快乐、自暴自弃、心烦意乱、脆弱不安。我们都是由同一块木头打造成的，一块瑰丽、敏感而脆弱的木头，一块会欢唱、会痛苦的木头。

我希望今天无人再受痛苦的煎熬，我希望我们每个人每天都尽力去缓解一丝生活中遭受的痛苦，我希望我们强大到足以将毕生奉献给这项春燕衔泥一般的工作。满心欢喜地去做这项工作，满心欢喜地去感受我们的生活，无论那是一种什么样的生活。

越接近出口，我就越清楚地意识到，我热爱这生活，它给予我们的堪称绝妙出奇，让人无法忘怀。时间越久，我就越容易被种种事物所感动，就越会为它们而啧啧称赞。我希望这不是因为年纪渐长导致的愚钝昏聩，而是一种我开始渐渐体会到但尚需时日才能获得的智慧和简朴的领悟。

而我也有些遗憾，没能更早地领会到这一切。生活的美好令人难以置信，这个世界的美好令人难以置信，即便我们深受其苦。

另一个遗憾在于，我曾徒劳无益地表现得严酷苛刻，尤其是对我自己，有时候对别人也是。现在我置身事外来看时，发现自己犯了一个错误，认为只有严酷才能进步——这无论何时都是一个错误。我坚信，若能多几分温和（苦功还是少不了的，我说的是温和，而不是消遣和放纵），我依然能够获得同样的结果，甚至是更好的结果。对自己多几分善意，所有发生在我身上的美好依然会如期而至，但会少几分无用的痛苦，因为对自己的粗暴，让我在这个世界总会让我们承受的痛苦之外，又平白增添了这些痛苦。

我还有最后一个遗憾，就是让自己心生快乐和啧啧称赞得不够多。世间让我感到快乐和惊叹的事物处处皆是，因为我活着，这就足够了；但我从前觉得这种想法太过天真。现在我终于明白了，啧啧称赞不是因为天真，而是因为清醒、领悟和力量。

不要紧，我的遗憾并没有成为负累，也不会持续下去。这些遗憾就好像帮助我不再重复犯下同样错误的小小芒刺。我是幸运之人，一切都还没有结束，我还有一段人生可以继续，可以体味感动，可以啧啧称赞。

一次电车旅行

就算生活中没有发生任何特别的、反常的（好的或坏的）事情，我依然对它兴致勃勃。即便是那些非故事、非事件和平淡无奇的时刻，我也学会了去尽情体验。

比如，我记得在一次冬日夜晚的研讨会上——那是在波尔多会展中心漂亮的圆形会议厅里——我像往常那样打开电脑，查看了我准备的幻灯片，然后坐在会议厅的一个小角落里，等待其他与会人员到场。我看着成群结队的人走进来，依次落座；我听着他们窃窃私语的声音渐渐充满整个会场。

比起刚进来的时候，我感到不再那么怯场了。我还清楚地记得第一次参加这种会议的情形，那是在巴塞罗那举行的一次医学大会，我当时还是个年轻的住院医生。印象中，我开始讲话的时候简直不知所措，心脏都快要跳出胸口了，真的。

今天，我不再怯场了，但身体里依然会泛起不安的小涟漪。虽然我已经习惯，但我的身体依然认为我把它放在了一种不正常的状况之中：再过几分钟，我就要登上讲台，将有一千二百双眼睛盯着我看两个小时。在动物的世界里（我是其中的一分子），这种情形可不是什么好兆头。在人类的世界里（我也是其中的一分子），这不再是生存的风险，而是一种社交的风险——必须“让人安心”。我竭力去做的，就是“让人安心”，竭尽所能为每一次这样的参与做足准备：启发他人的兴趣和思考，令人会心一笑，并使人想要进步。但我的身体依然会有些害怕，有时甚至我的头脑也会。

于是，我专注于自己的呼吸，更专注于去聆听会场里嘈杂的声音，观察整个会场和灯光。有时候，一些忧虑的想法会出现在我的脑中：要是你犯怵了呢？要是你想不起来该说什么了呢？要是你张口结舌、脑中一片空白了呢？我知道出现这些想法是正常的，于是笑了笑，继续专注于自己的气息，专注于我对当下一刻的所有感觉，专注于此时此地的一切真实存在，好让自己不会堕入和纠缠于忧心忡忡的身体与大脑自动产生的不安之中。

最常见的情况是，小小的紧张和担心不会完全消失，而是待在那里，待在某个角落里。没关系。我只专注于自己身在这里的原因：我要帮助这些不辞辛劳来到这里的人们，他们想让自己的境况出现转机，想要感觉好一些，想让自己觉得幸福一些，想让别人觉得幸福一些。这就是他们对我的期待，而我要竭尽所能把信息传递出去。

奇怪的是，有那么一刻，我想到了自己的三个女儿。她们中没有人走上心理学的道路，既不会成为心理医生，也不会成为精神科医生。不管怎么说，至少在我写下这些文字的时候，她们仨都没有这种打算。

一开始，这让我感到有点儿不快和伤心：不快在于我隐约觉得自己对她们的这种“不选择”负有责任，我会想是不是因为我让她们对这个工作有了不好的印象。不是因为我对自己的工作感到不满——我一直以来都为自己成为心理医生而感到高兴，我的女儿们也都知道这一点——而是因为我在餐桌上不怎么谈论自己的工作（我不想逢人就说自己在圣安娜医院里的故事），或是对工作太过投入（在家里，我的女儿们有时候会这么说）；伤心，是因为我觉得这是个令人醉心的职业，它让我取得了如此大的进步，以至于我非常希望自己的女儿们也能体验和我一样的职业乐趣。但她们将会体验其他的乐趣，属于她们自己的乐趣……

这时候，现实扯了扯我的衣袖：我的注意力又转回到嘈杂声忽然转低的大厅里。活动负责人正要上台发表欢迎致辞，一会儿就该轮到我了。几分钟以后，我就要起身开始讲话，我所要专注的就只有一件事了：把我自己所珍视的信息中的一部分传递给在场所有的人，告诉他们是什么帮助我去更好地疗愈和更好地生活（两者之间并不是泾渭分明的）。我会尽力而为，剩下的事情已经不归我管了……

第二天早上，在跳上返回巴黎的高速列车之前，我在一个不知名的酒店的大厅里吃早餐。挂在墙上的电视里播放着海量的信息，声音还没法关掉。没关系。我脑子里浮现出一个想法，这个想法对我说，寂静是一件无比美好且必不可少的事情。过一会儿，我就可以在波尔多纵贯南北的电车上看渐渐升起的日头、慢慢亮起来的冬日天空、玫瑰色苍穹中的月牙、上车下车的旅客。

我的内心一派平静，我觉得人是美好的。我再次想起了偶然在报纸上读到的克里斯蒂安·博班在一次访谈中说的一句话，大概意思是：“人是美好的，而他们却对此茫然不知。”是的，这个早晨，人是美好的，几乎个个都是，即便是那些形容可怖的人，即便是那些衣衫褴褛的人——就像我，一副熬了一夜的憔悴面孔，一双灰扑扑的皮鞋，还有一顶和往常一样歪斜的软帽。我眼中的丑陋跟这些表面的细节无关，只跟粗鄙的态度有关：张着嘴大嚼口香糖；摊开四肢，把脚搭在对面的座位上；没羞没臊地闲聊；高声粗气地打电话。但是这一天早晨，这样的丑陋几乎都没有，或者说我不愿意看到它们。每个人都是美好的，面庞和肢体透露着优雅、痛苦或脆弱，散发着满满的人情味。

我到火车站时，列车已经进站了，准点出发。车厢里一片宁静，只有一两个人时不时地打个电话。这让我略感不快，但还不至于让我走到跟前请他们到走廊上去打。我也看到有些人说话低声细语，手挡在嘴巴前面，怕打扰到其他人；还有一些人则起身走出车厢到外面去交谈。这一天早晨，是这些人让我满心欢喜，胜过了那些让我懊恼不快的人。

再说了，我更愿意看着窗外闪过的树木，它们还沉浸在冬季的酣睡中，等待着春天的轻吻唤醒自己，重新披上翠绿的新衣。

我的气息依然还在，我看得清，听得明，我的双腿还算灵活，双手也还听使唤。

在这一刻，一切都好。

那么明天呢？

我们明天再看吧……

第二章

分享回忆的花束

Ce bouquet de souvenirs en partage

尼古拉·迪歇纳（Nicolas Duchesne）

十五年来，每当在电影里看到幸福的时刻、或多或少意料之中的重逢、慷慨的宽恕或其他圆满的结局时，我都不禁泪水涟涟，这一直都让我的两个儿子忍俊不禁，让我的两个女儿深表同情。

小的时候，我是个胖子。于是，几个朋友就顺势给我起了个外号——“球球”。但从青春期开始，我的体形就一直保持在标准之内了。所以，根据个人的经验，我知道深刻的改变是有可能的，就像我的身材，以及很多其他的改变。因此，在我碰到其他人——比如病人或是陷入极度混乱之中的人时，我同样相信他们也可以做出改变。

虽然我的身材从青春期开始就恢复到了标准之内，但是我的外祖母一直都管我叫“我家胖墩”，这个称呼体现了我打小与外祖母感情上的亲近，直到她去世，也就是我体形改变之后二十年。这也从侧面证明，改变自己的运作方式绝非易事。此外，我选择一个属于医学门类的职业，或许是为了让外祖母通过对她父亲（家族中的名医）的身份认同，再一次对我刮目相看。谁知道呢！

我的外祖母生前有个嗜好。她在花卉艺术上颇有所得，能够根据不同的风格和流派，搭配出考究雅致的花束。在制作花束的时候，“米塔”（在这里，我也借用对外祖母的昵称来表达对她的无尽思念）的全部心思都扑在自己的设计方案上。

说到是什么让我成了今天这样的心理医生，那就是我有着外祖母那样具有创造力的专注。鲍里斯·西瑞尼克（Boris Cyrulnik）的教导和自身的内省历程让我懂得：“回忆无法令真实重现，回忆只是将真相的碎片排列起来，使之成为与我们感觉状态相吻合的内心剧的写照。”[1]请允许我在此拾起我人生中格外难忘的几段回忆。

情绪的枢要地

首先是花瓶，然后是泡沫花泥和用来嵌插花朵的铁丝网……

我得益于一个安全、舒适、亲切的成长环境，得益于稳固而纯净的家庭根基。然而，我们家的家庭氛围极度地内向退缩，突出表现为未表达的情绪不适和痛苦的关系失调。就像接

1 Boris Cyrulnik, *Sauve-toi, la vie t'appelle*, Paris, Odile Jacob, 2012.

种疫苗，我对情绪伤害形成了一种程度适中的过敏性反应。同样地，在病人表示“您没法理解我”，或“您会觉得我这么感情用事一定是疯了”时，我会在内心的最深处感觉到一种对他们慌乱不安的共情。

你瞧，这就是我了，三个兄弟姐妹中的老大，双亲和睦相爱，但也属于一个总体来说运转颇为艰难的小团体。我的父母以前工作很忙，说得简单点儿，他们思考了很多推动“五月风暴”社会革命的问题。我的父母都曾经历过好几段职业生涯，堪称活力四射的典范。然而，由于严重的交流困难，我曾经历过内心孤独的痛苦时期。小时候的我是个圆脸的金发小男孩(爱玩又贪吃)，渴求关注和交流，性格外向但笨手笨脚，对他人充满好奇但缺乏信任。

相处，不总是那么容易

在开始插花之前，我的外祖母总是把她采来或买来的花朵和叶片放在一边，先在脑子里构思花艺造型。

跟自己的弟弟妹妹培养默契总是不灵光，于是我憧憬能跟其他的人更好地相处。就像现在很多病人跟我吐露的，我在那个时候也常常强烈而痛苦地感觉到节庆期间无法避免的家庭聚会上紧张的气氛，比如圣诞节。在操场上找到一席之地，也是一件令我头痛的事情：作为“傻蛋”和“肥象”，有时还是“胖球”，集体运动课也让我心有余悸，因为没有任何一队的队长愿意将我收入麾下。于是，我疯狂地参加各种各样的课外活动，比如小学生的天主教童子军组织。在满心希望参加这些活动的同时，我还一边观察，一边暗自捉摸。我母亲回忆说，在一天的上门义卖活动之后，我说出了这样一句评语：“每个人掏出钱包的方式都不一样，真是令人惊讶。”

我跟朋友安娜-玛丽（Anne-Marie）[1]和安娜-弗朗索瓦兹（Anne-Françoise）一起，获得然后传递自我肯定的动因，必定是源于这里。

获得更高的情商

十五年来，每当在电影里看到幸福的时刻、或多或少意料之中的重逢、慷慨的宽恕或其他圆满结局时，我都会不禁泪水涟涟，这一直都让我的两个儿子忍俊不禁，让我的两个女儿深表同情。以前，我总会克制自己这么动感情，压抑自己内心最深处的情感冲动。现在，我不再给这些情感打上“痴汉死穴”

---

1 Anne-Marie Cariou-Rognant, Chaperon, Nicolas Duchesne, *L'Affirmation de soi par le jeu de rôle*, Paris, Dunod, «Les ateliers du praticien» , 2014.

的标签，而是学会了与它们和谐相处。因为，这种极度的多愁善感在我的工作中很有用，尽管它们在我问诊时从不会在无意间流露出来。因此，我感觉到的情绪就能够为我跟病人共同的治疗方案所用，并且被我自身有意识的那一部分带着善意和关注察觉到，并被用在手头的工作上。在诊疗的过程中，我会自然而然地采取一种不会令人痛苦的警觉性同情的姿态，并通过冥想来保持这种姿态，我们在后文中会再次述及。

乔治·德弗罗（Georges Devereux）解释道："科学对象的选择已然是一份生平的招供。"[1] 成为认知-行为方向的精神科-心理治疗师，或许已经表明我站在建设性治疗角度上，对他人的善意关注和对人际关系的好奇，这种角度适合于我半情绪化、半理智的人格。

生活之路的热诚观察家

我打一出生就掉进了一口热气腾腾的小锅里，这口小锅里烧煮着知识的汤药，或者说魔力汤药。我的舅公让·拉库蒂尔（Jean Lacouture），是一位大名鼎鼎的记者和传记作家，我的叔公曾在行政部门担任要职，这两位长辈在我的父母心中都占有

1 Georges Devereux, *De l'angoisse à la méthode dans les sciences du comportement*, Paris, Flammarion, 1980.

极为重要的地位。在人生的第二个阶段，我母亲开始着手筹办书店，主要经营儿童读物，随着我们渐渐长大，又转向了青少读物。母亲回到家的时候，手中常常挥着一本她推荐给我们的“必读”书籍。有时候，我们还会跟她一起参加最受欢迎作者之类的活动。

我从小就喜欢故事，尤其是生活故事——别人跟我讲的，我在书中读到的或是父母念给我听的。这些故事让我逐渐体会到阅读的乐趣。达尼埃尔·佩纳克（Daniel Pennac）鼓励家长为孩子长时间地高声朗读故事，就很好地说明了这一点。[1]每一位病人关于自身痛苦和自身发展的故事，都是他们心怀信任送给我的一份开启全新旅程的礼物，一段独一无二、直抵人心的旅程。

这些关系中的情感挫折和这些文学的养分，令我更加积极地投入到学业之中，这种有益的态度令我得以顺利完成了六年的医科学业和随后四年的专科学业。

携手共筑

念书的时候，我特别感兴趣的是童子军和一个宗教分享团

1 Daniel Pennac, *Comme un roman* Pairs, Gallimard, 1995.

体——基督教独立青年团（Jeunesse indépendante chrétienne），之后又喜欢上了完全不搭界的网球。我对“应用心理学和社交技巧训练”形成的最初概念，在很大程度上要归功于小童子军们和对宗教分享活动的积极参与。夜晚，大家围坐在篝火旁唱出的动人歌声，一直都是我对集体归属感的美妙回忆，童子军营地让当时的我——那个巴黎小男孩，初尝野外生活和与大自然亲密无间的奇妙滋味。追逐游戏让我懂得了团队工作的规则和效率，“六人小分队”成员和“幼童军团”相互间善意的关怀，还有兄弟情义让我倍感温暖。同样地，我在心理治疗中与病人以团队的形式“携手”工作，我无法替代病人去获得最适合于他们的解决方法——病人始终都是最了解他们自己的专家。我通过心怀敬意的聆听和技术上的支持参与到治疗之中，而病人呢，他们借助自己的勇气、对自身的探索和领悟到的新实践方法得以不断前进。治疗师不过是帮忙摆脱负面的恶性循环和“显露出”实现内心和谐的出路而已。

我对自己的职业有一些持保留意见的看法，这其中就包括对团队工作极为有限的投入。我所能做的最大弥补，就是和另一位治疗师一起，每周主持两次团体治疗，并尽量多地开展团体培训和督导工坊工作，还有就是对协同工作的积极投入。

与人相交，淬炼情操

在把花朵插在指定位置之前，我的外祖母会先把它拿在手里捋顺，按照自己的设想灵巧地比画来比画去。有时候，为了营造出一道特别的弧线，或是支撑太过柔弱的茎秆，她还会在茎秆的四周绕上一根铁丝。

上了大学之后，我对基督教独立青年团的投入依旧如昔。我们定期举办分享会和祈祷会，在人际交往中关注并尊重每一个人的需要。我在那个时候形成的道德观念，构成了我现在心理治疗的基石。这种道德观念包含了在这些团体中锤炼出的人道主义和宗教价值观。我心有所感，再次想到了多米尼克（Dominique）神父，他在人际关系中的游刃有余、古道热肠和用心倾听，堪称良好人际关系的典范。记得有一次，我因为跟一个朋友不睦的问题向他求助。在他关切的注视下，随着教友们提出的问题，我明白了不该用粗暴伤人的方式去解读发生的事情，而应该遵循信念去着眼予人启发的解决办法，应该从和解、滋养、善意、主动利他和博爱之道的角度去平复受伤的情绪。是他和团体里的朋友们，让我学会了如何采取专注于某个难题的倾听姿态，这也是我职业活动的坚实基础。

打通前路的精神和教育指引

花束的艺术，关键在于花与花之间构成的精妙布局。

除却我的父母，我的几个老师都曾扮演过我的教育导师的角色。首先是我高中的语文老师，他引导我们阅读了很多生机勃勃的作品，并对这些作品展开了令人入迷的讨论。他甚至还跟我们一起组建了一个业余剧团。这个经历培养了我对表演的兴趣，并促使我在治疗中通过“角色游戏”[1]将关系问题呈现出来。

第二位是贝尔纳尔·斯温赫多（Bernard Swinghedauw），这位具有领袖气质的培训师魅力非凡，是阿尔卑斯山组队徒步的向导，我上大学的时候经常参加他做向导的组队徒步，我对大自然的热爱就是那个时候培养起来的。

还有我的网球教练，他虽然因幼年的疾病而身体羸弱，但却达到了国家百强选手的水平。他向我证明了训练的力量，证明了“身体自有道理”，而且可以通过精心的训练超越自身的缺陷。我遵循同样的思路，跟想要更好地控制双相情感障碍的病人一起进行协作心理教育。[2]在备战比赛的过程中，我的网

---

1 Anne-Marie Cariou-Rognant, Anne-Françoise Chaperon, Nicolas Duchesne, *L'Affirmation de soi par le jeu de rôle*, Paris Dunod, 2014.

2 Nicolas Duchesne, *Des hauts et des bas. Bien vivre sa cyclothymie*, Paris, Odile Jacob, 2006.

球教练还教会了我要尊重赛场上的对手。简单说来，是他让我懂得了人类会自然而然地去从事那些可以让自己感到快乐的活动，同时跟这些活动保持一种游戏的距离，这正是我们在体育运动中学到的，就像村上春树在书中与我们分享的一样。[1]

我对很多人都心怀感激，是他们给予我善意的关怀，并把成为治疗师所需的感受能力传递给了我。我在生活之路上遇到的一些人，或是体验过的一些非同凡响的倾听，都给了我极大的启示，并对我的选择产生了决定性的影响。因此，借助自己在这个专业领域的所学所得，为那些出于信任而来向我求助的人开设一个真正意义上的治疗中心，成了我最大的动力。

深深扎根的裨益

我叔叔皮埃尔，就像我其他的家人一样，让我拥有了西蒙娜·薇依（Simone Weil）所说的那种深深扎根，[2]一种植根在精神、情智和心灵生活的发展。我叔叔在临终时因为肺部衰竭而呼吸不畅，他留下的最后一句话是："你们都别哭，我是朝着光明而去的。"这些"扎根"对我来说裨益无穷，让我在一次接一次的诊疗过程中，在面对病人的困境时，能够真正地全身

1 Murakami Haruki, *Autoportrait de l'auteur en coureur de fond*, Paris, 10/18, 2009.
2 Simone Weil, *L'Enracinement*, Paris Gallimard, «Folio Essais», 1990.

心付出，和病人一起找出痛苦的恶性循环，理解然后梳理出人格的不同方面，应对情绪上最严重的打击而依然保有效率和安全感。

多米尼克神父，我的第一位人生导师，后来弃教会而去，似乎是因为制度的枷锁和正统观念背后太过频繁的虚伪令他心灰意冷了。他让我明白，这些精神和价值观本可以找到一种更为宽泛的具体表达形式，对我来说就是心理治疗医学。这个世界瑰丽多姿的复杂性让我啧啧称奇，而我始终有感于神性的火花，在我看来，它存在于这个世界我有幸遇到的每一个人身上。

我在心理治疗的实践中，越来越多地引入了正式冥想和正念冥想技术，以及按主题对冥想深层价值的研究。这些技术完美地延伸了我的基督教素养和生命的扎根，它们在日常生活中对我有极大的帮助，因为经年累月地全心接受情绪上的痛苦，不是件容易的事情。

在这些让我感知自己、具有塑造和转变作用的相遇中，我渐渐感觉到了陪伴自己的使命。说得更清楚一些，我认为使命就好像抱负（我们期望企及的理想化方案）、天资（完成某些任务的特殊能力）和兴致（做这件事时感到的快乐）在同一种活动中的和谐叠加，但环境因素也会产生影响。

从医学到精神病学

在高中毕业后思考未来打算从事的职业时，我根据自己的意愿选择了医学：了解疾病，解除病痛，成为一个在理论和实践中有用之人。我顺利地完成了大学初级阶段的纯理论学业，但是还处于不成熟的状态。在进入普通外科做见习医生的时候，我被分配到手术室，在外科医生的指导下做助手。这种协助工作没有任何技术可言，我倒是表现出了超级的敏感。每天早上，在进入手术室十五分钟之后，我都会毫无例外地“晕死过去”，就算我再怎么有良好的意愿，别人再怎么给我提出营养学的建议，统统不管用。第一天：“明天，提前吃点儿东西！”我吃下去一碗半玉米片，又不舒服了。“那就少吃点儿，或者吃点儿别的。”依然不舒服。最后才发现，其实是因为我晕血。通过刺激交感神经以提高肾上腺素分泌的法子，紧张反应压过了恐惧，我的不舒服终于消失了。在不清楚疗效原理的情况下，我采取了恰当的措施，但我还是坚信自己不适合走外科学这条道路。

我的失败之利

在医学专业第二阶段排名考试的十字路口，我遭遇了决定以后要进入哪个专门领域的关键时刻，一开始，我因为没能选择某个医学专业而感到失望。帮助我们备考的导师，绝大多数都是身体医学方面的专家（心脏病学家、肠胃病专家或风湿病专家），我当时希望能够追随他们的脚步。所以呢，我被排到外科学（不，谢谢！）或不知所谓的精神病学，而且还是在外省——在我看来这就是失败。后来我有了第二次抉择的机会，这一次凭直觉要多过深思熟虑，我最终接受了被安排的职位。说到底，这是我的运气，这个职位令我身上很多正在处于萌芽阶段的特质得以绽放。这个经历让我明白了，有多少当初被认为是与自身愿望背道而驰的命运天数，结果却成了真正实现自我的机遇。正是某些失败造就了我们的成功之路。

更加关注人性

要是你还不太相信，我就讲一件趣事给你听听。当时，我在拿到考试结果之前，刚好在某个科室做了六个月的实习医生，我相信我在那里很好地展示了自己在身体治疗方面的能力。在宣布结果的时候，科室领导直截了当地对我重择专业方向的决定表达了欣慰之情："精神病学会更适合您的！"确实，我总是忍不住跟每一位病人及其家属长时间地交谈，总是在只讨论疾病的员工会议上，不顾实际效率地把话题扯到那个卧床之人的身上。再者，我在诊断病情上的天资实在平庸，这一点在我坐班急诊的时候就有所体现。

从精神状态到它的表现形式：非缓不可

在大型的家庭聚会上，亲朋好友总会求助于外祖母米塔。为了获得期望的效果，米塔需要留出充足的空间和时间。跟她一样，对于一次“真正的”见面，我也需要时间。日常生活中强加给医疗工作的节奏，是对医疗人员全身心投入的侮辱，而且影响医疗工作的质量。此外，这种节奏还会给医生造成深重的精神痛苦和令人担忧的身体损耗。

所以，我觉得自己能够在心理治疗的精神病学领域从业，是一件幸事。相较于立竿见影的回报，这个领域更注重长期的满意度，它为我提供了真正去了解病患的可能，最终得以跟病患一起找到缓解痛苦的方法。皮埃尔·桑索（Pierre Sansot）让我学会了根据每个人不同的节奏，花去必要的时间专注于诊疗。这位诗人说道：“倾听时要灵敏迅疾，给出答案时要不徐不急。”[1]

1 Pierre Sansot, *Du bon usage de la lenteur*, Paris, Payot, 1998.

这捧花束，就在此刻

摆放好花束之后，米塔会花上几分钟，从不同的角度仔细审视。米塔常常会再次对自己的作品进行轻微的调整，因为完成的作品可能会跟她最初的设想稍有不同。

此刻，我会因为能够与你分享一切而感到万分高兴，但也会小有失落。我是否清晰地表达了自己从事这份职业的幸福感？对于每每在我陷入忙而无措和遭受情绪打击时，让我重回正轨并用一腔温情重整家庭生活的妻子和孩子，我是否已经竭尽所能地表达了自己的那份敬意？我尽力平复自己纷繁复杂的思绪，好享受这分享的快乐，就在此时此地。

在短暂的生命中，这花束“被呈现给”宾朋。在他们挑剔的目光中，根据个人的品位和情况，这件娇弱的花艺作品或许可以，也有可能无法打动他们，让他们重获几分我外祖母注入其中的平衡、和谐与宁静。

在结束本文之前，我要对您说声谢谢。亲爱的读者，感谢您对这篇分享文字的关注。希望您在这段个人记述的字里行间可以意识到，对他人敞开心扉并投以关注，可以在怎样的一种程度上有助于自我的改变；某个人生阶段的种种不快，能够在随后成为裨益无穷的启示；时间，是促使我们耐心实现决定性改变的朋友。我希望这捧文字的花束成为生命活力的赞歌。我同时希望，就像我的精神病学同僚、马提尼克专家弗朗茨·法农（Frantz Fanon）所写的那样，你能够在我简单的个人经历之外，看到每个人身上改变的潜质："在这个我蹒跚向前的世界里，我无时无刻不在自我创造。"[1]

1 Frantz Fanon, *Actes du Mémorial Frantz Fanon de 1982*, Paris, Présence Africaine, 1984.

第三章

痴迷联系

L'accro du lien

贝尔纳·格贝罗维奇（Bernard Geberowicz）

我也在高中跟“五月风暴”之后的极右风潮擦肩而过时，被动地学习了什么是反犹太主义。我被那些自己根本不认识、连话都没说过的人当成是“布尔什维克”和“未来的暴发户”。我当时实在弄不懂，这些极端主义者怎么能成为全科医生。简直荒唐！

他人是我和我本身之间必不可少的媒介。

——让-保罗·萨特（Jean-Paul Sartre）

这句萨特的引语在此处有两个意思。就在我应邀尝试跟读者解释自己如何走上心理医生之路的那一天，我女儿从学校回来，她跟我说道："今天老师布置了第一次哲学作业，特别难！"然后她给我看了萨特的这句话，她的作业就是对这句话进行评论。确实不容易。

我当时正在思考如何在这篇你将会看到的文字中表达自己的想法：我把自己的经历看作是一个双螺旋，由相识（友人和同事）、阅读、审视，以及对我是谁和我自身的演化的理解所构成的双螺旋。

萨特或许会不高兴，但我还是要把他这句话借来一用，因为我觉得这句话很适合作为这篇文字的引言。对于我为什么成了心理医生，我自己也是在成为心理医生后才慢慢明白的。我还明白了，为什么时至今日自己依然走在这条道路上。促使我做出这一职业选择和开始执业的理由，跟促使我继续这一职业的理由已经不大一样了。考虑了这一通，我的思绪又回到了女儿的哲学作业上，这才是眼下的当务之急。

官方理由

我成了心理医生，是因为我之前想要成为夏令营的辅导员。我母亲常常叮嘱我："不要把所有的鸡蛋都放在同一个篮子里。"所以呢，我有好些个篮子，有几个几乎是空的。我的学业还算顺利，在碰上满腔热情的老师时，甚至称得上是很好。但我总是期待假期和参加夏令营的日子，因为我可以在那里跟朋友们重逢，还有我心爱的女孩。在我们那个年代，中学里还没有实行男女混校，跟女孩子打交道只能等到假期。（除了我姐姐的那些女伴，她们都比我要大三岁，所以在她们的眼里，我基本是个透明人。）

夏令营的日子既紧张又充实，那里的辅导员基本上都是心理学家或社会学家。在那里，我学会了在与他人的交往中认识自我，也懂得了团体的游戏规则。在消遣游玩、跟同伴们交谈的过程中，我发现，一个人的内心存在着种种矛盾，他在与人单独相对或身处团体之中时会有不同的表现。我体验了友情、忠诚、懦弱和背叛。

十五岁时，我不可救药地爱上了一个住得离巴黎很远的女孩。我们在圣诞节和复活节的时候见面。在假期之外的时间里，我们会时不时地通电话。因为那时候的电话费很贵，我们不得不精打细算。在20世纪60年代末，电话还没有包月服务，打电话必须通过“内网”。一个星期六的下午，她在电话里告诉我，她的大哥自杀了。我不认识她大哥，后来也没说两句就挂了。直到今天，我还后悔没有耐心地去倾听她、安慰她，消除她的负罪感。直到很久以后我才明白过来，我一直都难以原谅自己当时没能表现出更多的关注和共情（她从来都没有为此而责怪过我）。将功补过，是我想要成为心理治疗师的原因之一，但不是唯一的原因。

与哲学的接触，尤其是有关弗洛伊德和大众心理学的课程，给了我很大的动力。同时，我也在高中跟“五月风暴”之后的极右风潮擦肩而过时，被动地学习了什么是反犹太主义。我被那些自己根本不认识、连话都没说过的人当成是“布尔什维克”和“未来的暴发户”。我当时实在弄不懂，这些极端主义者怎么能成为全科医生，简直荒唐！我当时怕极了人群，因为它会让我想起莱妮·里芬斯塔尔（Leni Riefenstahl）拍摄的纽伦堡（Nuremberg）纳粹党大会的画面。我无法在一种意识形态中认识自我，在那个年代，我大多数的朋友都成了活跃分子。所以，我决心投身一项可以帮助个人、帮助年轻人的职业。我认为自己的全身心投入是个人性的，而非集体性的。就像阿尔贝·加缪（Albert Camus）所做出的区分，这将是真正意义上的投入，而不是那种我觉得被迫卷入其中的运动。或许，我也因此而错过了一些有价值的作为。

我很快就意识到，夏令营辅导员是个季节性的工作（我在高中毕业后倒是满心欢喜地做了一阵子）。于是，我决心成为面向青少年的精神科医生，而且奇怪的是，我有几个最好的朋友也选择了这条道路。但是，在整个青春期，我都认为自己绝对不会学医。事实上，我姐姐的朋友们都是学医的，还经常抱怨这门学科不仅学习时间长，而且很无聊。

一种坦诚面对家庭负债的方式

我同时还注意到，那时的我在进行自我分析，比如我常常会问自己，为什么每次我对自己说“我绝不会走那条道路”，结果我都会走上那条道路！后来我明白了，是因为我想让姐姐为我感到骄傲。（仅此而已？）

是姐姐带着我发现了**电影**（我特别用了粗体）。关于电影、电影剪辑和著名的“域外”（hors champ）的探讨，考验了我理解和分析电影作者所思所想的能力。那些讨论异常热烈，引人入胜。精神医学，还是电影？我举棋难定。后来，我明白了这两门都诞生于19世纪末的学科之间的联系。但是，我当时能说些什么电影主题相关的有趣话题呢？我只能跟一帮密友讨论医学，继续在各种联系中进行着自我定义。

保罗·瓦勒里（Paul Valéry）：“纵有疾风起，人生不言弃”

直到后来，姐姐在二十三岁因癌症过世时，我才明白过来，我实现了一个她未曾说出口的愿望。我还体会到，我无法成为满心哀悼的父母的心理治疗师。

在20世纪70年代，精神病学就相当于精神分析。我很快就陷入了两难的境地。一方面，我对理论非常感兴趣，但另一方面，我又常常对观念派精神分析学家的刻板大为光火。

我决定不去参加住院实习考试。我觉得自己会无法忍受如此辛劳的工作。我最好的朋友一心想着怎么能成功地通过考试，以便偿还对他父亲的欠债，这对他如同生死关卡，那种几乎不近人情的意志让我心生恐惧。我们生活的乐趣在两年中大大减少。在得知考试通过之后，他自杀了。我们所有的人，包括他的亲朋好友，都没能阻止他这个早有先兆的举动。我打电话把这件事告诉了他的精神分析师，或许是为了让对方产生负罪感吧。对方回答我说：“啊？他要是去服兵役就好了。”这句话，说得毫不在意，而且毫无责任感，也让我整个人都乱了阵脚。再一次，我对某些精神分析师远远背离理论之美的言论深感失望（这是委婉的说法）。还有一些人呢，则跟我解释了一大通较之正统观念具有更多自由的共情临床学。我难以想象自己在实践中如何能不把理论联系于某个治疗目标，或至少是病情的改善——我是在后来才意识到这一点的。

我通过了精神病学的住院实习考试，然后是助理医师考试。

以一种良性的强迫状态，我在电影中找到了一种在某些体验和自己之间拉开距离的方法。我还记得第一次造访精神病院的经历。作为一名年轻的见习医生，我来到了百瑞－弗克律思精神病院，在皮埃尔・贝里－萨林（Pierre Bailly-Salin）医生负责的科室工作。一个上了年纪的女人站在桌子前面。她打量了我几眼，突然开始唱起了《启程之歌》（*La Victoire en chantant*），就像在影片《纽扣战争》（*La Guerre des boutons*）里那样。那情形真是吓人，既让人印象深刻，又让人忍俊不禁，有种讽刺漫画的风格！贝里－萨林重新激起了我对电影的兴趣，并提出担任我医学博士论文的导师，研究主题是《科幻电影中的精神病专家》。我花去了近两年的时间寻找和观看对精神病学家有所描绘的电影，从20世纪20年代的影片《卡里加里博士的小屋》（*Das Cabinet des Dr. Caligar*）里的卡里加里，到20世纪80年代末的作品《马布斯博士的遗嘱》（*Das Testament des Dr. Mabuse*）里的马布斯博士。我还遇到一些满腔热忱的人。吕西安・博纳菲

（Lucien Bonnafé）曾在他的家中接待过我。他在20世纪30年代创办了最早的电影俱乐部，并跟我解释说，精神病学处在一个分界面上，对于观众来说，它代表的是疯狂（由此诞生了比病人还要疯狂的精神病医生，或是危险的妄想型学者等刻板的人物形象）；对病人来说，它代表着令人窒息的标准化社会。

不识庐山真面目，只缘身在此山中

这是“做心理医生”的一个困难之处，有时候，我们会觉得自己处在生活的边上——自己的生活、他人的生活。这一点，我是在自己早年，尤其是在法国教育系统互助补充医疗保险联盟（MGEN）的从业生涯中发现的。我在那里愉快地工作了至少七年。那是一个生机勃勃又富有创意的团队，我有幸跟一些人美丽邂逅，就像今天所说的那样。活跃的机构氛围，常常饱含着情感，还有需要付出专注和精力的病人。我工作中这一部分的强度，让我忽视了自身剩下的部分。

然后，我进入了精神分析的另一个阶段，这是我当时所需要的。我的精神分析师很少开口，说起话来带着意大利口音，充满了人情味儿和尼古丁味儿，我觉得是米兰那边的。她跟我保证会平复我的愤怒，让我不再认为自己对父母的生存问题负有责任，不再评判他们，并且能够成为父亲（当然是在分析结束后)。这个计划听起来不错。另外，她的文笔很好，字里行间充满灵气，研究的主题我也很感兴趣。《欢愉的命运》和《阐释的暴力》[1]这两本书对我产生了重大的影响。

住院医生的经历让我与儿童精神病学渐行渐远，我在社会精神病学中找到了内心所依赖的形式。肯·洛奇（Ken Loach）的电影《家庭生活》(*Family Life*)，尤其是约翰·卡索维茨（John Cassavetes）的《受影响的女人》(*A Woman Under the Influence*)，以及米洛斯·福尔曼（Miloš Forman）的《飞越疯人院》(*One Flew Over the Cuckoo's Nest*)（最后一部对我的启发要稍逊于前两部），让我看到了自己想要拥有的人文主义视角。

偶然?

"绝非偶然"和"这在某种情况下具有某种意义"，这两类模棱两可的说法最让我感到恼火。思维的惰性……

1978年，我想去游览佛罗伦萨。一位女性朋友提议我跟她一起去参加在四月份举行的精神分析学大会。另外一位女性朋友则提议我陪她去参加六月份举行的家庭治疗大会。我出于方便的考虑，选择了六月份的那个大会。我并不了解家庭疗法，

1 Piera Aulagnier, *Les Destins du plaisir*, Paris, PUF, «Le fil rouge», 2009 et *La Violence de l'interprétation*, Paris, PUF, «Le fil rouge», 2003.

但想到能够在世界杯足球赛期间待在佛罗伦萨，我就感到很高兴。白天参加大会、游览观光，晚上和意大利人一起观看对战阿根廷的比赛。

那次大会出乎我的意料，我在花园里跟家庭治疗领域的先驱人物们展开了热烈的讨论，还认识了讨论网络疗法的莫尼·埃尔卡伊姆（Mony Elkaïm）。我终于找到了一种让我觉得颇具新意的治疗方法！特别是这种方法正符合我隐约觉得切中要害的地方。疯狂成了一种表达反抗的模式，一种具有创造性的表达痛苦的方式。环境有助于理解，甚至有助于处理问题。病人在自身的症状中并不是孤立的，不应该被排除在这个社会之外，不应该被关在远离城市的地方。家庭，如果说它是症状出现的构成元素，那么它就能够帮助治愈这些症状。工作的世界、员工的变动，是促成疯狂的原因之一。这很适合我。莫尼·埃尔卡伊姆——绝妙的讲述者，让人欲罢不能！

幸运的是，他开始培训年轻的家庭治疗师，我成了他在巴黎费利克斯·瓜塔里（Félix Guattari）那里举办的第一期培训班的学员。

我的精神分析师非常理解我的这个大转变，她自然没有表示反对。我甚至觉得她对这些疗法也有兴趣。莫尼是一个“摆渡人”，他教授理论，但并不培养模仿者。我很快就明白了，自己永远也不会拥有他的那种风格，但他会帮助我找到自己的风格，我始终对此心存感激。现在我知道了，我和莫尼有一个本质上的区别：他是天生的乐观主义者，而我呢，我一直都在努力成为一个乐观主义者。

这个团队的气氛非常令人兴奋，我跟在这里认识的大部分同事都成了朋友。

万桑·德·戈勒雅克（Vincent de Gaulejac）：“所有理论上的选择，都是自述式的供认”

与此同时，渐渐地，一些我从未真正揣测过的家族秘密浮出了水面。

精神分析的过程表明，我之所以觉得在与他人的关系中完成了自我实现，是因为我难以对自己的个人历史和集体历史加以区别。我的个人历史充满了空洞、未说和我从未提出过的问题。这些问题很容易用集体历史，那些“大屠杀”（Shoah）幸存者孩子们的历史来填补，只不过那个时候还没有“大屠杀”这个说法。

那个时候，我未曾真正对自己的家庭、我父亲的家庭和我母亲的家庭感过兴趣。当然，我也没有义务有那种好奇心，去做那个擅入者。别人不跟我说，一定有他的理由，我也不想无故打扰。

那时候我已经知道，母亲是在1942年她十二岁的时候成为孤儿的，她父亲被法国警察逮捕并送到德朗西（Drancy），然后是奥斯威辛（Auschwitz）。她的母亲在1939年去世，家人跟我说死因是肺结核。我到很久以后才知道，外祖母曾经多次在精神病科住院治疗。这也是为什么在得知我的职业选择后，我母亲会那么恐惧，就好像在担心某种疾病的传染。而母亲的恐惧，正是一种对补偿的担心。慢慢地，我终于意识到母亲童年时的孤苦伶仃，因为她那时有着那样一位经常不在身边的冷漠母亲。

在蒙索中心

1980年，我一个夏令营的女伴西尔维·安热尔（Sylvie Angel），在克劳德·奥利温斯坦（Claude Olievenstein）的帮助下，凭着果敢和坚韧，创建了欧洲第一个针对药物成瘾者的家庭治疗中心——蒙索中心（Centre Monceau）。多亏了她，我有幸参与了这一非凡的创建过程，我至今仍对此心怀感激。

我们醉心于跨代传递，醉心于家庭忠诚的概念，也醉心于兄弟姐妹这个至今甚少有人研究过的主题。因此，我们发展出了家族秘密这个概念。我有幸认识了将“无声传递”的概念理论化，并撰写了《灰烬中的犹太人大流散》[1]一书的女士。

---

1 Nadine Fresco, «La diaspora des cendres», *Nouvelle revue de psychanalyse*, 1981, pp.205–220.

如何帮助不同的家庭找到面对困境和悲剧的力量之源？如何放手让孩子获得自主？在独立与自由之间，如何对每个人的心理自助进行自我定义？

通过表象，我首要的体验是，感觉到跟这些反叛的年轻人很亲近，然后一点一点地感觉到跟这些经常想要竭尽所能做到最好的父母很亲近。至少他们愿意寻找自身的原因。他们常常在遭到我们同行的不公对待之后来到这里，那些治疗师不管是不是精神分析师，都让他们心怀负罪感。他们总觉得一个“好的机构”能让人知道“真正的好家长”能够怎样更好地养育和爱自己的孩子。

让他人产生负罪感是一件很容易的事情，而且常常是无用之事。还好我没有走上这条弯路。

所以呢，我们最常采取的治疗方式是协作治疗，两位治疗师接待一个家庭。这种安排可以让共振派上用场。共振这个概念，是由莫尼·埃尔卡伊姆发展出来的，指的是家庭与我的主观性所共有的元素，这些元素在治疗时会产生共振。一位治疗师帮助另一位治疗师寻找自身在治疗的那一刻发挥作用的元素。作为对我们提供帮助（我希望我们确实做到了有所帮助）的回馈，受诊家庭无形之中也帮助我更好地理解了我在家族历史、关系历史和这个世界中自己作为人的位置。

这也让我明白了自己当时对父母所采取的姿态——“多方向偏袒”。轮流站在其中一人的一边，在保持联系的同时免于态度过于鲜明地站队。这种姿态可以培养共情的能力，但应该将这种姿态区别于伪君子的姿态。

与此同时，我也体验到了恋爱独立的喜悦与痛苦。那些亲密无间的激情时刻令我懂得，在鼓吹戒断药物成瘾之前，必须了解渴求欲望的命定。

如今我还懂得了，我一心想要帮助他人找到自己的滋养之源，而“生之喜悦”的概念依然离我很遥远。为了拥有它，我仍需要时间，需要美妙的邂逅。

将工作与乐趣融为一体

20世纪90年代，我应邀加入了精神病学（广义上的而非观念学派的）月刊*Synapse*的编辑委员会，并负责主持“文化”专栏。我乐得为之。我遭遇了个人的挑战——写作。我撰写影评，这倒是跟那种真正意义上的自恋没什么关系。

我和马克·阿比（Marc Habib）一起创建了以“精神病学与电影”为主题的电影俱乐部。我们乐在其中，并遇到了很多有趣的人。我们甚至在电影和精神分析学百年纪念之际，和《电影手册》（*Les Cahiers ducinéma*）一起，在法国电影资料馆（Cinémathèque française）举办了为期两年的巡回活动。到今天，我们都会感叹：太有意思啦！多少个激情洋溢的夜晚，而且活动大获成功。

我们，依然是我和马克·阿比，获得了必要的资助，从而推出了法国家庭治疗协会（Société française de thérapiefamiliale，1993年成立）的刊物——《世代》（*Générations*）。我们二人为这本杂志担任了逾十年的联合总编，共出版了近四十期。

我之所以谈到这些自己参与过的活动，是因为它们滋养了我的临床工作，而临床工作反过来又为这部分我自愿为之的活动提供了养分。

在没有真正意识到的情况下，我的职业思维方式变得有若犹太教法典一般。但是，在民俗学之外，我并没有接受过如此的教育。我坚决地保持着世俗的立场，我尊重上帝的存在，就是那个他人的上帝，那个我并不相信的上帝。

犹太教法典式的思维，是一种推理和辩证的思维。这种思维始终处于提问和归因的状态中，再带点儿“我有一个答案，谁有问题？”的趣味，这种思维方式就成了一种当时我们这帮半大孩子所钟爱的游戏。艾莉叶特·阿贝卡西（Éliette Abécassis）这样写道：“这是一种成问题的思维，既不符合逻辑，也不是假设演绎，更不属于理性主义，但却具有推理性和革命性，从这一点上来说，它是具有创意的。”

在对怀疑的运用中，我找到了一种适合自己的治疗途径。我并不觉得自己所掌握的知识优于他人，我们是在一起努力，好让对方找到自己无处安放的资源。

这种对怀疑的运用，并不意味着怀疑一切。怀疑一切避免了思考，我们会因此而变成看问题过于简单化的人，甚至变成偏执狂（乃至阴谋论者）。但怀疑有助于更好地思考和提出疑问，而且往往会令人深思熟虑。

两种信仰

于是，您就看到了下面两句我心仪的话：贝特森（Bateson）的“两种描述要好过一种”，以及哲学家阿兰（Alain）的“一切的真相都会在我们满足于它的那一刻变得虚假”。

第一句话可以让人提出种种假设。帮助一个人明白他做得到的和做不到的，也就是让这个人能够跳出之前让他感到身陷囹圄的角度，以另一种方式去看待事物。我们都知道，双筒望远镜可以让人看到更为立体的景致。

第二句话让我能够在因结论显而易见而生出惰性的时刻保持警醒。

成为心理医生让我能够更加专注地投入自己的选择，让我能够继续对意识形态和意识形态学家保持警惕。一种意识形态，就是“没有思考的反应”。而现在，这种情形一如从前，或许还要甚于从前，这让人（我）害怕。

我的格言

在治疗的时候，无论是个人、夫妻还是家庭治疗，除却信仰之外，我觉得有几句颇具概括性的话语非常有用，因为它们可以把某种信息传递给病人。这些话在我人生的某些时期留下了深深的印记。比如加缪曾引用过的他父亲的一句话：“一个人，需有所节制！”

另外几句话出自古波兰的谚语，或是纽约犹太人的俏皮话：“不要跟识路的人问路，这样的话就无法迷路了。”我常常把这句话送给那些一心想获得明确建议的病人，他们都知道自己很可能无法照做。我试着向他们解释，我们将要探索的地域往往是已知的，但通往那里的道路却出人意料。

“如果乞丐在吃鸡，那就是其中的一位生病了。”这句话在提及夫妻间的自卑感时非常奏效。还有格劳乔·马克思（Groucho Marx）说的：“我永远也不会加入愿意吸收我为会员的俱乐部。”

在面对焦虑的父母时，我会提到鲍里斯·西瑞尼克（Boris Cyrulnik）的这句话：“一百二十岁才看老。”这比“七岁看老”要有营养，很多人都会把后面一句理解为“为时已晚，这人没希望了”。

而阿尔诺·马蒂-拉沃泽尔（Arnaud Marty-Lavauzelle）预言式的话语，则可以作为总结陈词，他将心理治疗定义为一场对抗宿命的抗争。神经症反复出现的宿命、家族传递的宿命，就像跟“专家”负面预言有关的宿命。

双螺旋式的结论

在重读这篇文字的时候，我的眼前出现一个双螺旋。我的固有天性和我的后天所学，组成了我心理医生的DNA。我很快就明白了，代际传递并不一定总是由上至下的顺序。这种传递也是每个人将要在家族历史和机能中寻找为己所用的东西。无论是对孩子还是对病人，我们真正传递的都并非我们想要传递的。跟病人在一起的时候，我的目标越来越明确，即帮助他们找到提出问题的方式，这种方式将令他们设想出相应的答案，将令他们找到自助的源泉。

双螺旋的另一条线，是由我在各种情感和职业邂逅中汲取到的灵感组成的。这两方面的邂逅往往具有联系。且让我的朋友们来判断这些你来我往是否不偏不倚吧。我一直都喜欢在工作中跟人搭档。苏珊娜、西尔维和我的铁哥们儿马克，都是跟我合作了很长时间（还将持续很长时间）的重要队友。乐在其中，是保持对这个职业喜爱的关键所在。

从职业和人文的角度来看，我都痴迷于联系。我会把我的自主性描述为“这一对我独立的自由选择”。

心理医生在治疗中的目标，是让每一个人都能够形成心理上的自主。而我一直都对自主和独立有所区分。

最后，我再跟你说两句我自己非常赞成的话："如果我们可以拥有、领会和了解他人，那么他人就不是他人了。拥有、了解、领会是权力的近义词。"伊曼纽尔·列维纳斯（Emmanuel Levinas），《时间与他者》（*Le Temps et l'Autre*），以及阿尔伯特·爱因斯坦（Albert Einstein）的名言："没有失败，只有放弃。"

谨将此文献给马克·阿比，

Élan Retrouvé 协会前主任医生，

2015年4月14日去世

第四章

两度成为精神科医生

法蒂玛·布韦·德·迈松纳夫（Fatma Bouvet de la Maisonneuve）

我们心理医生可以成为拉响警报的人，因为我们拥有察觉新型行为的先机，哪怕这些行为依然处于隐私范围，尚未流入公共生活。

Je suis deux fois psychiatre

他正慢慢死去/那个从不改变航向的人/在他遭逢不幸时/工作上或恋爱中/那个为了实现梦想/不冒风险的人/那个在一生中/从未将明智的建议当成耳旁风的人

——玛莎·梅代罗斯（Martha Medeiros）

我两度成为精神科医生。且听我慢慢道来。

医生，跟很多人一样……

第一次成为心理医生，是我在身为好学生的波澜不惊的历程中。虽然我的同学都认为我多少有那么一点非典型，但在我看来，高中毕业后选择医学专业乃是情理之中。我从未在学业上遇到过困难，除了在数学上稍有不顺，现在我意识到，这种不顺很可能源于某种当时没人能够确定的恐惧症。对抽象的恐惧吗？或许吧，不过，我在哲学课上倒是非常享受，我的哲学分数可比过得去要强很多。跟很多人一样，我也经历了高中一年级时的“数学类”（现在被“科学类”所代替）分科，那对我来说简直是一场噩梦，令人措手不及又难以理解。所以呢，我在学业上的得心应手转移了阵地——我对理化生的兴趣更加浓厚了，我觉得这几门学科要更为具体，而且我这几科的成绩也远远高于平均分。至于“人文类”，这类学科构成了我教育的基础，因为我生长在一个信奉读书至上的家庭。在我们突尼斯的房子里，墙边的书柜里、写字台上、床头柜上，没有一处不放着书。我们阅读各种类型和不同题材的书籍。每当我有一个想法或是一个疑问，我总觉得，适逢其时的那本书，就会从书架上跳出来，跌进我的手中，滋养我的情操，令我乐在其中。那么，对于我这种既有点儿（不够？）理科，又有点儿（不够？）文科的人来说，究竟适合从事哪种职业呢？我在几种职业选择之间犹豫不决，但最终还是选择了医学，因为有一点可以肯定，我最感兴趣的，是与人类和生命的互动。

我还记得，在我读过的众多书中，有一本给我留下了很深的印象。这本书讲述了一段艰难的青葱岁月，我当时还不知道，但它无疑对我选择专业起到了决定性的作用。这本书就是《蓝草》[1]，由一位匿名作者撰写的日记，作者在书中叙述了一个陷入精神困境的十五岁女孩（曾经的我）的故事。这个女孩染上了毒瘾，在精神病院接受治疗之后，最终离开了人世。这本书让我受到了巨大的冲击，两个想法交替着浮现在我的脑海

1 Anonyme, *L'Herbe bleue. Journal intime d'une jeune droguée* Paris, Pocket, 1989.

中，而且再也没有消失过——这两个想法在我的执业过程中也频繁地出现：“怎么做才能避免发生这样的事情？如果让我遇到书中的那个女孩，如何才能尽自己最大的可能去帮助陷入痛苦的她，无论这种帮助会是多么卑微？”就这样，我打定了学医的主意。我意识到自己在当时将这份职业理想化了；当然，我也很清楚这个职业的局限性，但它仍是唯一一种能够让我找到的最好或最不差的，可以更好地跟生命打交道和与人产生联结的崇高职业。我倔强的性格让我完成了剩下的工作——始终坚持不懈地寻找出路。这些相互关联和支撑的价值观塑造了我的信念，让我能够保持清醒的认识，不至盲目地陷入自己青春期留下的那种理想主义者的狂怒之中。忘我，是的，但有所节制。我也会顾念自己，而且很在意精神的安宁，这让我得以生存。

我非常喜欢医学，而且对几门医学专业的课程非常着迷，尤其是产科。可我是那种惧怕血腥场面的医生，但产房里的那种血腥别有不同，我不觉得那里危险丛生。产房代表着我们和女性之间的一种联结。在这个跟其他科室不大相同的外科科室里，我跟自己的人生信条保持了步调一致——迅速而有效地解决问题。这个工作之所以那么吸引我，是因为它不仅仅关乎切除或缝合，还因为这些医院科室的墙壁浸满了情绪，因为每一张病床都会发出自己的喊声。我当时感觉自己身在女性和孩子们中间如鱼得水。而对于针对这些病患生命中珍贵或庄严的时刻报以的轻视或苛待，我也做出了反应，我予以的反击就是倾听和陪伴。我觉得，相较于某些更注重技术层面的医生而言，我表现出了更多的共情。对于这些医生来说，生产不过是众多医学案例中的一个；我关注产妇在生产时的精神状态，能够安抚她们的情绪。实际上，在这段实习经历中，让我感到开心的原因，心理层面的要胜于外科层面的。把手轻轻搭在对方的肩头，让正在生产的女性紧紧攥住我的胳膊，微笑，说几句贴心的话，倾听对方的畅所欲言，解释，尽力帮助，这就是让我感到最开心的事情。所以呢，在短暂的犹豫之后，我又回到了精神病学的老路上。后来，我选择专攻成瘾医学，这或许是因为《蓝草》在我青春期时留下的记忆吧！

与精神痛苦的相遇

在我专攻精神病学的头几年中，最让人难忘的，就是跟大量深受精神折磨的病患见面。不得不说的是，我初次接触到这些病人，是在一家与精神病学界标志性人物皮内尔（Pinel）同名的医院里，这位先驱人物在1789年之后，解放了当时被强行铐上锁链的“疯子”。他在1809年写道：“精神病患者，远非应受到惩罚的罪人，他们是病人，出于苦难的人性，他们痛苦的状态理应受到各方的关注，而我们应该通过最简单的方式，竭尽所能地去重建他们茫然中的理智。”[1]在我看来，这项工作的动机不言自明！

那以后，跟病人们在一起，让我懂得了语言的作用，它是精神科医生工作中的首要工具。当语言挣脱了疾病缄默的枷锁，并在面对生活的世界开始表达自我时，它就成了解放者。跟病人们在一起，也让我懂得了沉默的重要性，它是信息的载体，必须知道如何破解其中的密码。专业训练让我学会了观察，不是那种我天生就喜欢的观察，当然我也乐于承认自己的确得益于某种识人辨物的警觉。但我想要说的是严谨的临床观察：某种态度、某种行为，双手的握紧、头部的摆动、走路的方式、说话的语气……一整个符号学教育的世界在我面前打开了，一丝不苟的学界大师们都推崇这种教育，因为只有做出准确的诊断，才能找到适合的治疗方法。正是有赖于这样的教导，我才从未低估过任何一种症状，也从未轻视过任何一种病理表现。我总是耐心地查看歇斯底里症转换障碍的病例，这种病往往会被排在急诊的末位；我也会认真地对待缺药的多药滥用者，急诊医生往往会对他们采取踢皮球的态度。那时，作为一名年轻的精神科医生，我学会了如何在不利的条件下找出即刻生效的解决办法。这正合我意——必须迅速而有效。在那段接受训练的时期，我一边研习理论和临床案例，一边培养自己

---

1 Philippe Pinel, *Traité médico-philosophique sur l'aliénation mentale*(1800) accessible sur le site amazon.fr.

的共情能力，因为没有这种能力，就无法成为一名合格的精神科医生。

但是，在这段从医初期的日子里，我也有过不开心的时候。医院里的生活并不容易，肩上的责任很重，而年轻医生有时得不到应有的支持。跟人们的想象相反，精神科医生的世界里规则森严，充斥着繁文缛节和偏见。比如众所周知的所谓精神分析式的不言而喻："你成为精神科医生并非偶然"，也就是说"你有某种问题需要解决"，这种所有人都曾语带嘲讽张口就来的陈词滥调，让我无法忍受。再说了，我也没觉得自己的问题比其他人更多。我的神经兮兮也不比我那些满口指责的同事更严重。在我成为瘾症医生后，这些含沙射影的说法就愈演愈烈了，有些是针对我个人的，有些则是针对我家人的。任何的预后都是有可能的，而某些同行带着起哄心理的表态，我实难苟同，因为我尊重自己的病人，我也了解成瘾的后果。皮埃尔·德普罗日（Pierre Desproges）曾说过："人们可以玩笑一切，但并非可以当着任何人。"人们需要心怀仁慈的对话者。

别处的月亮更圆？

我们的病人中很少有人知道，精神科医生也可能出现困惑和疑问。我自己就曾在生命中的一个关键时期遇到了这样的问题，在那段时间里，我的生活可谓天翻地覆：去了国外，生了孩子，等等。我决定选择不同的人生道路，就好像我需要换一副皮囊，尽管内心深处的某个声音在提醒我，激烈的改变可能会是个错误。我开始学习市场营销，同时继续在医院里从事临床治疗。手拿文凭，我进入了层层包裹的商业世界。我感到了某种解脱，因为新环境中的挑战与治疗病人的重担不可同日而语。在我每个星期前往医院坐诊的时候，我掂量了临床医生这个职业的分量，对自己部分的解脱甚感欣慰。

从目标的层面上来说，企业工作的轻松令我震惊，但这绝不是说从业者的生活也一样轻松。企业是一台名副其实的榨汁机，把人榨到筋疲力尽。办公室里的同事都把我看作是“一位精神科医生”，所以，我很快就成了他们倾诉的对象。从我自己的角度来看，我更是一个各种行为的观察者，本性难移。今天企业世界里的种种态度常常令人疑惑不解，甚至令人感到心中不快。我虽然对此早有了解，但依然深受其害，未能幸免。或许我深受其害的程度没有其他人严重，但我依然感到不公平，我觉得自己没有义务承担某些压力。[1]我心中暗想：“我有另一份事业，一份真正的事业！”就这样，我渐渐地看到了精神病学的另一种可能。于是我选择重新回到精神病学的怀抱，带着与真实经济世界联结的丰富社会阅历，带着一份全情投入

1 Fatma Bouvet de la Maisonneuve, *Le Choix des femmes*, Paris, Odile Jacob, 2011.

的决心，以另一种方式去从事这种职业，重拾实用主义。

选择的自由

我对精神病学的新看法，就是在这几年中形成的，这还要多谢新工作让我不得不拉开的相对距离。离开，会让你意识到自己曾经远离的东西多么难以割舍，而跟病人的联结就让我难以割舍。我以一种不同的方式重塑了对精神病学的想法，这种想法不同于最初接触这门学科时的印象——它远远没有那么刻板。与其他一些日渐老练（年轻的精神科医生们也上岁数了）和心态更为自由的精神科医生的熟识，让我颇受启发。我欣慰地发现，成为一名有能力的精神科医生，完全不需要变成毫无人味、无所不能的机器人。在我还是一名年轻的精神科医生时，我对业界始终都在强调的治疗距离感到十分困惑。反移情，在最好的情况下被视为一种弱点，在最坏的情况下被视为一种错误。但是，我清楚地看到，病人在这种保留中体验到的是怎样一种令人不安的冷漠，尤其是在它以一种笨拙或过度的方式呈现出来的时候。经过这一番追根溯源，我看到了前辈们在表达自己的不确定时展现的那种轻松自如。对于他们来说，这些疑虑所代表的，是改善治疗方法的途径，而不是能力欠佳的不打自招。不得不承认，我有意回避那些把同门相争当成自已职业资本的精神科医生。死守理论，出于私心而挑起争议，却完全不顾及病人，这可不是我的爱好。法国生物学家、诺贝尔奖获得者弗朗索瓦·雅各布（François Jacob）曾写道："最危险的事情，莫过于确信自己是对的。"[1]现在，在给予我启发的同事中，很多人都能做到首先以自己掌握的实践方法为参照，同时也求助于其他的方法。万法归宗并不会让他们感到害怕，从本质上而言，他们在对自己情绪的管理中表现出朴素而真诚的人情味，在寻求临床有效性的过程中，则表现出雷厉风行的实用精神。这种模式很适合我，因为情感的缺位和无所不能，不是我生活的调性。但是，即便我在从事这个职业时追求某种程度的自由，但这种自由与放纵和冒失毫不相关。相反，我一直都是个"乖学生"，并且深深植根于我始终不曾偏离的临床知识，它们构成了我治疗实践的基石。为了获得最佳治疗方案而尽最大可能做出准确的诊断，一直都是我想要达成的目标，这正是我开始执业时学到的。同时，带着相互的尊重把良好的医患关系放在首要位置，始终都是我行医的原则。

我所接受的训练，是人们所称的以神经科学为基础的生物精神病学。不过，在我看来，药物疗法——如果有必要的话——应该与心理和社会跟踪治疗相结合。所以，"精神药物"并非洪水猛兽，因为我知道，开具得法的精神药物对拯救病人

1 François Jacob, *Le Jeu des possibles. Essai sur la diversité du vivant*, Paris, Fayard, 1981.

的生命有多么重要。然而，我还是惊讶地发现，经常会有精神科医师开起药来比参加晚宴的军火商还要浑身不自在，还总拿药物会让人更加疯狂来做挡箭牌！尤其是，我们知道现代医学已经取得了何种进步，如今，我们手上握着数十年研究得来的成果，可以改善病人的生活质量，包括那些情况最糟糕的病人，这种耻于开药的行为就更加不可理喻了。很显然，研究人员和医生可是不太懂得推销自己呢。

职业局限往往体现出个人局限

我这个医生，很清楚自己在他人生活中所扮演的角色，因为当我成为病人的时候，我也总会对治疗我的人满怀期待。我同时会对某个愚蠢行为或错误行为的严重性做出估计。而在我无法做出估计的时候，我就会放手，我不会冒险。当然了，我对自己的“胆小”深感遗憾，但这样做，会让我在面对病人时更加安心。实际上，我们在职业生涯中，对一切都不该轻视。费伦齐（Ferenczi）在《创伤》一书中写道：“因此，在任何情况下，我们都不该把创伤当成是一桩小事——而这正是在面对病人和儿童时常常出现的情况。最终，必须承认的是，我们助人的意愿是有局限性的。”他还写道：“也就是说，病人必须认识到，帮助不能够只来自于外界，他必须调动起自己所剩的可用意愿。”[1]

我们——治疗者，很难接受这一点，这也是病人难以接受的关键一步。但是，也正因为如此，我现在才会在治疗的过程中去尝试接受令人满意、令人失望，甚至有时是徒劳无获的情形。

为了做到这一点，我离开了企业，因为我觉得那是个没有人情味的地方。不过，我之前学会的很多东西，在帮助那些承受着精神痛苦的男男女女时派上了用场。我在这个职业世界里看到了自己的局限，也曾对自己的不适有所表达，但没有得到令人满意的回应。于是，我从自己的渴望和决心中汲取力量，再一次朝着更加符合自己价值观和能力的方向前进。我重操旧业，平静地接受了自己生命中的又一次急转弯，而且没有因此而歇斯底里。这么说吧，这次远离就像是进了减压仓，或许是为了以更好的状态再次出发。

只有做真正想做的事，做真正的自己，才能取得成功

如果说前辈们教会的一切成就了我今天的事业，那么我的病人们就是我日日修行的源泉——关于生活和我们在此间所能

1 Sandor Ferenczi, *Le Traumatisme*, Paris, Petite Bibliothèque Payot, 2006.

扮演角色的修行。每个人都有自己的位置，每个人都有自己的方式，但也有跟他人的相处之道。请你不要把这看作是一种精神病学的思考，这是对一种人类常见态度的推崇：从过往经验中吸取教训，结交能为你打通渴望之路，进而是自由之路的人，这样你就可以去到希望的地方并继续向前。我们无法独自一人达成目标，应该允许自己向他人求教，甚至求助。

在这个匆忙急躁的世界里，超越他人成了金科玉律，即使碾压别人或碾压自己也在所不惜。我们总是急于把自己打造成牢不可破的堡垒，却忘记了卸下盔甲享受片刻的宁静。承认自己的不足和无知，敞开怀抱和心灵，拥抱他人的给予，这就是我可以给你的关于实现自己渴望的建议。我必须承认，能够认识到我所理解的自身之重大不足，而且能够抓住机会表达出这些不足，让我得以在个人生活和职业生活中卸下了重负。这并不是说我彻底解脱了，不是的，因为我相信，没人能够在自己的生活中彻底改变，但我们可以有所改善。自身的缺陷，我接纳它们，逗弄它们，有时还会对它们奚落一番……这些缺陷就好像是我内心隐秘角落里墙上的挂毯，一些心怀不轨的人在看到之后立马会把它们摘下来扔到我脸上。你知道这种人的，他们专戳人的死穴，就像那些操纵狂或是变态狂，或其他一些更甚者，对待这些人绝不能姑息。[1]学会识别这类人很重要，这

---

1 Christophe André, François Lelord, *Comment gérer les personnalités difficiles*, Paris, Odile Jacob, 1996. 本书简体中文版《无处不在的人格》由生活书店2015年出版。

样才能知道如何应对，不会受其所迫而虚与委蛇。至于我，单靠自己是无法做到的，是别人教会了我如何应对，而现在，轮到我去跟自己的病人解释其中的道理了。在生活中，我们大部分精力往往会浪费在想要成为不是自己的那个人上。这是无用而危险的，因为我们真正的本性就像回旋镖，每次扔出去都会最终返回原地。认识到自己的不足会让我们更加坚强，因为这就是事实。这样，就没有人能够让我们慌乱无措了。这样，我们就可以不再背负痛苦的秘密，隐藏秘密的惶惑也不会再啃噬我们的内心，我们也不再会因这种徒劳的努力而扭曲自己的本性。这种敞开心扉的姿态，也会让那些心怀恶意的人哑口无言，因为他们将难以再对我们横加指责。我的很多病人都验证过这种“策略”，并且获得了一定程度上的解脱。就像一则招揽顾客的广告所说的：“做你自己。”话说得聪明，产品不怎么样。至于我嘛，工作时间又长又累人，但我最终接受了无论怎样努力我也无法做到完美的现实。精神科医生这个职业，还让我变得更加谦逊，就像其他跟人类的痛苦有关的职业一样。这些职业就好像生活中捉弄新成员的游戏，每一天都在告诉我们，一切皆有可能，现实往往超乎想象。成为心理医生，让我们不得不保持谦虚，因为每当我们想要速战速决理清错综复杂的沉重历史时，往往会处处碰壁。现实提醒我们，人无法掌控一切。但是，成为心理医生也让我们拥有了希望，因为就在我们觉得已经无计可施的时候，我们的病人却每每做出了令人惊异的改变。生活每天都在提醒我们，它的创造力总会给人意外的惊喜。

个体意愿与社会创痛的关系

无论那些食古不化的中伤者说些什么，我们这个时代都是一个富于知识、改变和进步的时代。我知道，这么说可能会勾起那些恋旧之人的满腹愁肠，但近在眼前的未来很快就会表明，除了搭上时代巨变的列车，他们将别无选择。我们可以通过很多方法成为自己命运的主宰，表达自己的想法，参与塑造这个我们在其中不断演化的社会。这些新方法往往是传统制式的替代品，后者一目了然的缺陷必将引起众人的不满，这就像是对布迪厄（Bourdieu）的回应，他惊异地发现，在面对“信念的自相矛盾”或是“既定秩序，带着它的支配关系，它的权力和优待，它的特权和不公”时，并没有发生更多的逾越，而今，很多人都开始对此做出抗争。于是，他们开始讨论自己关注的问题，并竭尽所能寻找解决之法。如今，最让我深受感动的是，所有我们在治疗室里基于私密和个人的倾诉，很快变成了一种集体性的社会现实。

作为心理医生，我们被要求面带微笑地对一些情形做出解释，而这些情形不一定非得是心理医生才能理解，或者不一定属于心理医生的专业范畴。我们——心理医生——心中明白，那些质问我们的人是想要验证他们的深信不疑，或是期待我们给出某种荒诞不经的解释（这正是人们对心理医生的惯常印象）或起死回生的灵丹妙法。就好像我们意在能够部分地企及他人心灵的工作具有魔法般的神效，或是能够未卜先知。相反，更为严肃地说，我们能够告知公众是哪些现象让这个社会陷入了运转不良，好让大家有所准备。我们有能力成为社会公民的代言人，他们越来越聪明，不愿再压抑自己渴望得到倾听并参与构建自己生活的强烈愿望。

社会的守望者

我们心理医生可以成为拉响警报的人，因为我们拥有察觉新型行为的先机，哪怕这些行为依然处于隐私范围，尚未流入公共生活。我们必须跟其他人一起进行反思，提出更为适合的新模式，以推翻已经变得彻底无用的社会习俗。心理医生往往被低估为次要的资源，只有在紧急情况下才会被召唤。心理医生身为可靠的信息来源，决策者对他们的倾听是远远不够的。如果继续忽视我们这些心理医生的观察和经验，他们只会失去更多，相反，如果予以重视，则会受益无穷。现在，我想要做的，正是尝试在治疗和我至今为止撰写的书籍之间建立起这种联系：深受酗酒问题之苦的女性背负耻辱的十字架，这个问题正变得越来越严重；[1]职业女性的精神压力，责任的不断加重和针对女性的仇视环境带来的后果；[2]又或者众多长期备受煎熬的家庭，家中的孩子深受其苦，他们无法从专业机构那里获得任何帮助、信息和答案。[3]

我们心理医生可以提供很多建议来重整引发各种精神疾病的职场环境。在法国，这类问题早已被验明正身，但却没有采取任何有效的措施。这样，我们就可以对一些简单却危害严重的事实做出解释。比如，就业中心的接待环境是如何严重影响失业者的精神状态，并带来令他们继续无所事事的风险的：缺乏私密性、对失业者的心理状态鲜有尊重……我们还可以证明，乘坐公共交通的时间，反映的不仅仅是城市规划，还有乘客的精神健康：每天在公交车和地铁上耗费四个小时，你如何才能不至崩溃？我们可以警醒世人，年青一代为什么会感觉被抛弃，感觉怀揣梦想却前途渺茫，感觉自己不过是公民选举的配角。我们会纠正这样的观念：夫妻间的暴力行为跟收入水平成反比。我们可以预防孤独引发的悲剧，这些悲剧往往真实地投射出这种你我都会有的难以名状的恐惧，而这种恐惧会在悲

1 Fatma Bouvet de la Maisonneuve, *Les Femmes face à l'alcool. Résister et s'en sortir*, Paris, Odile Jacob, 2010.

2 Fatma Bouvet de la Maisonneuve, *Le Choix des femmes*, Paris, Odile Jacob, 2010.

3 Fatma Bouvet de la Maisonneuve, *Enfants et parents en souffrance. Dyslexie, anxiété scolaire, maladies somatiques...*, Paris, Odile Jacob, 2014.

观和信任缺乏的大环境中持续下去。我们会从不同的角度来讨论移民儿童的痛苦，即便是二代和三代移民，他们在法国依然有找不到家的感觉……

所有这些社会的运转不良，都会表现为心理创伤，它们会形成滋生精神疾病的温床。在面对病人时，我们有时无法察觉任何个人或家庭的易感因素，但却看得到真实存在的痛苦：是社会的创伤促使这些人来向我们求助。所以，通过心理治疗，我们尝试跟病人们一起开垦一块危害没那么大的社会土壤，以便让他们能够实现个人的发展。但是，没有其他社会成员的帮助，我们只能心有余而力不足。

是的，你可以！

今天，法国人似乎感到心灰意冷。他们强烈地感到无法得到抉择者的倾听和理解，而这些为他们做决定的人还在否认现实。看不到抉择者的醒悟，一些人决定采取行动。这种态度很好地体现了当代社会的活力，这种活力赋予我们每一个人一种社会角色。人人各尽所能，积极地改变自己关心的事情。每个人的位置是确定且界限分明的，人们应当清楚地知道自己所处的位置。在英国，我们可以更好地观察到这种个体的责任感。在这个国家，孩子们自幼就伴随着一种信念长大：从加入一个集体那一刻开始，他们就必须参与到这个集体的构建和共同的命运之中。他们学习成为自己的捍卫者，无论发生什么都不会茫然无措。

在法国则相反，在一小撮声称无所不知的精英面前，公民们在表达自己的看法时往往会感觉矮人三分，但我们发现这种错觉正在慢慢消解。我们在治疗中感觉到了这种变化。自由的表达会带来个体的崛起，这种崛起令我们的病人走出了他们所描述的孤立无援，因为他们至此在困境中得到的唯一回应，就是机构的不闻不问。我相信，这种源自痛苦之人的崭新的公民态度，有可能最终与他们邻里亲朋的期待殊途同归。这样的情况在生活中时有发生：在个人的崛起之后，“幸存者”抗争的力量将令那些受影响最小、最不积极的人获益。

与此同时，我们还应该邀请社会科学界人士加入到我们已经着手开始的很多工作中来。我想到的当然是哲学界和社会学界。但还应该想到社会心理学这样理应重新获得重视的横向学科。因为在今天，经济学的豪言壮语已然词穷，而我们渴望听到有关人的讨论，因为我们所有人都面临社会归属感的重大问题。更好地了解社会与个体之间的相互影响乃是当务之急。我们不能再一味地躲避而不去正视这个个人饱受创伤的社会的结构。这项工作需要那些希望纠正扰乱自己生活的失常与错乱的人参与其中。实际上，越来越多这样的人已经意识到，自己的个人经历触及一个更加广泛的层面，因此应该共同采取行动，以期获得改变。在今天这个时代，这一点是可以做到的，因为这是一个交流变得更加便捷的时代，或许民主会朝着这个方向发展。解决之道在很大程度上依赖于公民，而这场政治“变革”将对公共健康产生深远的影响，否则的话，我们将得不偿失。或许，透过这面多棱镜，“预防”将不再是一句空话。我们应该心怀希望，相信在这个人们不知如何携手共进的国家里，依然有足够多的头脑清醒之人能够洞悉它的状况。

我们每个人都有基于自己职业要去扮演的角色，无论是什么样的职业。我们中的每一个人都可以各司其职，为创建更好的社会出一份力。

那些走出困境的男人和女人们，都是努力成为自己命运参与者的人。只有参与到集体之中，事件才会具有意义，而只有倾其所愿不再重蹈覆辙，痛苦才会退却。现在，这些人懂得了关键所在，是在尽量避免冲突的情况下，所有的人携手共渡难关。说到底，就像塞内卡（Sénèque）说的：“生活就像一出戏，最重要的，不是这出戏持续了多久……而是这出戏演得够不够好。”[1]

1 Sénèque, *Lettres à Lucilius*, Paris, Mille et Une Nuit, 2002.

第五章

索菲的选择

Le choix de Sophie

索菲·舍瓦尔（Sophie Cheval）

能力不足的感觉和对失败的恐惧，成了我人生道路上的伙伴。以前，这种感觉和恐惧只有在参加数学考试之前才会出现（“我永远也无法做到，我是个一无是处的人”），如今却时时被内心永不消逝的电波轻轻吟唱出来，而且会在参加考试或比赛的前夜响彻心扉。

创造属于你的机会/紧握属于你的幸福，并朝着风险而去/看着你的样子，他们终会习以为常。

——勒内·夏尔（René Char）

您或许每天都会有这样的体验：在寻找问题的答案时，我们的大脑是一台特别具有创造力的强大机器……这些问题涉及从未出现过的情况（“如果……，会怎么样呢？”），或许是永远也不会出现的情况（“要是……，我该怎么办呢？”）。

您肯定还注意到了，我们的大脑拥有一种特殊的才能——寻找因果关系（“为什么/因为”）。这种我们用来尝试在种种事件、现象或情形之间建立起一种因果关联的思维活动，构成了我们对这个世界的理解和我们对这个世界做出反应的基础。寻找因果关系，是我们解读身边环境最为直觉的方式。

赖于这个如此擅长创造、天性热衷捕捉因果关系的大脑，我可以给“为什么”我成了心理医生这个问题找出一千个答案。用来回答这个“为什么”的以“因为”开头的句子，大概数也数不清：我成了心理医生，是“因为”我的家庭历史；“因为”我的教育经历；“因为”遇到了一些人……

而那些熟悉我的人（家人、朋友、同事），他们中每一个人，都有可能找到很多用来补充说明我为什么成了心理医生的“因为”。

老实说，即便是那些不认识我的人，也可能对此提出各种各样的假设。就比如您吧！请您花一点儿时间把这个句子补充完整：“她成了心理医生，因为……”闭上眼睛，思考几秒钟。好啦，我敢肯定，就算您从来没有见过我，也肯定已经找到了至少一种把这个句子补充完整的方法。

一句话，潜在的“因为”无穷无尽！

抛开“为什么”

我们捕捉因果关系思维猎手的美妙的创造力，体现了一种巨大的优势：它可以让我们为那些我们希望、需要，并对我们有益和有用的事物具有意义。

比如，“家庭历史的影响让我选择了做心理医生”这种想法，或许对我来说是有用而舒适的。设想我成了心理医生是“因为”我的祖父母、父母曾有过痛苦的经历，可以给我一种心怀怜悯与自己家人产生联结的感觉，或是激发我的满足感，因为我经受住了帮助家人缓解痛苦的考验。

但我们寻找因果关系的偏好也有另外的一面。它有时会把我们局限在一种因果的决定论中，从而阻碍我们前进的步伐。比如，很难想象诸如“我永远也不会幸福，因为父亲不爱我”，或是“我的人生一败涂地，因为我的童年不幸福”这样的想法，会对筑造令人满意的生活有什么裨益。

在心理学的世界里，“为什么”常常会把我们带进死胡同。在任何情况下（无论被证实是对我们有益或是无益的），大脑针对我们的“为什么”所提出的因果关系，都会因为太过含糊其辞而无法被证实或被反驳。我们很难以科学的方法去验证这些因果关系，虽然我们可以用无可辩驳的方式证实一种假设：一块窗玻璃碎了是“因为”有个坏小子朝它扔了块石头。因为从科学的角度并无法确定这些假定的因果关系是真的还是假的，所以我就可以自由地做出选择了。我可以选择列入那些对我有利、可以帮助我朝着重要目标前进的因果关系；我也完全可以选择排除那些如壁垒一般阻挡在我和自己内心憧憬之间的因果关系。

那么，您就会对我说了（我听到您的大脑在奋力运转了），如果抛开那些“为什么”，又有什么替代物可以令我们的生活具有意义，可以帮助我们朝着重要的目标前行呢？就像杂志里写的：“什么才是正确的问题？”

经过一个世纪的演进发展，心理学提出了一种对理解人类行为做出了巨大贡献的选择命题：这种命题从“为什么”过渡到了“如何”。这种方法可以阐明我们过去的经历对现在行为产生影响的机制，能够辨别出我们可以用来改变自己行为的机制。我也希望您在这里听过我“如何”成了心理医生的故事之后，也能借助这种方法去更好地理解自己行为的某些运行机制，并实现自己所渴望的改变。

人们往往会把成为心理医生这样一个事实，描绘成某种使命的圆满完成，甚至是某种顿悟的产物：在我而言，我会把它设想为不断学习的成果，在特殊背景下的相互影响中进行的学习。我成为心理医生的一个特点，就是“大器晚成”。我是在走出了一条铺好的职业道路之后，才开始这第二段职业生涯的。在第一条道路上，我最初是跟着别人走的。跟很多人一样，在很长一段时间之内，我所做的事情都是我之前学会去做的，有时候甚至忘了问问自己，我会做的事情和我想做的事情是否有任何的共通之处。

做个“好学生”

小的时候，学校是我和家人的主阵地。因为我的父母都是老师，在我家，早上，所有人都要去学校；晚上，所有人都要做功课。父母一心想着怎么做个“好老师”，他们满腔热情地投入自己的工作，在家里经常谈论学校的事情。我们姊妹几个心照不宣地形成了一种共识：做“好学生”很重要。我们对上课和做功课是真的感兴趣和喜欢（如果把数学排除在外的话——就像很多“文科生”一样，数字是我们姊妹几个的噩梦）。有一个我觉得很可笑的问题，倒是从没有人问过我，但我却常常在别人那里听到：“你好好做功课了吗？”同样的还有：“你得高分了吗？”听起来合情合理，确实，至少在刚刚开始上学的时候，往往只需要好好做功课就能得到高分。

对我的父母来说，学校，还有学业，是非常重要的事情，乃至成了他们自己生活中具有决定性作用的构成元素：他们正是通过学习的途径，经过一路抗争（我至今仍对此欣赏有加），才得以构建出自己稳定的生活，并在混乱而痛苦的家庭背景中实现了个人的发展。我能够理解，他们希望自己的女儿们能够踏上自己实践过的道路（通过学习，实现个人的发展），并拥有不必像他们那样一路艰辛就可以达成目标的机会。

如果“把镜头拉远一点”，跳出我的家庭小圈子，大背景对我大学专业的选择也产生了影响。

在我念中学的时候，国民教育的目标变成了“让班上80%的学生能够通过高中会考”，这就导致“好学生”的标准提高了。“通过中学毕业会考”（就像我父母那辈人所说的），已经不再是优等生的标志，对于最好的学生来说，成功的口令变成了“先拿到博士文凭吧”！而且，最好还是在实行淘汰制的学校（精英学校），而不是普通的大学。在那个年代，高等文凭似乎依然是对抗就业市场风云莫测的护身符。这些因素促使我父亲坚定不移地认为，我生来就应该就读政治学院（Sciences Po）这样的名校，或者说政治学院这样的名校理应让我去念。

我自己呢，因为忙于做“好学生”，所以并没有什么职业规划。一路走来，童年的梦想（成为舞蹈家）、青春期的梦想（成为麦当娜）、一时兴起（到酒吧工作）或是受女性朋友们影响而产生的念头（成为律师），我都不曾有过什么实现它们的想法。再者，父亲对我能力的认可让我获得了一种满足感，而且我当时也渴望能够让他开心，完成他曾经梦想过的学业（他一直都遗憾自己没能就读政治学院），让他通过为我感到骄傲而得到满足。因此，我一门心思想着怎么去完成他为我制定的计划——以优异的成绩通过高中会考，进入精英学校的文科预备班，就读培养高级管理人才的政治学院。

然而，虽然这毫无疑问是一条“好学生”专属的道路，但痛苦的体验告诉我，这种成为“好学生”的必要条件已经不足了。在我此前人生的每一个阶段，都要经过某个淘汰进阶的考试，每一次通过考试之后，我都会发现身边全都是成功走过独木桥的“尖子生”。在这些能人之中，“好学生”的概念变得越来越相对化了！追逐始终做个“好学生”的目标变得难上加难，而且，如果某些科目真的让我兴致百倍，那么另一些科目则会让我深恶痛疾。在这种竞争超级激烈的新环境中，我看待学习的角度，慢慢地从乐趣转向了成绩。能力不足的感觉和对失败的恐惧，成了我人生道路上的伙伴。以前，这种感觉和恐惧只有在参加数学考试之前才会出现（“我永远也无法做到，我是个一无是处的人”），如今却时时被内心永不消逝的电波轻轻吟唱出来，而且会在参加考试或比赛的前夜响彻心扉。

而当我的大脑没有连接到“成绩电波”的频道时，它就会跟我开讲“冒牌货”的故事！在政治学院里，其他人都沉醉在学业之中，或者憧憬着某个明确的职业——他们很清楚自己在学校里所做的事情。而我呢，我依然对“等我长大之后”要做什么毫无头绪，而我的憧憬则不停地遭到打击。选择我感兴趣的专业方向（借助社会学去理解人类的行为）成了不可能的选项，这可不是用来备战行政考试的科目。我对自己说，可以进入医院的管理层，并通过自己的作为来改善病人的治疗条件。（我小的时候经常入院接受治疗，对这个问题非常敏感。）可惜我考了三次也没能通过这个高难度的考试。我感觉自己就像躲在天鹅阴影下的丑小鸭，丑小鸭趔趄扑水，天鹅则优雅地游向光明的彼岸。

我感到羞愧难当，自己默默地承受了一切。我费尽力气做出一副潇洒从容的样子，好让父母（我害怕让他们失望或担心）、朋友（我害怕失去他们的尊重和友情）不会对我的状态起疑心。

我尝试用不同的方法来应对这种情形，但没有一种发挥了作用。

我惯常的策略（拼命地学习）变得步履维艰，我对几门科目的兴趣也消失不见了。比如，我记得自己曾经傻乎乎地去死记硬背一门关于地对地导弹的科目，我当时以为这个名字不过是一种语言上的约定俗成。对我而言，这些导弹完全可以叫作咪-咪，发-发，或者哆-哆！今天，这段回忆让我忍俊不禁，但在当年，当我发现自己误解了这一切时（当然了，我的考试分数也相当糟糕），我简直感到生不如死。

反其道而行之的策略也没能奏效。我试着把大部分精力用在玩上，想着这样就可以避免去想自己对失败的恐惧、对能力不足的担忧和看到恐惧和担忧反复出现的灰心丧气。短期效应不可否认，我终于可以找点乐子，轻松一下了！而长期的不便也无可争辩：对待功课和考试临时抱佛脚的态度，只能加剧这些负面情绪，直到让自己陷入一种我至今难忘的恐慌状态。（另外，这种策略还会带来一种附加后果：我考砸了，不得不参加补考，这是身为“好学生”最大的耻辱！）

唯一奏效的，或许是我从来不曾考虑过的策略——寻求帮助！我很庆幸自己有一帮可爱的朋友（尤其是合租房的几个朋友），但是，在这群如此优秀、无须努力就能轻易成功的人身边，我无法坦然面对自己的不足和困境。如今我才清楚地意识到，就是这个“但是”（一个词，就一个词，两个字！）让我把自己卡在了死胡同里，对求助的出口视而不见，而那个出口就在我的眼前。

转变想法

在经历了其他一些失败和后来的很多波折之后，我终于进入了一所精英学校工作。这所学校刚刚设立了国际关系处，我负责为它制定国际策略和学生的交流政策。

这个工作让我重新与自己能够做或喜欢做的事情建立了联系：说英语，协同工作，展现创造力，学会与不同的人打交道，学习和体验新事物，解决困难……我们实行的措施效果颇丰，我收到了很多来自同事的正面反馈。在这样一种能够让人施展才干的氛围中，如果说我的“成绩电波”依然没有关闭，那它也已经渐渐变弱了，而那只丑小鸭，又有了一段糟糕的回忆。

是的，但是！（因为肯定有个“但是”，如果没有这个“但是”，我也不会写下这篇文字了，不是吗？）两年之后，我陷入了一种极大的困惑之中：好像缺了点什么东西，我并没有自我实现的感觉。在用心聆听了自己真正的兴趣所在之后，我发现自己真正渴望的，是了解人类的行为。我终于明白，我对阅读的热爱和“对他人的兴趣”，从青春期开始就滋养着我的梦想，这些梦想最终指向的是心理医生的道路。

哎呀呀！这个想法在我的脑中一出现，就再也挥之不去。我不断地问自己，“如何”才能去实现它。

于是，我找到了一所巴黎的大学，那里可以提供心理学的远程教育课程，这样我就可以一边上学一边工作了！我当即就决定注册，读一年级。

在这种情况下，“如何”（如何做？如何能行？）成了我的核心要务。在这所大学里，入学不再需要淘汰制考试：晋级考试每年年末举行一次。于是，我采取了一种从未尝试过的策略：鉴于无法预知自己是否能成功过关，我通过每个阶段的测试，一步一步向前走。这个办法“奏效”了，也就是说，既“发挥了作用”也“适合我”——对于实现目标是具有操作性的，而且跟我的个性是相符的，对于我来说是具有意义的。

或许，就是这种方法让我选择了一种关于“如何”的心理学，一种指向过程的、具有科学性和实验性的心理学，而非一种关于“为什么”的心理学，一种专注于寻找因果关系和阐释含义的心理学。

出乎意料的是，我感到这段全新的学习经历，似乎跟我之前的学习经历一样地考验人，一样漫长，只是方式完全不同。所以，虽然我把所有的空余时间（夜晚——我经常熬夜、周末、公休日、假期）都用在了学习上，但却感到了从未有过的解脱。无法预估是否能念完所有的课程，而且最终获得文凭可能要花很长时间，在这种情况下，我全心全意、饱含热情、着眼当下地体验着这段学习经历，连我自己都惊异于自己能够在每个阶段成功晋级，并且找回了在之前的经历中受损的天分。

如果说从前的学习经历教会了我如何高效地工作，那么我全新的思维状态则促成了所有的转变：我不仅被课程深深地吸引，而且更重要的是，需要完成的工作拥有了更高的目标，一种对我而言具有了意义的终极目标。我学习的一切让我越来越了解人类的运转模式，而这种了解（或许有一天）可以让我用来帮助那些饱受精神痛苦折磨的人。这种动力随着每一年我成功地通过考试而不断加强，我进入了一种不断给予自我能量的良性循环。这种能量让我能够在其他的事务之外投入到行为与认知疗法的专业方向之中。

在九年的时间里，我带着无比坚定的信念奋力工作，这让周围的人对我刮目相看。以前，我是那么害怕自己会让人失望，而今，我却淹没在一片赞赏之声中。当然了，所有这些赞许都令人深感惬意，而我也能以超脱的心态去拥抱所有他人对我做成之事的评价（包括那些最为善意的评价），因为得到他人的正面评价已经不再是我所追求的目标了。我甚至在面对这种欣赏时会感到有点儿不自在，因为我只是感觉自己“唱对了调”（就像人们说到音乐会时使用的字眼），与我的憧憬琴瑟和鸣。反过来，我尽情地体味着亲朋好友们的鼓励和支持，他们是我能够坚持不懈的力量之源。他们中的很多人都把我的选择理解为理所应当之事，所有的人从一开始就成了我敢于放手去做的坚强后盾。父亲（在过了深感意外的阶段之后）是我后援大军里的中坚分子。我的上司真诚地对我的决定表现出极大的尊重，甚至允许我在实习和考试期间对工作时间做出调整。

如果说我为了完成职业上的转向而付出了艰苦的努力，那么我能够达成自己的目标还要感谢身边人的支持、帮助和鼓励（他们也曾对我的所作所为吃惊不已）。对于他们，我将永远心怀感激。

以积极的目标为行动方向

当然了，在这一过程中，压力也是如影随形。从一开始我就很清楚，在注册的一年级学生中，只有10%的人最终能够获得临床硕士文凭，有了这个文凭才能在公立机构或私人诊所从事心理医生的职业。但我在面对这种高淘汰率时所感到的压力也同样发生了转变，它不再像是一种对能力不足的担忧，而更像是一种朝着我热切渴望想要达成的目标延展的张力。在此之前，我的行为一直都是以一种消极的目标（不能失败）唯马首是瞻；而现在，我的行动方向变成了一种积极的目标（将某个计划进行下去）。我的目的不再是逃避失败，而是朝着自己在意的方向前进。通过走出自己的道路，我的逃避变成了接近，整个过程变得全然不同了。

然而，“成绩电波”和丑小鸭的故事并没有完全消失不见，它们有时非要来拜访我。直到今天依然如此。它们不期而至来得多了，我发现自己能够在它们造访的时候跟它们四手联弹，而不是一味地想要驱逐它们，这样让我节省了宝贵的精力。我不再期待它们会一劳永逸地消失，而是以不同的方式去审视它们。以前，它们的出现在我看来都是消极的，因为我把它们看作是失败的预兆，跟我的“好学生”身份水火不容。现在，我把它们看作是自己心理医生工作不可分割的一部分：警惕它们的能力，质疑它们的作用，把它们与经验更为丰富的同事的“成绩电波”和丑小鸭的故事进行比较。可别以为我偷窥了他人的隐私，这些都写在职位描述里了。所有这些都不是“随性而至”，除非是把心理医生的职业与精神领袖的角色混为一谈。

改变就是提升

谚语有云：“熟能生巧。”同样地，成为心理医生，光说两句空话是行不通的，必须经过不断的专业实践。

当然了，我在学生时期的心理学临床实习过程中扮演了重要的角色。但是，就像所有我们在不同生活领域中实现的改变一样，换工作是通过加法，而非减法来完成的。因为我们的大脑没有“删除”键，掌握新的技能并不会抹去我们之前拥有的技能。相反，心理医生-心理治疗师的培训经历，甚至令某些我在之前不同环境中获得的能力更加职业化了。

从时间上来讲，家庭是我们的首要学习环境。我们在这个环境中浸淫了足够长的时间，通过对亲人的观察和模仿，并经过不断重复，令我们的所学得以巩固。对我而言，在家庭环境中的所学所获，对我“准”心理医生的能力产生了最直接影响的，当属对情绪和关系的学习。

我母亲的家庭具有鲜明的部族特征，成员之间的情感连接非常紧密，注重分享。家人之间时常交谈，交流中包含情绪：大家会相互表达对彼此的依恋，会在亲人离去时一同哭泣，也会以同样强烈的表达程度一同欢笑。我父亲则来自一个较为沉默寡言的家庭，天性中不是那么倾向于情感的表达。成为我母亲这边热情和睦大家庭中的一员，对于他来说，犹如获得了安慰和打开自我的源泉，与此同时，他也不得不学会去适应这种依恋和情绪（在他的家庭中完全通过沉默来表达）占据着核心位置的氛围。

成长在这样的家庭环境中，不仅让我学会了如何去识别、表达和分享不同的情绪，也让我学会了如何去体验和表达共情。通过体验父母亲各自家庭迥然不同的运转模式，我也得以观察到这些运转模式对关系质量产生的影响。通过父亲的变化，我还发现，无论什么样的年纪，在面对不同于自己习以为常之旧环境的新环境时，都有可能采取新的行为方式。

在大学国际关系处的工作，也让我获得了一些有助于开展心理医生工作的技能。实际上，在学习心理学的过程中，我渐渐地把自己的工作定位转变为注重为学生提供个人化的陪伴。我每天的工作变成了一个接一个的私人会面，在会面期间，我帮助学生去确定他们想要实现的职业目标，帮助他们规划为了达成这一目标的交流计划，并一步一步地完成。大多数学生都会出自本能地想要去满足未来雇主的期望（往往是假设的，而且总在不停地变化），而不是追随自己心中的真正所爱。因此，学生们会陷入进退两难的境地，任何一个选项都无法真正令他们感到信服……就像当年那个就读政治学院的我。因为我自己就曾有过这种转变想法的经历，所以我告诉他们，不妨去倾听自己的渴望，大胆地去尝试，看看这条路是否会令自己更加满意，会让自己收获更多。

而我今天所从事的职业，跟这份工作并没有太大的区别。当然了，我接诊的每一位病人都有自己独特的经历，而且往往跟我的经历大不相同。但治疗工作本身，又表现出一种恒定的特征：每一个个体的痛苦都会伴随改变的期待，而我的角色就在于帮助每个人去确定他们想要去往的方向，并找出可以实现他们期待的“如何”。如果说治疗的内容处于无尽的变化之中，那么治疗的过程则始终如一。

每一次的治疗都意味着了解新的运转方式，再加上业已存在的运转方式，就会大大拓宽我对行为的了解程度，从而得以掌握更多的策略选项，以应对情形的变化莫测。

改变，随时随地！

令我成为今天这样的心理医生的历程，就好像我们在游戏绘本里看到的儿童绘画。把所有的点连起来之后，就会得到最终的图画（“啊，是一匹马！”）。在我最终决定描绘属于自己的图画（而不是照搬我父亲出于好意为我精心设计的模型）时，我无法知道最终的画面会是什么样子的。我把这些点一个一个地找出来，然后全身心地专注于把它们连起来，无论最终会得到什么样的图画，只要这图画是我画的就足够了。

我在重读这个段落时，突然想到一个文字游戏：对我来说，成为心理医生就像一个目标（某项个人计划的执行），而非人们有时所想象的那种命运（某种天意或命数的实现）。当然了，这幅图画（目标）还远未完成。[1]新的连接点在不断出现，我可以选择（或不）把它们连成我心理医生的图画。就像伟大的西蒙娜·德·波伏娃（Simone de Beauvoir）关于女性提出的著名观点，同样，心理医生不是生下来就是心理医生，而是

1 此句中的“目标”“命运”和“图画”三个词在法语中发音相同。——译者注

后来才变成了心理医生。而在我看来，这个目标永远也不会枯竭，我们一直都走在成为自己想要成为的心理医生的路上。

于我而言，帮助他人构建自己想要的生活，在我心里占据着不可取代的地位，但其他的价值观也是我目标的构成部分。比如，其中之一就是，普及心理医生这项职业赖以为生的专业技能。而完成这种知识传递的方式有千百万种——独自完成，或跟志同道合的同事携手完成，我还可以写书、培训、授课、举办讲座、接受采访……对于其他令我在这个职业中获得满足感的价值观，那些“有效成分”，也是如此——分享、相遇、协作、探索、学习、构建、创造……

对于自己所做的事情，我是越做越爱，越爱越做！朝着自己在意的目标前进，让我更加确定什么才是最重要的，甚至让我能够越来越满足自己内心深处的需求，并构建出真正令自己感到心满意足的生活。

从这一点上来说，心理医生的图画（目标）仅仅代表了我生活的一部分。成为心理医生这个事实，并不能概括我的身份，我还需要在其他的个人维度中达成目标。我对其他的领域也深感好奇，我也从其他的源泉中汲取力量。

在心理医生这个角色中站稳了脚跟，我的脑中不禁浮现出这样一个事实：为了成为心理医生，我表现出了极大的热情和强烈的意愿，而我同样想去体验很多被我放在次要位置上的事情，这也是为了实行我的职业计划。我仍需要学习适应新的环境，从今往后，我不再处于一边做着一份全职工作（或两份，在我开始做心理医生时），一边不断继续学业的状态了。忽然之间，我再次拥有了工作之外的空余时间。

您不会对此感到惊讶的，学会闲游乱逛、尽情享受和无所事事，也不是件容易的事。我终于可以自由支配自己的空闲时间了，甚至可以去浪费这些时间，这对我来说绝对是破天荒的第一次！去做工作之外的事情，或者什么也不做，这种能力，是我多年来不曾有机会去实践的。所以呢，我今后要专心致志地去发展这些自己并不熟悉的能力……

我们生活的环境无时不在变化，我们也因此无时不在改变。“我们想要的生活”并非一成不变。这种生活在演进，在变化，也因此推动着我们去体验新鲜的事物。每当环境发生了改变（在令人高兴或令人难过的事件的影响下），我们就会随之去验证对自己行之有效的运转方式，有时还会通过试错，或通过运用在过往环境中的收获，去学习“如何”用适合自己的方式适应新的环境。

改变，并不是抹杀过去，而是增添新意，开拓可能，扩展我们的体验。

第六章

想象西西弗的幸福

克洛德·佩内（Claude Penet）

我小时候曾经在杂志上看到过一个系列文章的标题——《你认识的最了不起的人物》，现在想起来就像是一个萦绕在心间的问题。我每次想到这个问题，脑海中就会浮现出父亲的样子。倒不是因为他完成了什么超乎寻常的壮举，而是因为他体现出了一种令我深受触动的人道主义情怀。

Imaginer Sisyphe heureux

一段生活的故事，尤其是自己的生活，可以被看作是作者在书写那段故事时寻找某种意义的尝试。对事实、经历、感受、人物的理解，取决于根据写作时的愿景而选择的各种关联。在本文中，这个故事涉及我最初选择成为心理医生的种种不相关的因素，以及促成了某种水到渠成的后天因素。这些构成因素促成了步骤、方法、实践和前景的改变。它们或许在我幼年时期就已萌芽，只是在适合的有利条件下（点燃星星之火的相遇和事件）才表现了出来。

通过对整体特征的描述来阐述我们是谁，就构成了一个犹如万花筒般变化莫测的大杂烩。这是纯粹的偶然，因为基于同样的事实、经历、感受和人物，如果换个时间，故事就会不同。所以，接下来发生的事情，自然就只会像是一部小说，没有任何其他的意图。

阿尔贝·加缪的《西西弗的神话》[1]，是这篇文字的阿里阿德涅之线。在希腊神话中，西西弗因为揭发宙斯掳走河神女儿的秘密而触怒了宙斯，被罚将一块岩石推到高山上，但每次岩石抵达山顶就会滚落下来，周而复始，永世不绝。加缪借用这个神话来讽喻人类境况的荒谬：人类的命运，在本质上真的和西西弗的命运有所区别吗？加缪，这个作家在我生命中不同的阶段、不同的情况下，总令我感到大开眼界，而现在，他更是成了令我感触最深的人。他向世人宣告的信念深得我心："应该认为，西西弗是幸福的。"但如何才能做到这一点呢？

戈尔兹养老院

从童年到青春期，为了享受乡下的绮丽风光，每逢学校放假，我都会离开巴黎，去外祖母居住的洛林小村——戈尔兹（Gorze）待一阵子。我住的地方紧挨着戈尔兹养老院，养老院里住着上了岁数的老人，还有医院和精神病院觉得不再需要"积极"治疗，不愿再收留的残障人士。在我的记忆中，这幢巨大的砖石建筑毗邻一座12世纪洛林地区哥特式风格的教堂；

1 Albert Camus, *Le Mythe de Sisyphe*, Paris, Gallimard, «Folio», 1985.

我一直觉得它是村里所有建筑物中最出挑的一座，仿佛它就是小村的心脏。每次想起这间养老院，我的心中就会涌起敬畏之情，同时又会矛盾地觉得它散发出一种仁慈亲切的气息。

跟养老院里“无望之人”的相遇和受人排斥的体会，催生出了我的一种使命感。

跟那些不幸之人在感情上自然而然地亲近，在我心底形成了一种同舟共济和人道关怀的感觉。我亲见了照顾者无私的奉献精神，但也体会到被照顾者内心的哀伤。我常常会想到加缪收录在短篇小说集《流放与王国》[1]中的短篇小说《约拿斯或工作中的艺术家》(*Jonas ou l'artiste au travail*)，因为文中描述了团结与孤独之间模糊的界限（在纯白的画布上，神志不清的艺术家只写了一个小小的词语，大致看得清，但无法确定写的是“孤独”还是“团结”[2]）。但占据核心位置的，还是归属感。我真正体会到这一点，是在一家精神病院做见习医生的第一天。当天，我正跟病人们安静地玩着勃洛特纸牌，发现自己是大厅里唯一的见习生，其他同学都更愿意待在员工专用的办公室里翻看资料。后来他们才跟我吐露，到这种地方让他们感到很害怕。来这里实习是我主动要求的，而其他学生则是通过抽签被指派来的。

---

1 Albert Camus, *L'Exil et le Royaume*, Paris, Gallimard, «Folio», 1972.

2 在法语中，“solitaire”为“孤独”之意，“solidaire”为“团结”之意，仅“t”与“d”之区别，故“无法确定写的是‘孤独’还是‘团结’”。——译者注除了这种融入的体验，在精神病学对我的吸引之中还混杂着一种排斥感。夏天在戈尔兹度假的时候，有一次我跟伙伴们出去闲逛，我们一直走到了邻近的一个村子，我不大记得当时的具体情形了，当地的几个孩子冲着我们破口大骂，最后还轻蔑地喊道："你们比养老院里的疯子还要疯！"

我因而感到了一种持续了很长时间的双重排斥：身在一群机灵的乡下孩子中的蠢笨巴黎人和"比疯子还要疯"的疯子。

两段童年回忆

我不大记得当时自己几岁（十二岁或者十四岁），我经历了两种不同的体验，一个体验系于未来，另一个则没有任何时间性可言。

那年，我像往常那样在外祖母家里过暑假。我的一位姨妈答应在假期里寄一台相机给我做生日礼物。于是，我每天都在家门口等待送信的邮递员。从早上睁开双眼那一刻起，我就躁动不安，随着送信时间的接近心里愈发激动不已，可每天等来的只有越来越大的失望。然后，我开始不停地猜想是什么原因导致包裹迟迟不到，我的期待如此强烈，以至于几乎坚信包裹第二天一定会到；于是，除了等待，我一整天都在幻想拿到包裹之后可以拍下的照片。相机从没有出现过，不过有一件事可以肯定，我成功地毁掉了那一年的暑假。

第二个体验，是在2001年9月经历的，还是在外祖母家里。那是一个清晨，我也不知道为什么自己一大早就跑了出去。屋外非常冷，草木和外墙上都覆盖着白霜。天空透着一种红光微露的淡蓝色，那颜色既惨淡又强烈。我望着天空，忽然生出一种被汪洋大海包围的感觉，全然忘记了自我，一瞬间就与眼前的这片空寂融为了一体，看的人消失不见了，只剩下看到的一切。这是我记忆中的感觉，但我用来描述这种体验的词语，是现在写下这些文字时想到的。

如今，这第二个体验中自我消融的感觉让我无法自拔，一如在第一个体验中极度想要掌控却无法触及现实的那种自艾自怜。

加缪，播种有益身心的怀疑

我在少年时代对加缪作品的理解不同于今时今日，我那时把他当成了一位存在主义哲学家，并没有理解他那种独树一帜的姿态，这种如今让我心悦诚服的姿态令加缪宣告道：“我不是哲学家。我对理性的信仰不够坚定，以至于无法信赖任何体系。”实际上，正是因为我没完全读懂加缪，才会把他当成是跟马克思或萨特一样的思想家。退开一步去看，我觉得加缪不动声色地播种下几分有益身心的怀疑。没有这种怀疑，我可能会（谁知道呢？）走向激进主义或成为死硬派。在我看来，加缪的思想精华都浓缩在《西西弗的神话》中："人需要面对非理性，而在内心深处，人渴望幸福和理性，这种人类需求和世界非理性沉默之间的对峙，就诞生了荒谬。"

缺点变成优点

只有退开一步，有时需要退开很多步，种种的困难、谬误和痛苦，才能成为前行的向导。在逆境中最为痛苦的时刻，需要拥有极高的智慧，才能看到成长的机会。往往在悲恸过后，精神上的丰饶才会露出真容。就像莱昂纳德·科恩（Leonard Cohen）在一首悠扬的歌中唱到的："万物皆有裂痕，那是光照进来的地方。"

为了更好地阐释这种隐喻，我就来说说自己的几个缺点（最严重的缺点还是留给我的治疗师吧），并尝试将其与一些可能的品质联系起来。

我在前文中已经描述过那种被排斥的感觉（身在一群狡黠的乡下孩子中的进出精神病院蠢笨巴黎人，而且还是个像是"温室花朵"的独生子），而尽可能掌控一切的渴望，肯定是源于对获得认可的持续需求和强烈的无力感。还有因为对自己个人经验的不信任，导致总是不可抑制地想要求助于“书中所写”。我清楚地记得自己是怎么意识到这种迫切需要是无用的。当时，我正从预后的角度跟科室上司谈论一位病人，我把一本精神病教材中的结论作为自己的依据。上司冲我说了一句：“那又怎样？”我带着一种愤愤不平的天真反驳道：“可……书上是这么写的呀！”话一出口，我就不禁为自己论断的荒唐至极而哑然失笑，我的脑中就好像灵光一现：我们可以质疑书中所写的，无论是否具有科学性，这么做甚至是大有裨益的！

作为自我批评的结语，我承认了自己“总要占理”的固执（而且与缺乏自信的事实相悖）念头。而当这种执念遭到所爱或所敬之人的打击时，就会表现为一种痛苦。禅宗有一句格言“无我，无烦恼！”（No self, no problem!）用在这里最适合不过了。

当我不必面对这些缺点造成的情绪风暴时，就会生出一些让自己感触颇深的倾向。我愿意相信那是源于自己缺点的优点，那就是体贴、谦逊和坦率。体贴有助于获得令人渴求的融入和归属。坦率代表着可以缓和固执己见的有益怀疑。我并非是在自夸自己的这些品质，我只是在说它们给了我启发，指引了我前行的方向。因此，司空见惯的缺点也可以变成独一无二的优点……

认识西西弗

在我最早治疗的病人中，有一位正经历严重抑郁期，他把自己承受的痛苦比作西西弗遭受的惩罚。无论他怎么尝试，无论他做些什么，都改变不了他自己眼中暗无前路的未来。“坚持没有任何意义！”这是经过验证的“习得性无助”，马丁·赛利格曼（Martin Seligman）将其描述为抑郁过程中的核心。渐进式的内省，可以让病人明白渴望、期待和现实之间的差距。心理治疗工作的本质，就在于帮助病人懂得，他自己是唯一能够调整这种差距的人——不是去否认现实，而是去转变期待。

如何将这种被动（习得性、受限）的无助转变为“不顾一切去幸福”，转变为“那就这样吧”呢？这个问题萌生于我执业的初期阶段，并一直让我绞尽脑汁。现在，我觉得一切都已不言自明，这个问题就是最紧要的关键所在，而且每个人都应该敢于去寻找自己的出口。

1994年：奇迹般的会面，梅村禅修中心与释一行

1994年是我人生的一个转折点，在那一年，我去了越南，遇到了未来成为我妻子的钟（Chung），而且拜访了梅村禅修中

心（Village des Pruniers）。梅村禅修中心是越南佛教僧侣释一行（Thich Nhat Hanh）和他的修行会一力促成的。那是一个闭关修习的地方。人们在那里看到了真正的奇迹。所谓的奇迹并不是行于水上，而只是走在地上；不是等待异象从天而降，而是在此时此地由衷地欣赏本真。“我回家了，我已到了。”只要处在当下，我就回家了，因为没有别的地方要去，一切都在这里，已经在这里了，这就是我在梅村学到的。正念冥想可以让人跟真实的自己和解，可以让人发现自己非生非死的本质。“神之国”的体验，呼应了我在戈尔兹感受到海洋性情的那种体验。释一行邀请我们在禅定中练习深度内观，以企及即刻的现实，没有话语，没有概念，并了然“如果有人问你需要练习多久正念冥想才能获得幸福，你就跟他说，我们可以……马上就幸福……”无常、无我和自在（对生与死、异与同等的观念消失了）的练习，能够让我们内心发生深刻的转变。

从医不久，我发现自己的个人困境发生了一些积极的变化，尤其是在穷思竭虑和忧惧恐慌的倾向上。自然而然地，我开始在工作中建议有心一试的病人去尝试一些正念冥想的练习和体验。一些病人对这种方法表现出的接纳，有时甚至是一目了然的热情，让我深感意外。

但是，我很快就产生了挫败感，因为不知道该如何在行为心理疗法的语境中去系统地构建这些练习。我缺乏坚实的理论基础和经验基础。意识到这一点十年之后，在一次正念认知疗法（MBCT）培训的修定研修会上，治疗应用的明朗化彻底改变了我的治疗实践。与自己的期待相反，我在认知方面的所得很少，反而在正念冥想实践的治疗资源上收获甚丰。

父亲的遗产

我小时候曾经在杂志上看到过一个系列文章的标题——《你认识的最了不起的人物》，现在想起来就像是一个萦绕在心间的问题。我每次想到这个问题，脑海中就会浮现出父亲的样子。倒不是因为他完成了什么超乎寻常的壮举，而是因为他体现出了一种令我深受触动的人道主义情怀。诚然，我可能把他理想化了，但我坦然地接受了他。除了其他的品质，始终让我感怀不已的，是他那种对一切事物都能由衷赞美的能力；他带着赞叹之心去聆听，不加评判，只有耐心和专注，像个孩子那样地啧啧称奇，脸上带着毫不掩饰的率真，这让他在逾九十高龄时依然洋溢着青春的光彩。

我对妻子钟深怀感激之情，她在我完成对父亲道别的路上始终陪伴左右。她信仰的佛教文化令我深深懂得，没有人会死去。对此，古印度佛教哲学家龙树（Nāgārjuna），以一种再简洁不过的方式说道：“非有亦非无，亦无非有无。”如果我们带着知觉去观察万物生灵，那么我们就会看到其示现的所有必要元素。没有阳光、雨水、土壤、矿物质、园丁、园丁的父母……整个的宇宙，花儿就不会存在。释一行对这一观察角度提出了一种新的说法："相即"。没有父母，我们的直系尊亲属就无处可寻；没有耕种，没有本身就依赖于整个宇宙的食物，我们就不存在了。我们与万物"相即"。如果我们用抽象的语言说A是由非A构成的，那么A就不同于A，因为构成A的元素在一瞬间已经发生了变化。无常的永恒和"从宇宙中分离出的自我"，是两种妙不可言的实践练习，可以超脱所有的痛苦。这两个练习通过放弃对概念的执着，借助正念冥想不断回到当下，从而令人得以战胜恐惧。

说到底，我父亲的率真和永不消逝的赞赏之心，堪称是正念冥想的本质体现，也是我获得的最宝贵的传承。

成为心理治疗师

写下这篇会被人以为是自传的文字，初衷是让人能够了解我成为心理治疗师的过程。我斗胆提出一个假设：一个人成为心理治疗师的目的，是看到每个人身上的那个西西弗，也就是学会想象西西弗的幸福。这就要求心理治疗师能够理解西西弗的无助，理解西西弗的力量、生命力，他感恩、善良、谦卑和质朴的源泉，也正是存在于这种无助之中。

该如何想象西西弗的幸福?

正念冥想的练习通过一连串不同的感觉，让我们体会到万物、思绪的无常。现实是动态的，而我们的思维只能以概念和字词的方式捕捉到静态的现实。因此，就不能把始终处于变动之中的现实禁锢在不变的思维结构之中。

有一个哲学用语可以用来阐述这个意思：位格化。位格化，就是把一种观念当成是一种现实。想想看，这是所有宗教、哲学、政治、科学等信条的本原。从这一点出发，它甚至是人类最深重苦难的源头。在接纳与承诺疗法（ACT）中，“融合”是用来描述思维对人潜在影响的隐喻。就像我们无法区分出青铜中的铜和镍一样，一个人也有可能完全放任某种思维成为自己的化身。

这就是可能造成西西弗之不幸的原因。体现未来的观念，是他那徒劳无益的无尽责罚；体现过去的观念，是悲剧般一去不复返的幸福时光；在这两种观念之间，即是虚无的体现。毋庸置疑，自杀会是个不无益处的选择，但西西弗成了不朽!

西西弗（几乎）是个人，或许所有的人都像西西弗。从这个角度出发，我们可以体会到，在他人的身上寻找与自己的相似之处，比寻找不同之处要具有更为丰富的含义。依然是加缪，通过孤独，我们团结在一起!

所以，想象一下西西弗，这个可以企及“圆满之福”的人中之人。他是如何做到的呢？从接纳与承诺疗法的角度来看，如果他放弃了希望和预期（解离）；如果他放弃了控制（接纳经验），只渴求本真；如果他不再把时间看作是抽象的持续（植根于永恒的当下）；如果他放弃了自我的观念（而采取“海洋性情”的视角，一体的经验），通过这些做法，西西弗就成了自己价值观的参与者，他的命运是被诸神强加的，而他，独自一人，便可以选择自己在推动滚落而下的岩石时所体现的品质——观看风景。这是勇气、反抗、尊严、爱、慷慨、好奇、坚韧、真实、谦卑，还是……独自一人，西西弗拥有了抉择的自由！

接纳与承诺疗法很有可能实现西西弗的幸福，这种疗法提倡通过学习来获得正念的能力，从而赋予生命以某种意义。

我们可以把这句话当成自己的格言：“没有通往幸福的道路，幸福就是这条路！”因此，幸福就是在每一刻去做自己在意的事情，既不期待也不希望，也就是安德烈·孔特-斯彭维尔所说的：“幸福，不顾一切。”尤为重要的是企及沉默，在沉默之中，字词不会再横亘于现实和我们之间。

我目前的实践促使我赋予和学会赋予生命以意义，同时对语言保持警惕。所有想象西西弗的幸福都是可能的。

第七章

“长大之后，我要成为心理医生！”

卡罗琳·迪雷（Caroline Duret）

医学挽救了我母亲的生命。虽然对复发的担忧持续了好几年，但我最终战胜了自己的癌症恐惧症。如何才能接受人类头顶达摩克利斯之剑生活的现实？那时的我觉得一切都是徒劳无益的，除了学医！

«Quand je serai grande, je serai psy!»

告诉我，我会忘记。教给我，我会记住。带上我，我能学会。

——本杰明·富兰克林（Benjamin Franklin）

童年时期最令我难忘的回忆，是一部电影，维托里奥·德·西卡（Vittorio De Sica）的《偷自行车的人》（*Ladri di biciclette*）。这部影片震撼了我，让我思考良多。

帮助痛苦的大人

从影片一开始，我的心就紧紧地系在了小男孩布鲁诺（Bruno）的身上。他想帮父亲找回被偷的自行车，因为失业已久的父亲为了养家糊口，需要这辆自行车来维持刚刚找到的新工作——张贴海报。我跟着这个小男孩在罗马的大街小巷里穿梭，他一心一意、满怀信心地遵照父亲的每一个指示做事；在这个大人的世界里，他感到惊慌失措、茫然不解、身心交瘁，虽然父亲深爱着他，但他有时依然感到孤独无助。果敢机灵的布鲁诺东奔西走，脚步踉跄地跟在父亲身后，有时还得救父亲的急。度过漫长的一天之后，疲惫不堪的他还要给父亲帮忙（或安慰）。

惊愕不已的我被这个人物深深地打动了，透过布鲁诺的双眼，我发现大人和孩子一样，也会心慌意乱、不知所措。由此，我对生活的理解和预期又增进了几分，我再也不感觉自己那么孤单了。我觉得自己长大了，变得更加成熟了，能够大着胆子向成年人提出各种各样的问题了（尤其对母亲纠缠不休），我渴望学会如何去应对生活。

后来，通过电视节目《银屏档案》（*Les Dossiers de l'écran*）中播放的阿尔弗雷德·希区柯克（Alfred Hitchcock）的系列影片，我了解到了心理医生这个职业。《爱德华大夫》（*Spellbound*）这部影片让我感到既惊讶又着迷：心理医生能够解释我们的痛苦从何而来，还可以让我们摆脱困境。所以，心理医生可以帮助人们获得幸福，即使是过于敏感、过于情绪化、过于羞怯的人也可以吗？

母亲让她的妹妹，一位心理医生，给我解释这个职业。我既惊讶又高兴，我很喜欢这个小姨。她总是满腔热情，对她的每一个外甥和外甥女都表现出无比的耐心和专注，而且从不会对我的各种问题感到厌烦。是的，心理医生这个职业是真实存在的。就这么决定了，长大之后，我要成为心理医生！

“好吧，但是……”但学习的过程并没有那么简单，尤其是我对各种各样的主题都想要追根究底，而且无法一下子就领悟其中的奥妙。首先，当我在家中引发热烈的讨论，在学校引起老师的兴趣时，我需要寻找各种解释的局限所在。那是上小学五年级的时候，一天在课堂上，老师向我们说道："直角三角形不可能是等边三角形……啊，等一下，卡罗琳不同意这个说法！"话音未落，我已经从椅子上跳起来，跑到黑板前准备画出自己的等边直角三角形，就在拿起角尺的那一刻，我意识到了自己的错误。"啊，你同意我的说法对吗，卡罗琳？那么，你就跟我们解释一下吧，然后我们就可以继续上课了……"

我非常尊敬这位老师，他有一种毫不做作的不偏不倚。我猜测着他很可能拥有与众不同的人生经历，因为我常常看到他和自己的几个孩子在街区散步，其中一个患有唐氏综合征。面对我不合时宜的辩论，他那种善意的幽默激励了我不带评判地继续自己的思考，尤其让我敢于去尝试实现自己的想法。他总是无比耐心地让我慢慢去体会自己的感受，这让我得以在不会自责的情况下认识到自己的错误，特别是促使我在既能意识到自己的直觉，又能借鉴他人经验的前提下去"学习如何学习"。他尤其让我感觉到，这种开放、宽容和善意的态度，对于帮助他人在生活中前行是多么必不可少。或许，这就是对我未来成为心理医生（和母亲）最有裨益的"前车之鉴"。

在排斥中求生存

中学时光可谓是我一段丰富多彩的人生经历。那时，我们家刚刚搬进巴黎南郊毗邻埃夫里（Évry）的一幢新住宅楼里。我们班上的一些同学只是坐等年限以便转向职业能力证书（CAP）的学习阶段，所以他们常常在教室的后排进行一些比老师分派的功课更具娱乐性的活动。我还记得自己一开始很是高兴能够享受私人授课的服务，因为我是唯一一个会举手发言的学生，而且非常乐于能够跟老师们争论一番。我很快就被贴上了“马屁精”的标签，不仅遭到其他学生的排斥，而且被一帮比我成熟得多的女孩当成了替罪羊。我经常被她们在走廊里追打，甚至在课间休息时不得不逃到卫生间里躲起来，这样虽然可以躲过拳打脚踢，但却躲不过黏糊糊的卫生纸和铺天盖地的谩骂。我知道自己绝不能向学监或老师求助，因为这么做只会令情况更糟。最终，还要感谢我很长时间都秘而不宣的两个“策略”。

第一个策略是在班上一些同学向我求助时想到的。我提议为班上所有的同学制作“测验供养泵”以使他们获得更好的分数，即便是最“叛逆”的学生也可以。这样尤其可以避免家长的责罚和因为行为不端而被留校训导，如果“学生在学业上取得进步”，老师就会放宽对行为不端的容忍度……从那以后，我的位置变得尤其重要，中间一行的第二排，我最好的女伴坐在我的右边，她负责分发我写在纸上的关键词、推理的核心步骤和最终的结果，这样可以避免字字照搬招来的怀疑。我甚至大起胆子，建议班上的同学复习哪怕那么一点点的功课，这样会有利于测验时做小抄。

第二个制胜的策略可谓不请自来。在一次偶然外出时，我碰到了那个之前骚扰过我的女孩帮的“小头目”，当时就她一个人。我想都没想就扑到她身上，把她扳倒在地。她个子比我高，但我心里积攒了那么多对她的怨念，让我压得她翻不了身。我威胁说要告诉她那帮女伴，她是如何在独自一人的情况下一败涂地的，她果然很快就退却了。

期末的时候发生了一件让我始料未及的事情：教导主任把我叫去了他的办公室。是不是哪个马屁精告发了我？不是的，教导主任只是想知道我是怎么让班上形成了这种积极氛围的。我对此只能含糊其辞：“得调动同学们的积极性，让他们知道努力学习的好处，然后再来那么一点儿……”直到那一刻，我才意识到父母是如何让我清楚地认识到学习的重要性的，因为如果成绩糟糕的话，我或许就不会如此折腾一番。

不要嘲笑痛苦

从那以后，虽然我成功地跟大家打成了一片，而且也没有人再来欺侮我，但我依然感觉自己与他们格格不入。这正常吗？我经常会觉得别人气势汹汹、冒失无礼。尤其让我感到震惊的是，班上的同学竟然在朗读儒勒·列纳尔（Jules Renard）的《胡萝卜须》（*Poil de carotte*）时笑出了声。难道是替罪羊的经历让我丧失了幽默感吗？还是这种经历让我能够更强烈地感受到胡萝卜须的痛苦和孤独，还有作者辛辣的讽刺呢？其他的同学怎么会觉得这个孩子的故事可笑呢？这个孩子似乎从未期望过能得到母亲的爱，他放弃了所有个人的渴望（比如在吃饭的时候喝点东西），是因为害怕母亲注意到自己的存在，害怕招来母亲冷言冷语的羞辱或是恶毒的捉弄吗？胡萝卜须的父亲又是怎样的一个人呢？他很少出现，从不曾倾听过儿子的痛苦，也不曾保护过儿子，而胡萝卜须却一厢情愿地想要获得父亲的温情和赞许。作为家长，去爱、尊重和帮助自己的孩子真的有那么难吗？对胡萝卜须身边之人不约而同所表现出的懦弱行径，又该怎样去理解呢？

胡萝卜须的逆来顺受让我失望至极。他怎么能忍受如此的不公？他因为舍监对室友的偏爱而生出的嫉妒，还有他在寄宿学校表现出的激烈反抗，都让我迷惑不解。我的极度敏感，我需要弄清就里，但却无法在课堂上提出我的疑问并表达出我的感受，因为怕别人看到我“异样的与众不同”，这种情况让我备受折磨，并坚定了我想要成为心理医生的信念。我当时还不知道，这些痛苦一旦“被驯服”，将会令我受益无穷，让我得以发展出一种对未来职业至关重要的能力——共情。

癌症与医学

疾病的从天而降和对死亡的恐惧，把我的青春期搅了个天翻地覆，我母亲被确诊罹患癌症。母亲一开始也感到绝望，这很自然，但很快她就鼓起了勇气和斗志。当母亲跟我吐露说，她宁愿生病的那个是自己，也不愿意生病的是自己的四个孩子，我算是彻底明白了什么叫无私。我当时做好了全力以赴去帮助母亲的准备，但在面对她的疾病时，却总有一种无力感。奇怪的是，保护两个弟弟（三岁和五岁）远离残酷的现实，对我来说倒是易如反掌，即便我自己没有丝毫的安全感，而且每到关键的考试就会慌乱失措。每逢癌症研究协会（ARC）的宣传活动，我就会感到心烦意乱，以至于在路上远远看见“危险”（danger）的警示牌，都会误以为写的是“癌症”（cancer）。

医学挽救了我母亲的生命。虽然对复发的担忧持续了好几年，但我最终战胜了自己的癌症恐惧症。如何才能接受人类头顶达摩克利斯之剑生活的现实？那时的我觉得一切都是徒劳无益的，除了学医！

高中时，我停留在“职业选择的十字路口”，在前来帮助未来大学生们选择高考后专业方向的家长中，有一位是埃夫里医院的医生，他建议我到医院不同的科室去做几天实习：外科、重症监护室、产科和儿科等。我在医院得知，古斯塔夫-鲁西研究所（Institut Gustave-Roussy）正在进行一项关于儿童疼痛的多中心研究，目的是了解疼痛是由病理原因引发的，还是在接受治疗时出现的。童年离我还那么近，这样的问题，我如何问得出口呢？但我还是问了。幸运的是，儿科医生耐心地解答了我的疑问："现在我们知道，儿童表达痛苦的方式与成年人不同，所以我们才会拿视觉模拟量表给他们看……"那么，孩子和大人是不一样的？

在备战高考的那段日子里，我难以进行系统化的复习，我对自己的"无用和幼稚"感到万分羞愧。平时测验我都会复习，虽然常常临时抱佛脚，但总还是全力以赴，所以大致情形还过得去……可是医学专业的入学考试呢？我该如何去应对繁重的功课呢？作为一个满怀热情的理想主义者，我一直都坚定不移地宣称需要"体验自己的价值"。但我发现，光有这样的志愿还不够，还需要懂得用什么样的方法去满足这种需要，有规律的学习、自我规划……真是庞大的计划啊！

于是，想到不能再纠结于"高考的迎头痛击"，想到自己"拯救人性"的意愿，我开始埋头苦干。到了复活节，我陷入了全面瘫痪！心力交瘁、意志消沉的我一页书也看不下去，以前无比热衷的事情现在看到就心烦，尤其是目标就近在眼前……我把注意力转到了自己的两个业余爱好上：跑步、到枫丹白露去攀岩。总之，除了这两样，别的事情我都做不了了……

嘿，一切竟然开始有了起色，我是头一个没想到的！在得知自己被医学专业录取的那一天，我跟自己发誓说："在生活中，永远不要以为自己已经无药可救。”

所以，光是理解、“勤思苦学”是不够的。我深刻地体会到，让自己乐在其中和享受生活也同样至关重要，即便是在工作强度非常之高的情况下，尤其是在需要付出极大努力的时候。

院前急救治疗系统与精神病学

在法国院前急救治疗系统（SAMU）担任志愿住院值班医生的经历，让我最终选择了精神病学的道路。再后来，我接触到各个阶层的人的痛苦，从住在奢侈的跃层豪宅的大款到脏乱不堪的暂居空屋的平民，有时甚至还会面对死亡，大多是急救病例……

“病人情况稳定，卡罗琳可以继续进行社交啦！”因为我会在病人转送入院的途中继续跟他们聊天。能够再次收获他人这种善意的幽默让我深受感动，这一次的“他人”是跟我一起值班的医生，我当初选他做搭档，就是因为他总是对病人和身边之人照顾有加。只要有可能，他就会温言细语地说些能让对方安心的话。

小的时候，我对这个职业没有任何的偏见，直到开始学医，才听闻了“心理医生的坏名声”：病人奇奇怪怪，甚至是危险人物，心理医生则心灵扭曲，他们可以猜透一切，所以能够操控人心……至于那些为数不多选择在精神病科做实习的见习医生，马上就会遭人猜忌患有神经官能症，他们不择手段地想要“利用科室的治疗环境来进行自我治疗”……您尽可以想象当我在阶梯教室里又一次宣布选择精神科实习时众人惊呼的样子！

实习的第一天，我来到了巴黎皮提耶-萨尔佩特里厄尔医院的精神病科，有些急不可待，满心的好奇，但也很担心。我很走运，我的临床主任是个满腔热情、鼓舞人心的人。从事遗传学研究的她对抑郁病人尤为关注。我从她那里了解到，精神疾病和精神障碍跟其他的疾病和障碍一样，发病原因包括遗传、心理和环境等相互作用的因素。因此，依照逻辑来看，就有“三个杠杆”可以用来治疗和帮助精神病患者：作用于病症遗传和生物因素的精神药物，作用于心理病因和生活保健因素的心理治疗，作用于环境因素的环境整治措施。精神科医生的工作与其他医生的工作一样，具有同样的科学严谨性，并致力于与病患结成治疗同盟，这对获得病患确切信息来说至关重要，因为这样才能做出准确的诊断并选择恰当的治疗方案。

我还发现，心理学有不同的研究角度，精神科的住院病人跟那些我之前实习科室——心脏科、肺病科、神经科等的住院病人没有什么不同。

我因这种迷信的破除而感到如释重负、满心欢喜，同时也因为证实了“精神病人”“精神障碍”（和精神科医生）的污名化确实存在而感到义愤填膺。我再次为住院实习考试而鼓足了干劲儿！是的，但是……我也再次因为面临重大选择的关口而感到害怕：精神病科令我的家人和朋友深感不安和忧心。我开始举棋不定，在临床主任的建议下，我终于鼓起勇气决定放手一搏。

在我开始接受认知和行为疗法培训的时候，与另一个人的相识起到了决定性的作用——指导我负责治疗小组里病患的那位精神科医生。他的经验、技能和人格让我受益无穷，尤其是他鼓励我去拥抱一种最本真的价值——活得简单而真实。

心理医生与父母：非凡的历险！

与孩子共处的时光既疯狂又甜蜜。是的，但有时也会“剑拔弩张”！

认知和行为疗法（TCC）的培训经历，让我在阅读中有的放矢，并且有助于实践，这对我在家庭生活、教育选择中担当三个孩子母亲的角色起到了很大的帮助作用。否则的话，在铺天盖地有关育儿的书籍、杂志和电视节目中，我如何能不迷失方向呢？世界上没有专门为家长开设的学校，而家长这个职业却是世上最难的职业——唯一一种需要一年三百六十五天、一天二十四小时候命的职业，它要求极大的责任心，要求达成很多的目标，当然了，还要求见成效，而这份职业既没有工资，也没有带薪假期……正常情况下，这也是世界上最美的职业！

有一本书帮助我领悟到了教育的重要性，杰弗里·E.杨（Jeffry E. Young）和珍妮特·S.克洛斯特（Janet S. Klosko）的《重塑生活：你比自己想象的要好》[1]。为了帮助孩子们完成自我实现，就必须满足他们最基本的需求——无条件的爱、情感、身体的温情、关注和鼓励、安全感和保护、责任感和逐步的独立自主，以及清晰的界限、稳定的支撑环境，好让他们懂得群体生活的必要规则……真是激动人心的宏伟计划啊！

吉赛尔·乔治（Gisèle George）医生的《孩子跟我对着干：应该说什么？做什么？》[2]，正好是我当时需要的书，我清楚地记得自己在看到这本书时的喜悦心情。当时的我面对两个孩子，一个两岁，另一个六个月，真的感到疲惫不堪！当我在书中读到孩子不听话是一种正常、必须和有益身心的行为时，我感到了一种如释重负和巨大的鼓励。书中还描述了注意力缺乏多动症（TDAH），这个发现在后来让我受益无穷。

当然了，我和丈夫也从各自的父母那里获得了启发，我们很快就意识到各自的原生家庭有着不一样的价值观，尤其是关于教育。正视不同，是否一直都是丰沛与创新的源泉，是否一

1 Jeffry E. Young, Janet S. Klosko, *Je réinvente ma vie. Vous valez mieux que vous ne pensez*, Qué bec, Les Éditions de l'Homme 2013.

2 Gisèle George, *Mon enfant s'oppose. Que dire? Que faire ?*, Paris, Odile Jacob, 2006.

直都是鼓舞人心、积极有益的长时间讨论的源泉呢？是的，至少我们做到了老话所说的“时代不同，风尚不同”，而并没有质疑一切、赞同一切！在剩下的时间里，我们跟随渐渐长大的孩子们的脚步，前进、摸索、（常常）步履蹒跚，并跟朋友们分享经验。那些比我们早生孩子的朋友，为我们提供了一定的参照，让我们得以对未来的选择有所预期，并从他们的经验中有所（一点儿）收获。那些比我们晚生孩子的朋友，则会征求我们的建议，这让我们能够抽身其中并决定坚持或放弃我们的选择。改变想法永远为时未晚。最终，多亏了孩子们，我们才能为人父母。

多年来作为认知行为治疗师的经验，无疑对我在应对初为人母时的各种难题大有帮助，这些难题是所有家长都会碰到的。通过及早采取（我们的大儿子当时两岁）正面强化的方法（抛开结果而去赞赏所有的努力，结果往往需要很长时间才能获得），我们得以帮助孩子在气馁到极点的时候不会完全丧失自信，并在学业上也能够“坚持不懈地努力”。每天早晚温情时刻的“神圣化”，还有我们与每个孩子对娱乐活动的共同参与，无论其间会出现怎样令人紧张和动荡的波折，无论是日间还是晚上，都让我们避免了冲突和挑衅——当然不是所有的冲突和挑衅，而是孩子们最复杂的情结难题：对立违抗性障碍和与孩子情感关系的破裂。我们这些得来不易、弥足珍贵的小小胜利，不仅维系了我们的动力，而且常常激发出我们的动力。

但是，对于我们其中的一个孩子来说，这些都还不够。我精神科医生的身份，并没能让他幸免于越陷越深的困境，自身痛苦的加剧和名副其实的恶性循环——自尊的丧失和焦虑，让他在晚上无法入睡，而睡眠不足导致的精疲力竭，又令他在白天需要面对的难题雪上加霜……

不过，精神科医生的身份，倒是让我鼓起勇气向（好几位）儿童精神科医生和心理医生寻求帮助。我惊异地发现，接待我的过程比接待一位“非精神科医生”母亲的过程要复杂得多。我感觉，自己精神科医生的身份会促使那些接待我的专家认为，我会用“放大镜”去审视我孩子遭遇的困难和痛苦。这或许部分地延缓了诊断，不容易选择恰当的治疗方式，但我并没有放弃。精神科医生的孩子有权接受跟其他孩子一样的治疗，而精神科医生的身份也没有让我丧失母亲的直觉。我们的孩子在承受痛苦，我们已经竭尽所能，虽然我有心理治疗的职业经验，但身为父母，我们当时真的需要专业人士的帮助。

当我们其中的一个孩子被确诊患有注意力缺乏多动症时，我真的感觉遭受了“当头一棒”。我一方面感到如释重负，我对我们在帮助孩子时遭遇的困难有了更多的了解；另一方面又感到十分恼火，我对此早就有所怀疑，而且很早就开始向专业人士求助！我当然也很担心，这种没有得到及时治疗的病症，预后可能会很糟糕。我们的孩子也感到很气愤：“阅读障碍、书写障碍、注意力缺乏多动症，多谢遗传大乐透，我还真是一次全中！”

医生的身份让我可以“认真地”考虑儿童精神病医生的建议：药物治疗（著名的“哌甲酯”），以缓解情感上的痛苦和功能性障碍——两个接受这一建议的关键因素。通过一位心脏科医生朋友的帮忙，我们咨询了几位不从事注意力缺乏多动症研究的“独立”专家的意见，他们是研究心脏病和肺病的教授。他们的经验和为科学读物撰写的评论，帮助我克服了自己“医生对药物副作用的偏执倾向”，以及至今依然没有定论的观点之争。于是，我们决定先尝试三个月的药物治疗，以观察孩子病情的变化。如果疗效显著，而且副作用甚小，那我们就“斗胆”接受这种治疗方式。如果情况相反，我们也不会后悔没有给孩子尝试一切可能之法的机会。

万幸的是，我们的孩子属于“药物治疗的高反应者”，疗效迅速而显著。我们身为父母的所有努力都得到了回报，而且孩子从今以后可以充分享受这些努力的益处了，终于变成了良性循环!

这个令人精疲力竭、难以忍受并最终以鼓舞人心的结局收场的经历，对身为父母的我们产生了决定性的影响。尽管没有专门为家长开设的学校，但帮助家长去学习帮助自己的孩子，却是有可能并且有必要的。

家长的精神科医生：团队工作

我已经尝试过用不同的方法去开展精神科医生的工作：医院、研究机构、治疗团队、企业等。2009年，我决定彻底改变自己的专业方向，通过与儿童精神科医生的合作，去帮助注意力缺乏多动症患儿的家长。其实，注意力缺乏多动症是一种很常见的病症。（根据法国健康高级总署的调查结果，法国有3.5% ～ 5.6%的在校儿童患有这种病症[1]。）

在整个巴黎地区，罗贝尔·德布雷医院由萨亚格（Saiag）医生[2]领导的团队，是唯一能够为注意力缺乏多动症患儿家长提供帮助的医疗团队。这家医院的儿童精神病科走在法国对这种病症治疗研究的前沿。

于是，我在自由执业的诊所里接待从儿童精神科医生那里转过来的患儿家长，同时，作为巴黎皮提耶-萨尔佩特里厄尔医院儿童精神病科的住院医生，我跟两名同科室的儿童精神病医生共同组建了一个家长培训小组。

帮助其他的家长，令身为母亲的我受益良多。从那以后，我便有了更多的继续深化知识、提升必要技能的动力：阅读科学文章和构思巧妙的相关书籍，然后把它们推荐给其他家长；

---

1 法国健康高级总署（Haute autorité de santé），2015年2月12日。

2 Marie-Claude Saiag, Stéphanie Bioulac, Manuel Bouvard, *Comment aider mon enfant hyperactif?*, Paris, Odile Jacob, 2007.

继续在认知与行为疗法（正念冥想、人格图式疗法、接纳与承诺疗法）等新型治疗领域中摸爬滚打，以便从心理学的最新发展中获益，尤其是不断地尝试、再尝试与我的孩子们一起进步，然后以认知与行为疗法精神科医生和母亲的身份，把自己的经验分享给其他的家长。

在第一次接待时就向家长们说明我的个人经历和动因（我渐渐才明白过来，我跟我的孩子一样，也有注意力缺乏多动症），对我而言是非常重要的，因为这样做可以让他们在第一时间就了解到治疗的主要目标是什么。让家长不再将孩子看成是“问题的根源”，并学会跟孩子携手应对注意力缺乏多动症。所以，我会鼓励家长向自己的孩子说明，他们看医生是为了“更好地”帮助孩子。孩子会因自己父母做出的努力而深受感动，而且往往也同样会充满斗志。让家长和孩子共同参与治疗是至关重要的，因为只有这样，才能让每一位家庭成员学会如何改善自己思考、感觉和行为的方式。

随着治疗的深入，家长们获得了能够根据自身情况来采取行动的必要能力，而不再会身不由己地陷入注意力缺乏多动症的旋涡之中。这样一来，家长们就会提出一种对自己孩子更有用的模式，并渐渐找回令人满意的家庭生活，找回平静、健康和具有安全感的情感关系。但是，与家长们在“治疗（和小组治疗）的私密氛围”中分享我的个人经验，跟把这些经验写进这本书里不是一回事。当然都是出于同样的目的——通过理性看待注意力缺乏多动症儿童去帮助其他的家长。但是，这种“揭开神秘面纱”的做法，可能会对我的孩子造成长期的影响，我因此而犹豫不决。所以，我跟孩子商量了这事儿。他的反应让我很受触动：“没问题，妈妈。你放心写，我绝对支持你！”尽管如此，做出这个决定的全部责任还是要由我来承担。所以，最终为了保护我的孩子，同时也避免让自己屈服于对“心理问题”污名化的影响，我决定“虚化”有关我孩子的信息。

在咨询和小组治疗期间，我对信息和经验的分享为家长们提供了支持。之后再通过循序渐进的计划让家长们获得必要的亲职能力，这些能力通过实例来展示，通过练习来学习，然后在家中进行实践。在下一次治疗时，我们会回溯成功运用的能力，并分析碰到的困难。我们会一起思考，去体悟尝试过的经验。

我只不过比那些来咨询的家长们多了一些有用和必要的经验，而这些经验刚好可以用来帮助他们朝前走。但我同时也从他们的经验、资源和解决之道中获益匪浅，这些所学所获又可以令后来的家长们和孩子们从中受益。

观察、尝试、练习、观察……

想要从经验中有所收获，最重要的恰恰是尝试新的应对和观察方式，不带评判，甚至不以“对错”定论。为此，我用一种“建设性评语”来描述家长、孩子和两者关系的具体行为和行为后果。接着，我们会提出一系列确切的问题。

- 我的行为是否与我作为家长的价值相一致：关爱、尊重我的孩子，并帮助他不断进步和获得自我实现？
- 我的行为后果是否会带来中期和长期的积极效应？

在回答这两个问题时，如果出现否定的回答，那么就必须改变行为方式，放弃行不通的方式（比如喊叫、威胁和惩罚）。如果两个问题的答案都是肯定的，不断加以练习将不无裨益，这样可以令经过验证的行为转化为一种新获得的能力。

这种“建设性评语”的使用，对患有注意力缺乏多动症的儿童也非常具有教育意义。实际上，这些孩子更容易冲动，无法预料到自己行为的后果，又因为注意力不集中，所以也观察不到自己行为造成的影响，也不会从因果关系的角度去看待自己的行为和行为的后果。通过使用建设性评语，家长可以帮助自己的孩子一点一点从经验中吸取教训，调整行为方式，并通过让孩子在对后果有所意识的情况下全权承担起自己行为方式可能产生的后果，逐渐培养出他的责任心。“你带上我，我就学得会。”

还有一个不无用处的问题可以被纳入到注意力缺乏多动症的建设性方法中：下一次该如何帮助我的孩子去采取一种更为适合和有益的行为方式？而不是不停地问自己：他为什么会有

这种反应？

事实上，在我们的个人生活、社交生活和职业生活中更为频繁地提出这些问题，难道不也是很有好处的吗？

做心理医生会不会很难？

直到今天，那些特别富有同情心的亲朋好友们依然会对我说："做心理医生肯定很难，总是要倾听别人的痛苦……"难，也不难。

难，在我为暂时性"抛锚"的父母和陷入艰难处境中的孩子干着急的时候；难，在我感到精疲力竭的时候。不难，因为我无法想象还有哪种职业能够赋予我的生活以如此的意义。

在第一次咨询时，家长往往忍受着巨大的痛苦，他们感到孩子是因为自己才陷入了困境。有时候，他们会感到疲惫不堪，表达出令人痛苦不堪的无力感。他们都是些斗志昂扬和令人深受鼓舞的家长。付出了巨大的努力，投入了很多的时间和精力，往往已经坚持了数年之久，而今，他们依然前来咨询如何帮助自己的孩子，随时准备挑战自己的信念和获得新的能力。哦，这一路走来多么不易！

我特别感激我的孩子们，感谢他们给了我迎接这些挑战的机会，尤其要感谢他们让我们学到的一切。

幸运的是，这永远都不会结束。时至今日依然如此，我们完全相信孩子们的“创造力”，相信他们会继续给我们带来前所未有的新挑战，当时“令人倍感压力”的体验，在退一步之后往往会显得离奇可笑，但在之后却总能让人受教良多。

最后，做心理医生可以开阔眼界，可以接触到与作为家长不同的思考角度和行为方式，可以帮助对方相对地看待事物，或者相反，让他愈加紧张（理论挑战与实践方法之间的两难境地），可以避免某些错误，同时犯下另一些错误（万幸啊，我的丈夫不是心理医生）。虽然从整体上来说，我的职业经验丰富了我的私人生活（反之亦然），但我并不觉得身为心理医生就一定能够成为更好的母亲，应该说，身为心理医生帮助我们逐渐地学会了如何成为我们想要成为的那种家长。

从一种更普遍的角度来说，生活常常会让我们面对各种各样的挑战，这些挑战会让我们陷入困境，甚至会让我们承受痛苦，因此我们必须做出选择：逃避，或是全身心地去体验这种经历，思考，付出努力，并有机会获得或许会很痛苦的全新意识，发现多少令人感到惬意的新鲜事物，取得往往来之不易的进步……但因此而获得的回报将是绝无仅有的——通过选择我们珍视的价值，通过做出体现这些价值的行动，并成为我们真正想成为的那个人，最终得以朝着一种更加令人满意的生活迈进。

这就是我希望能与前来咨询的人分享的体验：投身其中，不断学习。

第八章

是的，我们能做到，但不是所有的事情

斯特凡妮·阿于索（Stéphanie Hahusseau）

我开始感到精疲力竭。我开始觉得不堪重负。我开始问自己这一切是否值得。这么做有什么用？再加上经济的困境，常人很难想象医生也会为生计发愁。我没有抑郁，因为我还能够自得其乐、欢声笑语，但只是偶尔为之。我再也没有时间考虑自己，考虑那些放松的休闲活动。

Yes we can, mais pas tout

我陪着她去喂牛犊。在一只装着水的大桶里，我们把一种香喷喷的粉末加进去搅拌。我每次都执意要尝一尝。我们一起去挤牛奶。其实是她去挤牛奶，她用一根小棍拍打奶牛的臀部，让它们各就各位，然后在奶牛的每个乳房下面放一个奶罐，把奶挤在里面。

奶牛的个头让我印象深刻。我谨慎地站在离她不远的地方，害怕这些在我眼中形如巨兽的动物激动起来伤到了我。每天早上，从不同的牛身上挤出的奶全都混放在同一个奶桶里，而她却让我相信，在刻着我名字的布列塔尼碗里，装着的是我最喜欢的奶牛玛戈的奶。她会在我的碗里倒一小包香草糖。在下午的茶点时间，她会给我准备黄油面包片，然后拿出一个画着阿斯泰利克斯（Astérix）和奥贝利克斯（Obélix）的长方形金属盒子，里面装着巧克力。是蒲兰（Poulain）巧克力，因为巧克力的生产车间就在距离农场几公里远的地方。她用餐刀把巧克力碎屑涂在我的面包片上。她还会给我派任务。她让我去捡鸡蛋，她知道我有多么喜欢这个寻宝游戏：掀开鸡窝的活动门，要是里面有蛋，我就会欣喜若狂。我们去花园，用生菜喂乌龟。如果正当季，我们还会去采摘鸢尾花。我们还会开着雪铁龙2 CV箱式小轿车到田野里去。我可以坐在前排。车窗永远都是开着的，被一根簧片向上拉起。她在地里劳作的时候，我就摘几颗葡萄吃吃，或者用玉米做几个金黄色头发或红棕色头发的娃娃。从外面回到农场，在叮嘱我要小心之后，她会让我用一把砍刀把胡乱堆放在架子上的芦笋切齐。这可是个重大任务，我感到非常自豪。我还有另一个重要的任务，用海绵去擦拭印有酿造年份的标签，然后再把标签贴在葡萄酒瓶上。我会做上整整两个“钟点”，屏息凝神、专心致志。夏天，我们为7月14日的国庆日做灯笼，还会参加游行，因为我祖父是义务消防员。冬天，我们生起火堆，在壁炉里烤栗子。她总是面带微笑。当我和父母乘坐的车开进农场的院子里时，我会立马下车，飞奔着扑进她温暖的怀抱，我们会一起进屋坐在厨房的椅子上，好好拥抱一番。

她有四个儿子。我是孙辈里的头一个。我是她的孙女。我出生在斯特拉斯堡（Strasbourg），离这里很远，农场和奶牛需要随时有人照看，但她还是设法来看望了刚刚出生的我，把我紧紧地抱在怀里。

我八岁那年的夏天，发生了一些不寻常的事情。吃过了午饭，她躺在扶手椅上。我坐在悬于扶手椅上方的楼梯上。我想玩那根沿着台阶伸出来的嗡嗡作响的弹簧，但是我待住没动，因为祖父跟我说不要打扰她休息。那年夏天，来了一位医生。真是奇怪，因为在祖父祖母家，我们从来都不谈论疾病和医生，除了那位我另一位祖母到他家里做清洁的医生。在跟父母回去的路上，我听到了一些当时自己不太明白的词：癌症、复发。

圣诞节的时候，她那头漂亮的赤褐色秀发不见了。她的头上覆盖着一层细碎的灰色发茬。我觉得她那样子很吓人。那不是我的祖母，我坚持让她戴上假发，好让她变回到以前的样子。

几个月之后，我们去了犹太城（Villejuif）。我既不知道犹太城在哪里，也不知道犹太城是个什么样的地方。我看到了她，躺在床上，在一家医院里，依旧面带微笑。她很高兴地给我介绍了她的室友，一位胖胖的黑人妇女，名叫罗萨莉。从医院里出来的时候，我的父母一言不发。

那一年的圣诞节，没有往日的家庭聚餐，没有堆积如山的礼物，没有祖父母的朋友，也没有肉店老板每年必送的白香肠，平安夜是在她的病房里度过的，只有几个家人。她几乎说不出话来。她递给我们几样完全不似她风格的小礼物，很可能是祖父买的。几只飞蛾不停地往床头灯上扑。

一天早晨，父亲跟我们讲了他做的一个梦：他在梦里跟自己的母亲跳舞，母亲穿了一条红色的长裙。接着，电话响了。她去世了。

我不能参加葬礼，但我在入殓之前看到了她的尸体。她没戴假发。她的脸上没有微笑。

她去世了，是因为没有得到妥善的治疗

后来，等我长到能够明白更多事理的时候，我得知她在去世的十年前就罹患了乳腺癌。复发的时候，癌细胞转移了，化疗显然没起任何作用。怎么能对一个得了癌症的人置之不理呢？要是她得到了妥善的跟踪治疗呢？要是她不曾经历这倒霉的人生呢？不用经常照顾精神分裂的兄弟，没经历战争，母亲神志正常，丈夫从小没被粗暴管教也从不粗暴对待农场的动物和自己的妻儿。那个时候的她容光焕发、高高兴兴，组织聚会，照顾所有的人，但她那是在一种付出没有回报的气氛中当牛做马，她最后的身体状况不就是最好的证明吗？

正是这些我在那个时候提出的问题和得到的答案，促使我想要去照料他人。我始终认为她本该得到应有的看护，她没能得到妥善的治疗，她是个性格柔和、心地善良的人，她最终没能顶住经历过的所有苦难和艰辛，就好像我决定在事后去拯救

她一样，就好像一切都还来得及一样，就好像死亡无法成立一样。

外科还是精神科？

阅读，令我的这种信念愈加坚定。我读过克朗宁（Cronin）的所有作品。我也读过《穿白衣的男子》（*Les Hommes en blanc*）和《欢喜城》（*La Cité de la joie*）。我对医学和医生的职业形成了一种理想主义的看法。我还阅读了很多心理学的书籍。我尝试阅读弗洛伊德的著作，但实在无法理解他那些关于性的假说。就个人而言，我从来没有过想要跟自己父亲上床的念头。

高考之后，我犹豫着要不要学心理学，但父母建议我学医，因为这样的话，如果我愿意还可以学精神病学。我很快就采纳了他们的建议，因为这个建议让我的两种渴望合二为一。

在念书期间，我感觉找到了自己的位置，我喜欢上课，我喜欢系里的氛围，我喜欢在医院不同科室实习。如果不是为了工作而是被迫前往，医院就是一个令人压抑的地方。而如果是去工作的话，医院就是个充满生气的地方。而当我全身心地投入工作时，我在那里感到的是一身的轻快。

在外科实习期间，我缝合了累计长达数公里的皮肤。我很喜欢这个工作。阑尾切除手术在我的身体上留下了一道难看的疤痕，我不想让别人重蹈我的覆辙。因此，我在缝合伤口时无比地专注。我不是特别害怕见血，而且我很幸运地遇到了几位充满人情味，还很有趣的外科医生。我喜欢手术中生动而利落的一面。切开、处理、缝合。诚然，这是医学上一种机械唯物论的视角，但我喜欢这种视角的实用主义。相反，神经科的实习我就没那么喜欢了，我在这段实习期间发现，医学中充满了复杂的诊断，而治疗往往会陷入进退两难的境地。

我为了通过住院实习考试而发奋努力，在公布结果的那个午后，我竭力想要驱散那种因期待而产生的不适感。我去电影院看了《辛德勒的名单》（*Schindler's List*）。回来的时候内心难以平静。在迷你终端上查看考试排名时，影片中有关不公、生命和死亡的问题，让我觉得成绩并没有那么重要了。

我上榜了。接下来，我得填写一张列有城市和专业方向的表格。我考虑良久，在外科和精神科之间犹豫不决。我觉得外科是一种有效的治疗方式，但这个专业给人留下的私人时间少之又少，而我希望拥有属于自己的时间。至于精神病学，学习期间的所见所闻让我担心那会是一种以观察为本质而往往缺乏实效的专业，有点像神经学那样。但是，这个专业或许还存在有待探索的新领域，而且或许也更容易拥有个人的生活。因此，我在表格上的不同城市填写了这两个专业。剩下的就听天由命吧。

我被指派到了波尔多医院的精神病科。我对这个结果感到很满意，因为我的妹妹在法国西南部上大学，这样我就离她更近了。

服药、无休无止地分析自己的问题，还是改变应对的方式？

跟其他操作方式较为单一的医学专业不同，精神病学一直都是一块智力与哲学争论的战场。仅仅追求诊断的统一化已经成了一个问题。做出某种诊断，相当于确定某种与健康状态相对的疾病之存在。而这并不是顺理成章的事情。

因此，在面对像抑郁状态这样的问题时，我们可能采取两种态度：认为问题出在病人身上，病人不够适应自己的系统，于是开具药物来促进这种适应；但我们还可以认为是系统不适合，因此尝试跟被先验地视作“健康的”病人一起寻找改变或摆脱这一系统的方法。

很幸运，我所在的院系对不同的精神病学流派持有较为开明的态度：生物派（通过药物治疗）、精神分析派（不治疗而是分析）或心理治疗派（通过不同的疗法加以治疗）。其他的院系会特别推崇某一种流派，而在法国大学的院系跟在英语国家不同，占据压倒性优势的是精神分析。不同流派的课程我都上过。

关于精神分析，但凡参加过的讲座我一个字都听不懂。我觉得精神分析的用语好似天书，概念晦涩冗长。这些讲座真好像业内精英的座谈会。再者，其公设既非治疗患者，也非帮助他们改善自身的状况，而是将他们置于一种中立的空间之内，好让他们能够进行自我分析。恐怕这种我自己无法理解的用语（我的智力属于正常范围，而且“我属于业内人士”），也会让我将来的病人感到一头雾水。但是，鉴于同僚们对精神分析的迷恋，我还是坚持了下来，并尝试为自己去做一次精神分析。也正因为如此，急诊实习让我感到万分难熬，因为负责的医生们撇下两个年轻的住院医生，让他们独自应对那些情绪激动、酗酒成性、暴力成瘾，有时甚至偏执妄想、具有威胁性的病患，这些病患从街头到警署，最终落到了医院里。我对此心有戚戚。在治疗的时候，我总是落得孤身奋战，带着满脑子的疑问，感到举步维艰。

试图了解药物如何作用于大脑的心理生物学派，更多的是以研究为基础。对这种流派的学习让我窥见了大脑运作的复杂性。然而，我们对精神病药物的认识依然不足，那些偶得的发现距今已有五十年，我们依然在试图弄懂当初那些用作他途的药物，是通过何种机制表现出了对精神疾患的某些疗效。

我还接受了认知与行为疗法的培训。这种疗法的优势在于可以为人所理解。这种疗法的指向明确，而且研究结果显示，其具有可以媲美药物的治疗效果。我之所以特别青睐这种治疗方法，是因为它不会自带优越感，而且可以让病人亲身参与到整个治疗过程之中；治疗师通过直截了当的问题来获知病人的生活细节，只有在找到病人痛苦中的公约数之后才会提出假设。治疗师对主体的痛苦进行定期的评估，就像对疼痛那样，以此来对治疗的效果进行追踪。这种定期的量化工作，可以从痛苦程度的层面追踪治疗手段的成效，从而形成一道某种意义上的防线。而且，这种疗法对与病患关系的看待方式也甚合我意：一种合作的关系，在这种关系中，医患双方一起着手解决某个问题。病人在治疗中扮演主动的角色，从而获得控制权和一种可以令其重拾自信的个人效率感。

因此，当年作为一名初出茅庐的年轻的精神科医生，我选择投身到这种心理治疗的实践中。

照顾情绪的必要性

根据认知疗法的原理，负面想法是造成负面情绪的罪魁祸首。用更为现实的想法替代不理智的想法，从而令负面想法渐渐淡去。只不过，这种方法对小情绪颇为有效，对大情绪却束手无策。之所以这么说，是因为这种方法对我就没有效果。诸如“我是个一无是处的人”“没有人会爱我，我一文不值”“别人会伤害我的”等关于自我的根深蒂固的想法，不仅没有因为苏格拉底式的对话和认知疗法所谓的“重建”而得到改善，有时反而会变得更加强烈。因此，在从业初期，在我想要用这种方法去帮助一位女病患的时候，她却指责我不理解她，这让我觉得自己是个很蹩脚的治疗师。

那是在一次培训期间，我接触到一种“图式”工作法，类似因痛苦的经历而植根在童年中的负面预言，如果不彻底根除就会在成年时形成死结。我在这次实习期间哭了很多次，但整个人如同回炉再造。我在书本中研究了这种基于“图式”的方法，然后把它用在了之前指责我的那位女病人的治疗中，结果获得了具有转折性的显著效果。

在治疗实践中，我意识到，重要的改变会自然而然地发生在病患被自己激发和感动的那一刻。

同时，我也渐渐地发现，在病患的过往历史中，往往存在具有创伤性或痛苦难熬的情感经历，这些情感经历犹如迷途的羔羊，会导致病人对情绪的逃避。这就令当事人会去过一种不再让自己感到那么痛苦的生活，也不再会有任何感觉。这往往会让人停止体验生活。我对这一点的感受越来越深刻。

处理艰难的经历

小的时候，我有时会在周三去家附近的一个市场买糖果。从市场回家有一条近路。七岁那年的一天，在从市场回家的路上，我被一个身穿米色雨衣的男人给粗鲁地拦住了。我当时距离他大概只有两米远。他拉开了雨衣，露出赤条条的身体，我飞奔着跑掉了。我母亲每周三都会在家，但这件事我对她只字未提。我一直都在跟自己说不要紧，任谁都会碰上这种事情。就像我所有的病人都会觉得自己的经历平淡无奇一样。很长一段时间里，那个男人的样子在我的脑海中都挥之不去。成年后，当我终于能够面对那个场景时，我才感觉到当时自己的恐惧。我的背部开始一阵阵地疼痛，我的肩膀向内收缩，眼泪流个不停。当时我年纪那么小，一定觉得孤立无援，而且对发生的一切懵懂不知。

我们家当时住在一幢平房里。天气好的时候，我有时会打开百叶窗，敞着窗户。在那个时候，我大概不知道什么是危险。一天夜里，一个男人进到了我的房间里。半醒半睡的我以为是父亲进来要给我上感冒栓剂。然而我当时并没有感冒，而且我早已经不再是需要感冒栓剂的幼儿了。当我在半睡半醒中意识到这一切时，我一下子就跳了起来。我威胁那个男人说“下一次，你见到的不会是我，而是警察”。我不知道自己哪儿来的这股力量。我很可能会僵在当场，也很可能会撒腿就逃。我们在遭遇侵犯时做出的反应不是经过深思熟虑的，而是不由自主的。那个我没有看到脸的男人，一下子住了手，然后从窗户翻了出去。幸好。我觉得，他是因为没想到一个小姑娘竟然做出如此举动而害了怕。

母亲带着我去了鲁昂（Rouen）的警察总局。这种性质的报案肯定让她浑身不自在。警察让我看了照片，问我是否能认出那个进入我房间的男人。我虽然看到了他的全身，但只是背影。他穿了一套像是练功服那样的黑色紧身衣裤。我看了大概有上百张照片，但一张也没有认出来。今天我才意识到，当时放在自己眼前的是数百张恋童癖者的照片。那年我九岁。从警察局出来的时候，我和母亲一句话也没说，母亲满脸的憎恶之色。我当时觉得她那个表情是冲着我的。我觉得自己是个肮脏、有罪的人。我觉得做错事的那个人是我。这种因为负罪感而自责的方式，通见于所有遭遇过性侵犯的人。这就导致某种创伤会被当事人自行吸收，而身边人的共情反应也有一部分是出于这个原因。而在面对无法接受和无力感时，这些反应往往会归于沉默。

虽然我当时年纪还小，最终也走出了这些痛苦的经历。但因为没有得到任何的解释，没有接受自己的情绪，我觉得自己由此得出了这样的结论：不能轻易相信男人，在大多数男人的眼中，女人不是人，只是可以进入的腔口。而我也因此在感情生活中吃尽了苦头。我的感情生活常常会演变为一场抗争，而且透着诸多的不信任。我总想去挽救那些跟我纠结了很长时间的男人。我需要这么去做。我跟他们都曾有过异常强烈的情感，强烈到我自己都难以理解。跟那个伤我最深的男人在一起时，当我开始只关心自己的痛苦而忽略了他的痛苦时，我意识到，之前自己一直在不由自主地试图重复那种受侵害的经历，而这些经历同时也让我以妖魔化的方式去感知这种重复。我总是不断地告诉我的病人，痛苦是没有等级之分的，就算遭受过再可怕的事情，也必须设法去处理自己的伤痛。我也最终得以全身心地去面对自己的伤痛。

无论如何，我的过往和面对这种过往时对自己情绪的接纳，或许让我能够对前来就诊的性侵犯受害者更加感同身受。现在，我专攻创伤的侦测和治疗。通过接受不同派别治疗的培训，比如眼动脱敏与再处理疗法（EMDR）、冥想、借助心率变化的生物反馈疗法等，同时以认知行为疗法为基本框架，我得以制定了一套相对简短的治疗规则，用以侦测创伤，消除引发病症的模式，从而令病人在没有治疗师陪伴的情况下也能够定期处理自己的情绪。一个遭受过可怕经历的人有能力走出焦虑和负罪感的阴影，并开始新的生活，这对我来说是震撼人心的事情，就像某种对抗“恶”的较量大获全胜。

我有一个梦想：令精神疾患的预防成为可能

身在心理疾患链条的末端，经过了数年的创伤研究，倾听了各种各样对暴力与侵害经历的翔实叙述，我不由得开始问自己：是否存在触及面更为广泛的治疗手段？

我曾尝试在研究领域寻求，但我最终发现，在法国并没有任何适用于心理治疗的系统性研究。有针对精神类药物研究的资助项目，但想要获得资助去研究对病人切实有用却不那么有利可图的治疗方法，是难上加难。但是，我还是为此苦苦争取了两年：想要与法国国家科学研究中心（CNRS）联合创立一个关于心率变化测量仪器的跨学科研究项目。实际上，心率测量对指导创伤的研究工作非常有用，通过对测量数据的观测，我们可以看到哪些技术手段可以用来刺激负责恢复和保持良好状态的神经系统。我贡献了自己的想法，贡献了自己的热情，贡献了自己宝贵的时间，提供了各种数据和参考资料，最后却发现，我的工作成果总是被人偷偷地占为己有，可我对此却什么都不能说，因为我当时既不是住院医生也没有地位。

但我坚信可以在医院做一些实事，所以跟一位同事创建了一个项目。我们向精神科的一位主管建议了一种可以在医院不同科室使用的短暂介入性模式。实际上，我和这位同事发现，在实施适合的心理治疗之前往往会出现长期的延误，在生理疾病的背后往往隐藏着不为人知的创伤，而一些介入手段，比如冥想，哪怕持续时间只有短短几个星期，都能够改善诸如心脏病、皮肤病和功能康复等领域某些疾病的预后效果。或许是因为我们不是圈子里的人，或许时机还不够成熟，或许跟非住院医师的合作前景太不明朗，那位科室主管始终没有对我们的建议做出任何具体的回复。

关于我为了推动心理病痛领域的发展而做出的所有尝试，都可以写成一本书了。对于自己所遭遇的重重阻碍，我觉得有两个最主要的原因。其一，绝大部分的精神科医生、医学界和大学里的决策者，都跟制药企业存在利益关联，从法国是世界上开具精神类药物最多的国家之一这个事实，就可见一斑；其二，可能因为自文艺复兴以来，情绪这个人人皆有的体验，在男性世界中被视为是一种可以选择的体验，而这些男性往往手握决策的大权。然而，学会处理情绪，意味着回归本原，回归人类最基本的元素，而这对健康来说是至关重要的。很不幸，精神健康从未被纳入预防的语境之中，而只有在危机管理的层面才会被想到。但是，对精神健康的广泛关注，是可以带来深刻社会变化的。

职业倦怠

接着，我孩子的父亲突然离世。我失去了心爱的人，也失去了分担养育责任的可能，还有他去世前几年我们共同照看孩子所给予我的个人自由。

相处一年多的男友在我人生中第一次强烈感到需要帮助的时候离我而去。就像他说的，他爱的是那个自由而“闪闪发光”的我。面对一个哀戚的全职母亲，令他最终失去了对我的爱意。在对我冷言冷语、粗暴相待（他这么做或许是为了排遣他自己的痛苦）之后，他让我离开了我们共同的住所，这让我在心理上很难应付搬家和随之而来的纷纷扰扰。

在诊所里，撇开“技术”不谈，对治疗师而言最为重要的一点，就是磨炼自己判断的能力，因为这样才能给予痛苦之人以最大可能的善意。在这种个人背景之下，我那充满了各种创伤事件的日常生活变得越来越艰辛。尤其是我意识到，较之那些动辄开药、对情绪和创伤经历研究鲜有了解的同行，我就像个外星怪客。我在工作中感到越来越孤立无援，社会保险部门的态度，还有国家制定的、在我看来与我的工作离题千里的“短期主义”政策，越发加深了我的这种感觉。

我开始感到精疲力竭。我开始觉得不堪重负。我开始问自己这一切是否值得。这么做有什么用？再加上经济的困境，常人很难想象医生也会为生计发愁。我没有抑郁，因为我还能够自得其乐、欢声笑语，但只是偶尔为之。我再也没有时间考虑自己，考虑那些放松的休闲活动。我感到极度的忧虑，给孩子们造成了很大的压力。我感到对这个社会愤懑不已，它总是要求我付出更多，却无法给予我任何的帮助，也无法做出任何的改变。没有任何针对单身母亲的过渡教育措施。我没有在任何机构供职，如果我停止工作，家里就会连锅都揭不开了。没有任何针对从事自由职业的女性的经济援助和后勤支持，而且自由职业还常常遭到世俗眼光的误解。这个社会没有为母亲们做过任何事情，比如，我孩子就读的学校拒绝接受我无法到学校接他们去仅几步之遥的牙医诊所的事实。我必须学会分身有术。这个社会没有为遭遇“职业倦怠”的医生提供任何支持，而这样的医生正变得越来越多。没有任何用于提高社会敏感性和精神病预防的措施。我曾写信给地区卫生局（ARS）、给世界卫生组织（WHO）和相关部门，没有任何人回复过我。我的经验没有任何用处，而且我担心自己会像推动巨石的西西弗那样度过余生。

有时候真的难熬，不过我还是设法给所有这些绝望、苦涩和愤怒的强烈情绪留出了空间。一开始，我只是注视着这些情绪，责怪自己为什么会有这样的感觉，接着，我渐渐地可以带着越来越多的善意去体会这些情绪了。

我写了一本书，在书中，我斗胆以个人的方式全情投入。我曾经接待过那么多跟我有着相似经历的人，我的愤懑找到了合理的出口，它或许可以帮助我去尝试推动一些事情。

所以呢？

最困难的，往往是找到恰当的方式，不至走向极端，或是采取摩尼教徒式的姿态；去爱和被爱，为他人全情投入但不会失去自我，也就是说考虑到他人，但首先要考虑到自己（以具有讽刺意味的女性功能的角度来看，我始终都在反其道而行之）；承担起自己和自己情绪的责任，但不会陷入言必称“我”的境地；有时要鼓起勇气去宣泄自己的愤怒，但不会走进受害论的误区；体面地为自己的感觉留出空间，但不会陷入神经过敏的陷阱。

一种要去寻寻觅觅的平衡，一项持续一生的工作。无论是否是心理医生。

了解更多

- 帕斯卡尔·沙博（Pascal Chabot），《整体性职业倦怠》（*Global burn-out*）。
- 安东尼奥·R.达马西奥（Antonio R. Damasi），《笛卡儿的错误：情绪的理性》（*L'Erreur de Descartes. La raison des émotions*）。
- 斯特凡妮·阿于索，《男人，真正的男人：消除男女间的情绪误解》（*Un homme, un vrai. Dissiper les malentendus émotionnelshommes-femmes*）。
- 释一行，《治愈内心的小孩》（*Prendresoin de l'enfant intérieur*）。
- 欧文·亚隆（Irvin Yalom），《叔本华的治疗》（*La Méthode Schopenhauer*）。

第九章

“可你天生就是做精神科医生的料儿”

克里斯蒂安·盖伊（Christian Gay）

我小小年纪就开始了自己的差生生涯，这导致学校的负责人建议我去做一次儿童心理测试（我从来也没收到过结果）；再后来，我的语文老师强烈建议我放弃学业去卖薯条。

«Mais tu es né psychiatre» (Born to be psy)

我从事心理教育工作至今已逾十五年。大部分情况下，心理教育工作的方式遵照事先制订好的计划，以小组的形式进行，而且治疗计划必须与组员的个人经历、需求、认知水平、状态和敏感度相适应。通常说来，从第八次治疗开始，也就是在治疗小组成形、成员能够更加自由地表达自我的时候，我往往就会开始问自己：为什么我选择了精神科医生这个职业？为什么我会对双相情感障碍产生兴趣？为什么我会投身心理教育？为什么我轻易就能与人建立联结并满腔热情，换句话说，为什么我也有双相情感障碍？

在认真思考这些问题之前，我曾经问过我的母亲，她温柔地回答我说："可你天生就是做精神科医生的料儿啊！"显然，母亲的这种肯定又引出了我的其他疑问和她对这些疑问的回答。

我之所以在开场白里提到这些事情，是因为我对母亲的看法怀有深深的敬意，而且我也被她的善意，也就是她的爱深深触动。“刚满六岁的时候，你想要人们幸福开心。你满心好奇，想要了解他们的经历。你深切地感受到他们的忧伤，不明白为什么有些人会遭到社会的遗弃。你跟一个在咱们家店铺附近讨生活的流浪汉很亲近，你觉得跟流莺聊天是很自然的事情。”我不记得这些事情了，但我依照原话把它们写在了这里，因为那是妈妈说的。

当我开始思索促成我职业选择的决定性因素，思索对我的职业产生了影响的环境因素，思索我可能对精神疾病抱有的看法，思索这一切对我的个人生活造成的影响时，我发现，每一个问题都跟某一个确切的时期密切相关，虽然其间不可避免地存在相互重叠、错综复杂之处。这些相互交叠、错综复杂之处，在根本上是具有连贯性的，因此才会令那些让我走上心理学道路的种种事件看起来一气呵成、理所应当：远赴印度，在巴黎圣安娜精神病院实习，并有幸遇到了一位可以仰望的人物，担任司法鉴定专家，窥见人类的苦难，以及最终接触到了积极心理学和冥想。

意识到机会的不均等

站在今天回望过去，我发现自己的人生可谓“机会加身”。

我这人有点迷信，所以想着这么一落笔，大概就给机会画上句号了。不过也没什么要紧，不得不承认，至今虚度六十四载，我不曾碰到过什么风浪，也没遭遇过什么不幸。无论是小组治疗或个人会面，无论是在工作中、朋友间，还是独自思考的时候（常常在夜里），我总会说或想：人从出生起，拥有的机会就是不均等的。遗传的不足，抑郁的性情，创伤性事件的不期而至（早期分离、哀悼、虐待、情感缺失……），令人处于压力之下的不良环境，这些都是不均等因素，可能导致不同性质的脆弱，并助长神经症性心理障碍的出现。

今天，我经常都会说，我的一帆风顺没有任何可以夸耀之处，我的职业状况并不是艰辛奋斗的结果，而是幸得贵人指引、水到渠成的产物。相反，对那些一路走来历经痛苦的人，我始终满怀钦佩之情，对那些“白手起家的人”（self-made man）也是，好胜的性格令他们拥有了这种随时可以采取行动的能力。

在回溯我的过往之前，这段开场白必不可少，因为它可以让您了解我的精神状态。是的，我承认自己是个非常幸运的人。在童年和青春期，我从未经历过分离或丧失。作为家中的独子，我并没有被宠溺成小皇帝，我被家人深深地爱着，从来没有受到过粗暴的对待。

我的学业一团糟，虽然对自然科学很感兴趣，但其他科目的平均分从不曾超过5/20。那我是怎么进入医学系的呢？又是为什么进入医学系的呢？我不会细数自己的学习经历，只是为了让您对情况有个大致的了解。我在中学三年级的时候留了一次级，而且从来没有获得过国家文聘（BEPC），虽然考了两次。我小小年纪就开始了自己的差生生涯，这导致学校的负责人建议我去做一次儿童心理测试（我从来也没收到过结果）；再后来，我的语文老师强烈建议我放弃学业去卖薯条。但我很幸运，父母始终都陪伴在身边，对我糟糕的成绩表现得宽宏大量。高考的顺利通过令人颇感意外，但也伴随着口试的巨大压力，因为我需要在口试中获得足够高的分数，才能弥补笔试成绩的不足。最终的结果出乎意料，10/20，1分也不多。有了这个成绩，我就可以注册医学专业了。当初，我父亲被迫放弃了这个专业，一是因为健康的问题，二是因为他的母亲保护欲过强，不愿让儿子投身长久的学业。父亲从小到大都告诫我，最要紧的就是要心有定见。人道主义责任和利他主义从来都不是被强调的重点，至少我记忆中是如此，但那都是不言而喻的事情。我是在一种过度保护的环境中长大的，考取的也是“私教类”学校，里面全都是家境优越的差生。

就读医科的第一年，我发现了一个全新的世界——大学生的世界。在我的想象中，这个世界里没有差生，于是我下定决心要甩掉这个标签，成为一名好学生。我是如何做到成功转型的呢？我自己从来没有想过这个问题，如果有人问，我就会高高兴兴地回答说，是自己的运气好，而且做了功课。而当别人认为这是不可能的事情时，我就会强调说，那时候念书不像现在这么难。

就这样，我走上了医学的道路，说得更确切一些，是内分泌学。我在巴黎柯钦医院的实习起到了决定性作用。内分泌学是一门容易理解的学科，并且跟精神病学有着千丝万缕的联系，但是在那个时候，我对人文科学毫无兴趣，对精神病学就更没有兴趣了。我跟精神病学之间唯一的联系，就是电影。比如塞缪尔·富勒（Samuel Fuller）用十多天时间拍摄完成的《恐怖走廊》（*Shock Corridor*），这部1963年上映的作品把观众带进了疯狂的世界；再比如1960年由阿尔弗雷德·希区柯克执导的恐怖惊悚片《惊魂记》（*Psycho*）。还有像《卡里加里博士的小屋》那样的德国影片，以及《马布斯博士的遗嘱》等影片，这些影片中没有一部内容是关于某种特定疾病的，而且对精神病的描述往往呈现出夸张讽刺的效果。

与亨利·罗奥（Henri Lôo）的相识，对我选择精神病学产生了深远的影响。罗奥先生堪称是人道主义精神和温良恭俭让的典范，无论是作为临床医生还是作为教育学家，他都在方方面面表现出令人由衷敬佩的品质。在他的部门度过的二十五年，是我此生难求的好运。从担任实习医生的第一天开始，我就以一种在当时极具神经生物学特点的视角，专注于双相情感障碍，这种视角历久弥新，如今更是伴随着信息、心理学教育和积极心理学的发展，变得愈加开阔。

但在这之前，我发现了印度。

印度，通往接纳的漫漫之路

我是在很久之后，才体会到这次独特经历的诸多益处的。那是1977年，当时我已经选择了精神病学这个专业，但茫然不知前路将会如何。我没有任何的临床经验，而且在一些书籍和电影中看到了反精神病学的倾向，同时也了解到体制下精神病学的状况，以及不同的精神分析流派，但我理解起来最得心应手的，还是生物精神病学。一位朋友建议我接手他在孟买的职位，虽然家人极力反对——当时家里只有我和父母三口人，我还是不假思索地答应了下来。我即将接手的工作，是担任法国驻孟买领事馆的社会专员。我的职责是为身处困境的法国侨民提供帮助。这些人大多是情况极不稳定的瘾君子：健康状况糟糕，营养不良，多发性感染。我再一次追随命运的洪流，踏上了并非出于自己本意的道路。那个时候，我还不懂什么是运气，什么是命运，什么是因果报应，我只是在直觉的驱使下接受了这个职位。三十五年之后我才意识到，自己从未身陷困境是怎样的一种幸运。这种一帆风顺很有可能促使我学会了接纳，也或许仅仅是因为我一直都生活在接纳的氛围之中，在有所渴望和心满意足的同时，不必自我牺牲、放弃和隐忍。直到后来，也就是几年前，我才领悟到了这些微妙之处。1977年，我对印度的了解仅限于几部泛泛而谈的影片——《孟加拉虎》（*Der Tiger von Eschnapur*）、《印度坟墓》（*Das Indische Grabmal*）、《印度之歌》

(*India Song*)、《她在威尼斯时的名字在荒凉的加尔各答》(*Son nom de Venisedans Calcutta déserte*)，以及路易·马勒（Louis Malle）的纪录片《加尔各答》(*L'Indefantôme et Calcutta*) 和拉维·香卡（Raci Shankar）的音乐作品。那时我只有二十六岁，直到现在，我还记得当年那种浑然不得要领的苦涩感觉，但我那时显然还没有做好准备。去印度之前，我带着几分消极的心态荒度了一年半的光阴，走之前制订了三个计划：学习印地语，学会印度小鼓，完成关于德国印象主义电影和精神病学的博士论文。因为不懂德语，而且手头上没有任何影片资料，我很快就放弃了第三个计划，至于前两个，也仅只是想法而已。尽管我此前有过的体验都是较为积极的，但我是以一种延迟的方式获得这些体验的，就好像经年累月的思考慢慢发挥了作用，让我在三十多年之后获得了从未有过的强烈的情感体验，至少到现在为止都是这样。渐渐地，在没有完全理解印度教的情况下，我接纳了这种“就是这样”的哲学，也就是说，不必了解一切也可以接纳。

当我再次回望这些发生在印度之旅期间的种种事件、这些为我打开了全新视线的事件时，我首先想到的是与斯瓦米（Swami）的相遇。斯瓦米负责照料我在孟买的日常生活。他原本只需要负责厨师的工作，但实际上却成了我的私人秘书。我的第一个反应是谢绝他的帮助，因为我完全可以独自搞定生活中的琐事，而且在我当时的那个年纪就拥有私人雇员，让人颇感不自在。但是，我当时对印度的生活毫无概念，而且也没有意识到这份工作对他有多重要。斯瓦米来自印度南部的泰米尔纳德邦（Tamil Nadu），离孟买有一千三百多公里。他的家人——也就是他的孩子、妻子和父母，住在钦奈［Chennai，原名马德拉斯（Madras）］。他每个月都会把几乎全部的工资寄回家。斯瓦米从来没有抱怨过自己的生活境况。他总是面带微笑、和蔼可亲，我的公寓就是他的家。在我接待身处困境的法国侨民时，他就担当起护士的角色。在我收容这些等待被遣返回国的病人的日子里，斯瓦米就负责为他们准备饭食和治疗所需的一切。面对这些病人时，斯瓦米总会表现出发自心底的仁慈和善意，但同时也会保持警惕。在那段日子里，我从来没有意识到他的自尊和勇气。我是在后来才生出对他的欣赏之情的，我也深感遗憾没能当面告诉他。今天，每当想到接纳的典范，我就会想到这个生于逆境中的印度人，就像其他千千万万的人一样，他从未抱怨过自己的处境，从未追讨过什么，从未有过任何的苛求，反而一直都认为自己的生活是一种恩赐。

另一段浮现在我脑海中的回忆，则充满了强烈的情绪和感受。这段回忆见证了什么是尊重，什么是敬意，什么是全情投入。当时，我沿着一条著名的修行路线，只身前往拉贾斯坦邦（Rajasthan），终点站是贾沙梅尔（Jaisalmer）。贾沙梅尔位于茫茫的塔尔（Thar）沙漠之中，距离巴基斯坦边境百来公里，我坐在焦特布尔（Jodhpur）的一个小饭馆里，耐心地等待开往这座沙漠之城的火车。邻桌坐着三个年轻人，不停地打量我。其中一个站起身走过来，在我面前放了一张纸钞，邀请我过去跟他们一起坐。就这样，我们开始讲述起各自的经历，就这么聊了有一两个小时。然后我跟他们解释说，我得去赶火车，不得不先告辞了。他们让我尽管放心，说离开车的时间还早，于是我们又继续聊了起来。过了一会儿，他们站起身来，跟我说该出发了。他们陪着我一起前往火车站，三个人都是满脸微笑，说很高兴能够跟我共度一段美妙的时光。等我们到了车站，他们发现火车已经开走了，大概这是那趟车第一次准点发车。他们不动声色地筹划了一个救急计划。三个人拉着我上了一辆嘟嘟车，一路狂奔赶上了停靠在十多公里以外的火车。每次我回忆起这件事，都禁不住会想到《007之八爪女》（*Octopussy*）里嘟嘟车追逐的场面，这部影片应该是在我的嘟嘟车之旅的五年后上映的。当时的情形仍历历在目：沿路的嘈杂声，不停地刹车和险象环生地侧滑，好避开路人、自行车、牛车、摩托车和其他的嘟嘟车。那三个年轻人都参与到了这个事件中，并尽最大努力帮助了我。

第三件事发生在印度，并且一直持续到法国。这件事或许能够说明什么是运气、水到渠成、和谐一致，什么是恰逢其时，什么是目标与能力的完美契合。这件事引导我走向了医学学科中精神病学的分支，走进了精神病学的世界。

在抵达孟买之后不久，我发现了一本在果阿邦（Goa）嬉皮士圈子里很受欢迎的书——《唐璜的教诲》（*The Teachings of Don*

Juan）。这本书的作者卡洛斯·卡斯塔尼达（Carlos Castanede），是一位在20世纪70年代备受追捧的美国人类学家，后来又颇受争议，尤其是在1998年去世之后。作者在这本书里描写了曼陀罗的致幻特性，这种草药自古代就已为人所知，在20世纪70年代被用来治疗哮喘。在曼陀罗以香烟的形式被投入商业生产之后，人们很快就开始以汤剂的方式服用这种草药，以获得致幻效果（或者说引人发梦的效果）。

几个月后，我接诊了好几例曼陀罗中毒的病患，特别是对因懵懂无知而中了这种草药之毒的年轻法国侨民的观察，其结果成了几个月后我博士论文的基础素材。这篇论文的研究工作始于1978年7月。当时我正在诺曼底休养，因为之前在孟买感染了肝炎，不得不在巴黎的贝金军医院接受住院治疗。我坐在书房里，胡思乱想着怎么写博士论文。我的目光被一套十几卷的旅行词典给吸引住了。我随手从书架上抽出其中的一卷，刚好翻到介绍果阿邦的插图页。文中提到了一种药物，在书里的名字是“dutroa”。我从来没有细想过这个无心之举是如何让我很快确定了自己的研究计划。我只是觉得自己撞了大运。在之后的几个星期里，我收集了大量有关曼陀罗的资料。一切都是顺水推舟。导师只是要求我在论文中对这种植物的特性做出描述，并附上观察结果。所以我深深地体会到什么叫水到渠成。

如今，印度对于我来说，成了某种意义上的“本质”。我每年都得去一次印度，为的是“净化”自己。这其中没有任何神秘主义的色彩，仅仅只是一种需要，我需要身在那里，需要洗去自己的“显现”。我可以斗胆地说，我“洗去了自我”，从而触及了本质，找到了企及幸福的方法。听起来实在有些自命不凡，但我并非自欺欺人之辈，而且深知这些方法不是一劳永逸的万全之策。没有什么是永恒不变的，这是一条曲折的道路。说得委婉一些，这只是一种让人可以相对地看待事物和放手释怀的方法。

而在写下这篇文字时让我最感慨的是，如果说我天生就是做精神科医生的料儿，那么我跟印度的缘分就是一种命中注定，一段精神、情感和领悟的缘分，一段远未结束的缘分。

圣安娜精神病院，双相情感障碍与病患咨询

就这样，我获得了此生难求的机会：在圣安娜精神病院让·德莱（Jean Delay）和皮埃尔·德尼克（Pierre Deniker）负责的科室工作，之后又追随亨利·罗奥和让-皮埃尔·奥利耶（Jean-Pierre Olié）工作。我在那里工作了整整二十五年。在做实习医生期间（两年），我不知不觉地开始专心研究一种令狂躁抑郁症的预后产生了颠覆性改变的药物——锂盐。1817年，人们发现了这种以天然物质为基本成分的药物，一种从不同种类的岩石（锂辉石、透锂长石、锂云母）中提取出来的金属。直到1949

年，人们才发现，锂具有抗狂躁（抑制兴奋）的特性。现在，锂依然是一种我们知之甚少的金属，尽管它的化学结构非常简单。除了安抚情绪的功能，锂还具有很多其他的特性。

随着时间的推移，我对双相情感障碍的了解越来越深入。我在20世纪80年代所抱有的狭隘眼界也得以大大开阔，并最终认定，必须以个案处理、着眼全局的方式来治疗这种疾病。今天，我坚信这种疾病首先与神经生物学有关，我更加坚信，可以用不同的心理教育方法和冥想途径来治疗这种疾病。没错，并非所有的人都有狂躁抑郁症，但我们每个人都有可能患上狂躁抑郁症——没错，狂躁抑郁症并非一种被某些媒体渲染成的时髦疾病，但我们生活的这个社会可能成为这种疾病的温床和导火线。心理倦怠的极限依然模糊不清。没有人是坚不可摧的铁金刚。越早有接受妥善治疗的想法，就能越好地应对不期而至的不同病症。这种认知和这些措施适用于所有人，逃避和不以为意是公众健康面临的巨大挑战。

专业鉴定与直面人类的苦痛

专业鉴定的工作让我意识到，医生的作用不是去评判，心怀善意是必不可少的品质。

二十年过去了，回首当初被巴黎上诉法院列为“专家”的那个时期，我现在对专家鉴定这份与治疗师工作齐头并进的职业有了不同的看法。那个时候，与犯罪学打交道，代表着某种终极目标，也让我走上了鉴定专家的道路。这份工作首先是一种临床实践，目的是尝试了解某种犯罪行为的成因，并解答责任和重新适应的问题。保持不偏不倚的客观态度、不进行任何的评判，是这份工作的金科玉律，但有的时候，事实的属性会影响我们的结论。我用了好几年才意识到，鉴定专家的工作不是去评判事实，而是通过回答问题去阐释公正。

这么些年的实践，让我领悟到了“不评判”和心怀善意的真谛，尽管我也感到有所失，但对这段生命历程始终无怨无悔。事实的残酷，操作的难度，错误评估的风险，媒体的紧咬不放，都曾是这个职业可能陷入的泥潭，但我再一次侥幸得脱。后来因为迁居到上塞纳省（Hauts-de-Seine），我不得不申请在巴黎上诉法院注销了自己的名字，因为这个省没有被列在巴黎上诉法院的名单上。所以，中断这份专家鉴定工作并非我的本意，而是出于迫不得已。

不过，抛开这种评论式的分析不谈，对我而言更为重要的是，这份工作让我得以在考虑到机会不均等的情况下，从不同的角度去审视监狱在押人员。我的推论类似于精神病学的推论，但与社会息息相关。这种视角的改变，还促使我领悟到什么是宽容和“不予评判”，只专注于笔录，但不会有视而不见的感觉。

咨询与心理教育

这么多年专注于为罹患双相情感障碍的人群提供咨询，以及小组心理教育的经历，让我对这种在临床表现上具有极大异质性的疾病有了更多的了解。我们应该采取所有可能的措施去缓解这种复发率相当之高，且部分受到生活方式和自我评价影响的疾病。从这个角度出发，心理教育的规划中会列出一些相关的生活建议。今天看来，这些建议是具有积极作用的，但重要的是能够将这些建议为己所用，并根据个人情况把它们落到实处。另一个显而易见的事实是，在向罹患双相情感障碍的病人提供这些生活建议之前，这种心理教育的规划在某种意义上构成了与自己达成的幸福契约。

感知快乐

为此，释怀往往是一种必不可少的能力，摆脱负罪感、评判和表现的羁绊。与此同时，重新专注自身，构成了另一种必不可少的能力，在切断了不由自主的惯性之后，能够察觉自己的情绪和感受。感知快乐，是所有生活原则的基石。这种感知可以很单纯，可以通过对意向性的觉知而获得。我经常会以自己为例：走在草坪上、听到夜幕降临时的第一声鸟鸣、骑摩托车、聆听锡塔尔琴、早晨跟我的狗玩耍，或是起床前伸懒腰时感到的那种快乐。

接纳

从生理和心理上接纳真实的自己，并不意味着顺从、放弃或隐忍。这是用来抵御不满足、挫败感和不甘心的最佳防护。印度人对生活所持的态度有醍醐灌顶之效，可以帮助我们在生活中前行。在一部极为有趣的英国电影《涉外大饭店》（*The Best Exotic Marigold Hotel*）中，汤姆·威尔金森（Tom Wilkinson）扮演的格雷厄姆·达许伍德（Graham Dashwood）说的一番话，让我们明白了一个道理：在西方人看来，生活是一种“理所当然”，而在印度人看来，生活是一种“恩赐”。

拥有获得满足的源泉

跟快乐一样，满足对生活而言也是至关重要的，它可以让我们感受到生命的充实和厚重。满足并不等于感谢、称赞、满意或荣耀，但它是自尊的重要组成部分。我们在偶遇陌生人的时候，从带着关切目光和微笑的一声问候中就可以得到满足，这种感觉可以跟真实的交流一样强烈。满足不一定非得跟职业生活相关，相反，这种感觉跟无偿的概念密切相连。

成为自己最好的朋友

实践可以让这种困难的练习变得相对容易。这种做法可以让人拥有善意。成为自己最好的朋友，意思是，以对待自己最好的朋友和最好的朋友对待自己的方式去对待自己。这并不意味着要全盘接受。宽容、理解、期望、建议和分享，是滋养这种关系的源泉。重要的是，在面对失败时不要急于下结论，不要自我贬低，而要保持客观的态度，不断告诉自己：想法不等于事实，不要仅凭感觉做出反应，要维持一种自我保护的系统。除了这种对自我友善的陪伴之外，对困境进行干预，并以良好的心态独自面对，也是必不可少的。当某个危机细胞被启动时，可以采取一种广泛适用的程序来加以应对，这种程序可以概括为三点：一、我停止自己的活动；二、我思考；三、我做出反应。做出反应，既包括求助，也包括安全行为。绝对不要做出以身犯险的举动，而是要量力而行（尽自己的最大努力），并在同一时间内寻求帮助。这一系列的做法可以保护我们，并约束“过度反应”或不适合的举动。

自尊

自尊，是不可或缺的要素。自尊与善意的观念和照顾自己的事实紧密相连——面对他人时的自尊，他人对自己的尊重。这种尊重的概念，既是身体上的，也是精神上的。它牵涉到某些科学、心理学和哲学的认知。只有了解自身的运转方式，才能做到尊重自己的生物钟。最终的目的很简单，让生物钟走时精准。时常出去晒晒太阳，进行晨练；起床后冲个热水澡，不仅可以醒神，还可以令身体的温度升高；吃营养丰富的早餐；有充足的睡眠，意思是不要睡过头，也不要睡不够；有规律的生活作息，这些自我爱护都体现出自尊。不要强迫自己去施行保持良好状态的法则。了解、循序渐进，以及个体化的适应，是这类规则得以成功实施的保障。

不要进行自我评判

我们都知道，既当运动员又当裁判，是不可能的事情。进行评判，如果有可能的话，不仅需要保持完全客观的立场，而且需要了解构成人类的所有信息要素。事实证明，任何的评判都具有局限性，尤其是对自我的评判。可惜，自我批评总会以不由自主的方式现身说法，而且与深入我们的心理，甚至是深入骨髓的负罪感密不可分。我们总会习惯性地背负起这种具有破坏性的评判。意识到这种运转机制，可以让我们退一步，理智看待。

保持社交关系

人，是慰藉、互助、分享、交流和爱的源泉。对我而言，每一次印度之行都能带来希望，都是一次人生的课程，都能令我满怀欣赏之情。保持社交关系，能够让人找到并保持一种平衡。

协调一致

我记得曾经在克里斯托夫·安德烈的一本书中看到过一个

图式，这个图式描绘了一次心理教育课程。我们为自己设定的目标应该与自身的能力相符。如果目标设定得太高，就会导致压力；如果目标设定得太低，就会带来烦恼。更好地了解自己的能力，可以帮助我们找到那种协调一致。

划定依赖的界限

依赖，可以是身体上的、心理上的，甚至是精神上的。保持个人的自由意志，避免沦为物质或观念的囚徒，是一种生命的终极目标，这个目标未必人人都能企及。依赖，往往在不知不觉之中形成。显然，依赖是获得自由的羁绊，但还是要对它有所意识。

遥望未来

遥望未来，并没有跟“此时此地”的哲学观念自相矛盾，而是一种有益的补充。遥望未来，只不过是在生活中注入了一缕阳光，形成了一堵抵御烦恼的防火墙。

所谓结论

综上所述，我在此写下这篇文字的最后一个部分。

首先，即便曾经有过失落和沮丧的时刻，但如果一切可以重新来过，我依然会选择同样的方式。我会再次成为精神科医生。精神病学不仅仅是一个医学专业，它也是人文科学、神经科学和修行的核心所在。从业至今已有四十余载，我承认自己已无法对事事确信无疑，但我的直觉还在。这些直觉成了我行医和定位的指引。就这样，我从最初兴趣所在的生物精神病学和精神药理学，转向了为病人提供咨询，然后投身研究心理社会的治疗措施，再到今天的冥想疗法。

其次，对自己的善意让我得以从另一种视角审视自己的工作。人人尽力而为，但要尽全力而为，带着自己的缺点和不足。精神疾病错综复杂，受到遗传、生活事件和环境等多重因素的影响。因此，精神科医生的作用，就是帮助病人去发展、适应和学会面对应激情况的能力。

最后，邂逅非同寻常的人，“实实在在”的人，慷慨、率真、诚挚、富有同情心、独一无二和具有创造力的人，一句话，充满人情味儿的人。与这些人的交往，会是一种真正的交流和分享。在面对与疾病的抗争时表达自己的欣赏之情，与表达共情和同情一样重要。

第十章

成为精神科医生绝非偶然

On ne devient pas psy par hasard!

布鲁诺·科埃兹（Bruno Koeltz）

很快，我的性情就发生了改变，我原以为只是情理之中的沮丧，渐渐地演变为如假包换的抑郁，最终，我……去看了精神科医生。

逃生的出口，就在我们的内心深处。

——朱利安·格林（Julien Green）

“成为精神科医生绝非偶然。”这个断言听起来未免老生常谈。就个人而言，我完全赞同这个说法，是的，我成为精神科医生并非偶然。我以如此坚定的口吻说出这句话，多多少少是出于一些可以用来解释这一选择的深层原因，但对于我来说，主要还是因为这是一条曲折之路导致的结果，现在就请您和我一起回望这段过往吧。

精神科医生？

他们会让你越来越忐忑不安的！

至少可以这么说，我成为精神科医生，既不是因为年少时的使命感，也不是因为家族传统。在我成长的环境中，但凡牵扯到精神病学或精神科医生，让人感到的只有痛苦。的确，我在很长一段时间内都认为，精神科医生比他们的病人还要“神经兮兮”（这就是我从小耳濡目染刻在脑中的印象），那些去找这些怪人看病的倒霉蛋，接下来也会变得越来越奇怪，而且最终往往会陷入雪上加霜的境地。

在我的记忆中，我第一次跟“真正的心理医生”打交道，是在念高中的时候。经过无数次的测试和问卷调查之后，学校的心理医生建议我选择会计专业，他认为这个专业最适合我，但我对这个专业完全没有兴趣。直到今天，我依然觉得这第一次“触电”不是为了改变我对精神科医生的看法而发生的。

我没有遵从学校心理医生的专业选择建议，而是走上了学医的道路。当时，我并不知道自己究竟应该选择哪一类医生的职业。但有一件事似乎是可以确定的，那就是，在拜读了弗洛伊德那本跟我的科学理性主义背道而驰的《性学三论》（*Trois essais sur la sexualité*）之后，我认为我将来绝对不会选择心理学这个专业。

同样是在那个时候，一位女性友人出于好意，建议我去读一读拉康（Lacan）的著作。这才叫命中有时终须有呢！如果说，弗洛伊德提出的那些大胆假设，被一些与他同时代的人称为科学童话，那么，拉康的作品就是彻头彻尾的晦涩难懂。我禁不住想要用萨卡·圭特瑞（Sacha Guitry）的那句名言来形容：“晦涩难懂得毫无深意。”我因此而认定心理学比科学更执着于晦涩难懂。

他去看心理医生了？好了，他会没事的！

所以呢，我在念书期间继续跟那些植根在技术和科学中的“困难”学科打交道。在重症监护室的好几次实习，让我不可避免地接触到自杀未遂的病患。在完成了对这些病患躯体症状的处理之后，我们会立即把他们转交给一位精神科的同事。这位同事每天早上都会探问这些“幸存者”。他会把病人带到一间办公室里，然后跟他们长时间地交谈。交谈的内容不得而知，但可以让我在这些病人的病例上写下“看过精神科医生”的批注。这句神奇的批语给了我希望：不会再跟这些病人在重症监护室里相遇了。

在经过五到六年的学习之后（为什么这么晚？），我开始修习精神病学的课程，这些课程让我发现了这门学科的另一副面孔。我还记得有一门关于病理性哀伤的课程，既明确、严谨，又充满了人情味……我是不是被骗了？我是不是因为自己的偏见而失去了判断力？精神科医生不都是些神经兮兮的人吗？我的心中开始萌生出疑惑，但这种疑惑还不足以让我向精神病学靠得更近。

“病人”还是疾病，我意已决！

我在学医的过程中渐渐发现，专业选择的问题不能只归结为我不想做什么。我究竟想要做什么，成了一个越来越急迫的问题。

于是，在六年的学习和深思熟虑之后，我发现自己之前一直钟情于学习治疗疾病的技术。毋庸置疑，这些知识是必不可少的，甚至是可以让人安心的，但扪心自问，这些都不是我最感兴趣的。我最感兴趣的，是人，病人。慧心初显了？终于接受技术并非万能的事实了？在同一时期，一句医学格言引起了我的共鸣："有时治愈，经常缓解，总是慰藉。"与此同时，我开始感觉到某种不适，因为在跟医科同学相处的过程中，我感到他们"对疾病的关注要胜过对病人的关注"。

就是在那个时候，我决定投身产科学。这是一个向生而行的专业，在同等情况下，产科的"病患"人数极少。在经过一年的产科住院实习（毕业实习）之后，我心意已决，我找到了自己真正想要从事的职业，我要成为产科医生！于是，我怀着满腔的热情踏上了产科学的道路，大学期间在产科做了好几年的实习医生，这个经历可以让我获得产科医生的资质。

既躲不开精神病学，也躲不开精神科医生！

在专心"产科"的那段日子里，我很少接触精神病学，印象深刻的只有两次。

第一次，可谓离奇。我经常看到一个男人灰扑扑的身影，看起来刻板得不行。我几乎每天都能在产科的走廊里瞥见他。我有时会在走廊里看见他走到病人的身边，一副全神贯注的样子，专注地听着病人说话，双手合十，就像在祷告。毫无疑问，他是医院里的牧师，我这么想。一天，这位牧师叫住了我，问我是不是负责X女士的实习医生，因为他想跟我谈谈这位女士的治疗情况。我至今都还记得自己当时吃惊的样子和闪现在脑中的念头："我很愿意，可这关他什么事儿啊？好吧，且看看再说，他看起来挺讨人喜欢的，我们总不至于闹什么别扭！"于是，我耐心地听他解释；他似乎特别担心X女士表现出的抑郁征兆，觉得虽然她怀了孕，还是应该考虑接受药物治疗。我听懵了，好一阵子才明白过来，这位"牧师"实际上是精神病科的一位同事，他跟想象中医生应该有的样子可是相去甚远……真是人不可貌相！

第二次，远不像第一次那么离奇。有一次值夜班，一个惊慌失措的护士跑来叫我。一个前一天刚做完剖腹产手术的女病人拒绝接受治疗，而且做出了极具攻击性的举动。我跟着护士来到病房，发现眼前的这位女士情绪异常激动，她一手挥舞着注射器，一边大喊道："我不要你们的毒药！"护士跟我解释说，之前她到病房里本来是要给这位病人注射抗凝血剂的，结果病人抢了她的注射器。那时的我缺乏经验，而且对自己医生的权威（还有一米八的个头）过于自信，我轻率地朝着病人走了过去，请她理智一点儿……结果倒了大霉，因为一秒钟之后，我已经倒在了地上，这个身材娇小的病人给了我一记这辈子也没挨过的响亮耳光。有人叫来了在精神病科值班的我的同事，他显然比我上道。我后来才知道，这位女病人在怀孕之前曾经因为精神疾患接受过心理治疗，我们对此一无所知，因为她只字未提，后来怀孕才中断了治疗。同事跟我解释说，如果我们之前对这个情况有所了解的话，很可能就会避免这种突发的代偿失调。

尼采："没有音乐，生活将是一种错误。"

在那一时期，我在不同的产科部门待过。在最早供职的产科里，我面对的大多是家境不好、很少得到医疗跟踪的病人。在这样的环境中，我们日常的医务工作就是应对十万火急的状况。之后，我有幸在一个规定必须对孕妇进行密切跟踪和陪护的产科部门工作。绝大部分产妇都会接受硬膜外麻醉，这在当时还远未成为产科的操作规范。硬膜外麻醉几乎令产房[别忘了，在词源学中，法语的"产"（travail），原意为"刑"（torture）！]里的生理痛苦消失殆尽。

然而，在这片寂静无声中，监控器的"哔哔"声和产科技术，并不能令未来的妈妈们安心，她们常常会焦虑不堪。后来我发现，产房里都配备了用来播放音乐的扩音设备，但是从来没有人真正关心过这些设备的使用效果。不过，除了扩音设备之外，产房里还囤积了很多磁带。这些磁带的播放并没有达到预期的效果，磁带里的音乐大多属于“电梯音乐”的类型，倒是打破了产房里的寂静无声，但最终让所有人都听得窝火。于是，我决定亲自挑选播放的音乐。

我很快就列出了最受产科工作人员和产妇们青睐的“前三名”，分别是：佩尔戈莱西（Pergolèse）的《圣母哀悼曲》（*Stabat Mater*）、巴赫（Bach）的《马太受难曲》（*Passion selon saint Matthieu*）和凯瑟琳·费丽尔（Kathleen Ferrier）演绎的马勒（Mahler）的《悼亡儿之歌》（*Kindertotenlieder*）。很奇怪，这三支乐曲都不属于欢快的类型，它们的共同之处就是展现痛苦，更确切地说，展现精神上的痛苦，同时也展现了对痛苦的超越，前两支乐曲是通过信仰，第三支乐曲是通过爱，马勒就是在痛失两岁爱女之后谱写的这支乐曲。大家都觉得马勒的这支乐曲能够安抚人心，但我却经常因为这支乐曲而陷入尴尬，因为总有人问我它的名字：我如何解释这是一首“纪念亡儿的悼歌”，而且演唱者还是一位因恶疾而芳华早逝的女伶呢？这在产科可是一件棘手的事情，不是吗？所以，我被问到时总是含糊其辞，只说这是“马勒的作品”。

晴天霹雳

医学用语里总是充满了各类发人深省的格言金句，往往都是出于教育的目的。在产科学中，晴天霹雳被用来形容某些在妊娠期毫无征兆、突然出现的并发症。晴天霹雳还可以用来形容我在突然遭遇学业挫折时的感受，那次挫折让我失去了成为产科医生的所有希望。在那之前的好几年中，我一直都坚信自己的前路已经无比明确，谁知“啪嚓”这么一声，发生了我从没想过会发生的事情，一切都变得前途未卜，这个我如此在意的计划永远也不可能实现了。

“永远不要把话说得太绝”

很快，我的性情就发生了改变，我原以为只是情理之中的沮丧，渐渐地演变为如假包换的抑郁，最终，我……去看了精神科医生。

您知道的，这个过程没那么简单，我被自己的偏见和痛苦搅得一团糟，根本没想到自己会去看精神科医生，但我确实去了。

我遇到的第一位精神科医生，给人一种舒适的感觉。他懂得倾听，开始治疗之后不久，他就建议我服用药物，我没带什么抵触情绪就接受了（要知道，在我的“文化”中，交谈比服用药物更奇怪，更令人不安），但我们依然定期见面，为了交谈。有一天，我也不知道是不是因为他觉得我的情况有所好转，还是相反——陷于停滞不前，他跟我解释说，该是向前推进的时候了，并建议我去做一次精神分析。我的天空依然阴沉，但他的话犹如一声惊雷。我仿佛看到自己今后几年形同苦役一般的日子。这完全令人无法想象、无法接受。我已经接受了去看精神科医生的想法，但接受精神分析，这就超出了我的接受范围。预约一次？那之后又要做什么呢？简而言之，在记忆中，我在那一刻感到的只有愤怒和绝望。我说服自己不要对心理医生有任何期待，我再也没有去见那位精神科医生，之后，我进入了一段下行期……

“军队，可不是抑郁症患者的地中海俱乐部！”

我在大学遭遇的那次挫折，为这么多年学医导致的迟迟不决画上了句号，就是在那个时候，我入伍了。对于很多人来说，入伍无异于浪费时间。就我个人而言，总体上来说，当兵的经历就像是一段插曲，让我不用去面对一个已经没什么盼头的未来，因为我根本就无法想象那样的未来，我的未来空空如也！就这样，躲在军队的茧壳里，我终于可以在枯燥无味的活动中穷思竭虑、纠缠于过去，或是逃避现实。

跟一位军队精神科医生的相遇，很快终止了我的这种状态。在他看来，我正在走上歧途。我至今还记得他当时跟我说的那句话："军队，可不是抑郁症患者的地中海俱乐部。"他觉得，只有目标明确的行动，才具有本质性的治疗效果。我没有目标？"在军队里把大量的时间荒废在无用的活动上，是无法让我找到目标的。"是该对自己下功夫的时候了。"觉得精神分析没意思，不要紧，还有别的方法。"于是，我提前结束了自己的军营生涯，并且在旺盛好奇心的驱使下，发现了其他的治疗方法，并开始学习帕洛阿尔托学派（Palo Alto）和米尔顿·艾瑞克森（Milton Erikson）的理论。

医学不想要我，我也不想要它了！

退伍以后，我依然满腔的不忿，不愿再做从医的打算，我陷入了一种胶着状态：要么去产科，要么哪儿都不去！于是，我转行进了制药企业。出于偶然，我加入了一支专攻新型精神药物的研发团队。

在那段时间，我碰到了一大群"另类"精神科医生——精通药理的精神科医生。我就这样进入了药理学的世界，很快，抗抑郁药物、抗焦虑药物、安眠药物和其他防治精神病的药物在我眼前脱去了神秘的面纱。这让我又朝着精神病学靠近了一步，这门学科在我眼中渐渐变得不再那么怪异和神秘了。

奶酪还是甜点？

后来我明白了，心理治疗并非一种“奶酪还是甜点”的单项选择，而药物治疗和心理治疗，也并非像某些人认为并坚持的那样势同水火（还好，如今这样的人越来越少了）。

今天，我总喜欢借用那个时候听到的一个比喻，跟病人解释药物和心理治疗潜在的互补作用：

在海上遭遇风暴，眼看就要淹死的时候，你会想：我要是游泳健将就好了。可那真的是该学游泳的时候吗？显然不是，你在那一刻最需要的，是一个救生圈。等你抱着救生圈摆脱了被淹死的危险之后，别以为就万事大吉了，因为如果你不奋力游动的话，你就会一直待在原地。所以，为了彻底摆脱险境，你在这个时候就应该去学游泳了。正所谓“物皆有其时，事皆有其序”，要是风暴太过猛烈，就该抱着救生圈，想要抵达更为安宁的彼岸，尤其是想要避免因复发而再次陷入困境，就该接受心理治疗。

适合你的心理医生是存在的！

这句话听起来可能显得有些武断，但是，我真心诚意地认为此话不虚。唯一的问题，就是要找到那个适合你的心理医生。而这不仅仅只是一个关于学派的问题：我们没有任何理由把弗洛伊德派、系统疗法派、艾瑞克森派、行为疗法派、拉康派（对最后这一派，我无意引发论战，但确实一直心存怀疑），或是上帝才知道的其他什么派对立起来。先别着急，我还没有成为精神科医生呢，抵达最终目标还有一段距离。

在那段混迹制药业的日子里，一位精神科医生给了我很大的帮助，他既称不上是最好的，也谈不上是最有天资的（那又怎样？），但恰好是那个时候最适合我的。他的治疗方法比较偏系统派和艾瑞克森派，很适合我，也帮到了我。多亏了他，我渐渐回归了自己内心深处的想法：我真正的志愿是照料实实在在的病人，不是那些仅仅存在于纸面上的病人。而我的工作是负责临床试验，工作中只能接触到别人做好的病人资料。就这样，我意识到自己早已远离了最初信奉的价值观，在这些价值观的中心，他人占据着至关重要的位置。

条条大路通罗马

渐渐地，我心里萌生出回归临床实践的念头，而转向精神病学的想法也慢慢成形，但我依然怀有顾虑。因为，虽然系统派和艾瑞克森派疗法促成了我与心理学的和解，但我依然无法想象把这些方法融入自己的医疗实践中：某种形式的直觉发挥了压倒性的作用，而且我并不觉得自己拥有必需的能力。

于是，我兜了个小圈子，开始学习针灸。在三年的时间里，我学到了很多有关中医的知识。我的好奇心得到了极大的满足，但我自己还是感到不满足。一方面，我学会了去关注很多西医毫不在意的小细节——我们不甚了解、视而不见的小细节，因为它们没有被纳入系统化的框架之内。就这样，我得以用一种更加坦然和专注、不再那么谨遵上令的方式去倾听，也不再那么惧怕“听之任之”。另一方面，针灸疗法无法令我感到满意：用针，为什么不呢？但光是用针还不够！我还需要其他的东西，让我可以与他人建立起一种合作关系，同时赋予我可以依赖的严谨、科学、令人安心的环境。

尤里卡！

我一直都是个嗜读如命的书虫。在前文中提到过尼采的那句“没有音乐，生活将是一种错误”，我很乐意再加上一句“没有书籍，生活将是一种更大的错误”。从小到大，我一直都在贪婪地阅读各种类型的书籍：长篇小说、漫画、随笔……什么都看。几位熟识的老友送了我一张招贴画，我把这张招贴画裱了起来，放在我诊所的候诊室里。招贴上的红底金字这样写道：“少工作，多读书！”

我通过阅读了解到认知行为疗法，就是我们所说的TCC。我清楚地记得首次接触到这种疗法时的情形：我当时正在浴室里——人人都知道阿基米德那个伟大的发现是在浴缸里诞生的——我甚至还记得，当时浴缸里的水正渐渐变凉，这让我突然意识到时间的流逝，我感到自己沉浸其中，整个人都呆住了。我找到了，就在我的眼前，白纸黑字，我一直都在寻找却不知道去哪里寻找的东西。

甘地：如同明日将死那样生活，
如同永远不死那样求知

我笃信认知行为疗法符合自己理性的需求，而且具有充满人性的热诚——那种对神秘莫测、一心只想撩开潜意识面纱的精神科医生拒人于千里之外的印象就此结束，一种真正意义上的合作关系是有可能的，于是我重新回到学校去听课，重新回到医院去实习，并接受了为期数年的认知行为疗法培训。

有了认知行为疗法提供的令人安心的坚实基础，依然满腹好奇的我还研究了其他的心理治疗流派，发现了欧文·亚隆。他是一位非同寻常的精神科医生，也是一位充满人文关怀的作家，他的学识、眼光和智慧，总能给我启发，直到今天依然如此。除了认知行为疗法的书籍之外，我一有时间就会去阅

读亚隆的小说，他的文字具有精神分析式的滑稽讽刺风格，总是逗得我忍俊不禁。《诊疗椅上的谎言》（*Lying on the Couch*）让我深受触动，甚至可以说令我震撼，还有《叔本华的治疗》（*The Schopenhauer Cure*）和《当尼采哭泣》（*When Nietzsche Wept*），等等。我还从他的随笔中汲取灵感，比如《直视骄阳：征服死亡恐惧》（*Staring at the Sun: Overcoming the Terror of Death*）和《存在心理治疗》（*Existential Psychotherapy*）。从那以后，我更加痴迷于认知行为疗法的发展：恩慈疗法、接纳与承诺疗法、正念冥想……每一天，我都在践行甘地的这句格言。

大步向前

一开始，认知行为疗法只是一种尝试，但很快就变成了日常的行为，它已经成了我医疗实践的核心。从那以后的每一天，这种疗法的实践就一直在滋养我的价值观——实用、善意、共情、热诚、真挚、尊重、开放、好奇、简单、耐心……哦，我的意思可不是说自己时时刻刻都能做到以上这些！但是，跟病人相处的每一天、每一个小时，我都是以这些价值观为参照度过的。

有时候，做起来似乎轻松容易；有时候，做起来则困难重重。但无论哪种情况，保持与自己价值观同步的念头始终都在指引着我，并让我能够尽自己最大的努力去陪伴那些既跟我有着天渊之别，又跟我无比亲近的人。现在，我跟病人常常会不约而同地发现："我们都陷在同样的泥潭之中。"

当然了，我不是在宣称自己拥有跟病人一样的经历——有些人的经历是相当痛苦的。我这么说只是想要强调，一不留神，我们每个人都有可能被令人痛苦的运作方式挟裹而去。再者，我们与痛苦的抗争，本身就有可能招致更大的痛苦。这就是为什么我成了精神科医生，而且现在还是，因为我们所有人都陷在同样的泥潭之中，想要爬出泥潭，我们有时候需要另一个人的帮助，不是让这个人替我们爬，而是让他帮助我们学会怎样更有效地爬，朝着正确的方向爬。

维克多·雨果：
每一个身在黑夜中的人都会寻找光明

最后，我之所以成了精神科医生，还因为帕洛阿尔托学派及其代言人保罗·瓦兹拉威克（Paul Watzlawick）的一句振聋发聩的话："我们的解决办法就是我们的问题。"确实，还有什么能比将诸如逃避、穷思竭虑、抱怨、过分追求完美或不顾一切的控制等无效行为付诸实施的解决办法更让人精疲力竭的呢？我们往往早就知道，这些解决办法不过是有害无益的毒药。可是，我们并没有放弃这些办法，而是固执己见、死不回头，这时，就需要帕洛阿尔托学派的另一个说法：“再做多一点同样的事情。”我们就这样不知疲倦地寻找着逃生的出口，直到迷失了方向，可出口一直都在那里，近在咫尺，就像朱利安·格林所说的，它就在“我们的内心深处”。所以，我们有时只是需要一个向导，需要一些时间去找到它。

第十一章

聚散成团

Rassembler ce qui est épars

亚斯明·利埃纳尔（Yasmine Liénard）

我曾经有过深感绝望的痛苦时光，那段日子促使我与诗歌、艺术和哲学为伴，以求寻得内心的安宁。我从那时起就开始尝试拼凑起破碎不堪的自我，尝试融合自己身上对立的部分：我的喜悦和我的悲伤、我的东西方血统、我对自己的爱和我对自己的指责与苛求。

一直以来，我都深受他人痛苦的触动。从小时候起，我就怀有对穷人、残疾人和被生命遗忘之人的怜悯之情。

于我而言，精神病学把我对人类的热诚与认知科学和文学融为了一体。

冥想，让我贴近了伊本·阿拉比（Ibn Arabi）所说的爱，这种包罗万象的爱，让所有的生命万宗归一；还有社会学家米歇尔·马费索利（Michel Maffesoli）所说的爱欲（éros），它令分散的部分聚合成了一体。我觉得自己真正的动机就在于此：让父母与孩子、丈夫与妻子复归于好，也让自我的不同部分，或者说次人格复归于好。从那以后，我的职业就成了一根修补和凝聚的缝纫线。

童年与青春期

我的童年五味杂陈，因为我出生在两种不同的文化氛围之中。我的母亲是摩洛哥人，我的父亲是法德混血。我一年之中会在摩洛哥住几个月，置身在一种以团聚为根本的生活方式中。在摩洛哥，节日是社交关系的重要枢纽，穆斯林宗教的祈祷和仪式活动是日常生活的一部分。而在法国，合理性、对自我和情绪的掌控，以及推动进步所必不可少的个人主义，占据了至关重要的位置。人必须时时进行思考，并且能够明确地表达自己的观点；人们对直觉不太看重。在摩洛哥，我是法国人；在法国，我是马格里布人。尽管如此，我一直都懂得如何带着喜悦之心去适应这两种不同的文化，所以呢，我在学校既是班上的优等生，又是情系摩洛哥生活的东方舞者。

两岁时父母的离异和童年时遭受的人身虐待，无疑是我成为精神科医生的诱因之一。情感的伤痛，对我来说并不陌生，甚至构成了我人生风景密不可分的一个部分，就像艾丽斯·米勒（Alice Miller）所说的那样；我大概小小年纪就已深谙如何去理解他人，并试图在遭到虐待时保全自己的完整性。我在七岁、八岁和十岁时，曾经遭受过成年男性出于一己私欲的身体虐待。对于一个孩子来说，成年人总是占理的那一方。所以，诸如负罪感和羞耻感这样的念头，就深深地烙在了我的脑子里。为了获得精神上的救赎，我就必须从自己的身体里脱离出来。

青春期时，我搞不清楚自己究竟是谁，相信很多人也有过跟我一样的经历，再加上童年时期令人头疼的遭遇，我跟自己的女性特质和身体形成了一种复杂的关系。我曾经有过深感绝望的痛苦时光，那段日子促使我与诗歌、艺术和哲学为伴，以求寻得内心的安宁。我从那时起就开始尝试拼凑起破碎不堪的自我，尝试融合自己身上对立的部分：我的喜悦和我的悲伤，我的东西方血统，我对自己的爱和我对自己的指责与苛求。

学医，只为关护他人

我曾经想成为一名作家，或是从政，但最终学医的渴望占据了上风。帮助他人，帮助他人缓解自己的痛苦，那是在我看来无比重要的事情。学医，让我们不得不赤裸裸地面对生命的脆弱、无常和真实。我相信，在与死亡、身体的扭曲和不堪一击并肩而行时，治疗精神上的痛苦，体会一个人在被截肢时的种种感受，乃是一种人生之幸。

我会花很多的时间去聆听病人的倾诉，并试着用自己的微笑、活力和陪伴给予他们鼓舞。在我看来，心灵的相通，对于他人能够在自己身上找到疗愈所需的全部力量，有至关重要的作用。

精神病院的冲击

精神病院的冲击，打开了我研习精神病学的道路。在这个世界上，存在着一群犹在地狱的人。他们脑中的那个地狱，幻化出各种各样恐怖至极的世界。而精神病院里那个一无所有的地狱，则对疯狂无计可施，并让人类陷入污秽不堪、生无可恋的泥潭。

我曾对过度禁闭和动辄使用药物的做法提出过抗议，因为这些做法会让人变得如同行尸走肉，有时甚至等同于给人判了死刑。当然了，在某些情况下，药物治疗是有用的，但那是因为措施的缺位，倾听和心理治疗没有得到应有的重视。我很早就知道自己会成为心理治疗师，而不是只管开药的医生。一个疯狂的志向鼓舞着我：尽最大可能去治愈那些身陷痛苦的人，因为我始终坚信，几乎所有的人都是可以被治愈的。这个志向，我从未放弃过。

这也是为什么，佛教心理学让我获得了心灵的宽慰。佛祖对世人的第一个教诲，就是世间万物皆有苦，只要方法得当，人人都能找到内心的安宁与明净。

个人治疗和灵修的经历

在里尔（Lille）研修精神病学的四年之中，我遇到了几类不同的问题。这些问题中有很多都跟不稳定、厌烦、家庭或夫妻关系的不顺有关，表现为酗酒、毒瘾、自杀。

医生在做出诊断时都会使用“病例”这个字眼。然而，我在大学医院的科室里感到越来越不自在，因为在那里，最重要的事情是填满各种各样的评估表格和出版研究专著。可我的一颗心依然在跳动，因为我相信，爱与仁慈可以帮助我找到抚平这些伤痛的方法。不过那时，我还没有找到抚平自己伤痛的方法。

那是在圣安娜精神病院担任临床主任期间，当时我以自己的经历为傲，而且对如何治愈病痛胸有成竹。也正是在那个时候，我了解到了精神性厌食症和它那些难于理解的特质，这让我触及了自己的阴暗面。那些年轻的女病患，无论做出怎样的努力，依然无法避免一次又一次的复发。我遭遇了职业生涯中的第一次倦怠期，因为我无法接受不能成功的事实。三十年来，我第一次去看了精神科医生。这一看就是十年，我自身痛苦的疮疤被一一揭开，悲伤的过往以无可阻挡之势汹涌而来。

多亏了这次就医经历，我此后学习了心理治疗和其他各类在法国施行的治疗方法：行为认知疗法、杰弗里·杨的图式疗法、古典精神分析和荣格式精神分析、眼动脱敏与再处理、全息呼吸法、清醒梦境，当然还有正念冥想。

我在这个过程中发现，童年的创伤让我形成了根深蒂固的不健全的关系模式：自我否认、情感缺失、渴望赞许和认同、征服……于是，我明白了自己为什么成了精神科医生：我被他人的痛苦深深触动，并想要去减轻这种痛苦，因为我学会了压抑自己对生活的渴求（因为我被那些否认我感受的人给“利用”了）。而对赞许和认同的渴求则源于对爱的寻求，也促成了我事业上的成功。

感谢所有这些治疗方法，让我学会了从他人的目光和期待之中解脱出来，看到自己真正的本质：我究竟是谁？我的生命力源自哪里？

有时候我会想，我成为精神科医生，会不会也是因为想要治愈自己？我一直认为自己一心想要抚平别人的伤痛，却没有意识到我想要抚平的其实是自己的伤痛。我敢肯定，很多精神科医生之所以成了精神科医生，是想要证明自己有能力在很好融入社会的同时，也能够治愈自己。

在精神病科教授冥想：革命性的创举

在这个探索心理宽慰和寻求内心平静的过程中，冥想给了我很大的启发。就在正念疗法刚刚进入欧洲的时候，我开始对佛教产生了兴趣。2006年，我因此而成了最早一批接受正念认知疗法，并将其应用于抑郁症的精神科医生。自那以后，我就没有停止过冥想的实践，并一直在探索冥想带来的变化。

在刚刚开始练习冥想的时候，我们中的大多数人并不了解自己将会碰到怎样的问题。于是，我“拉上了”很多自己的病人，一起踏上了这段不知结果将会如何的探索意识之旅。

在经过持续八周的标准化正念认知疗法治疗之后，很多病人跟我一样，也想要更进一步。因为在静修的传统中，冥想是一条通往深层改变的道路，而这种深层的改变触及生命的哲学和与他人的关系，并能够增强意识的觉醒。

今天，回首过去的八年，我斗胆说一句，冥想堪称是精神病学领域的一次小小的革命，因为它让我们看到，每个人都有脆弱的一面，每个人都拥有治愈的可能。导致抑郁症、焦虑症和其他精神疾患的根本原因，是这个社会所特有的理性二元论的思维方式。放手，“在”而非“做”，并非易事，而我有幸体验到了这种实践带来的内心觉醒。

要知道，在真正进入冥想状态的时候，我们能够更加清楚地察觉到自己不健全和自私的倾向，但这种察觉有时可能是艰难万分的。不过，通过不断地练习，我们的心态会越来越敞开，人变得更加谦卑，对待自己和他人的态度也会越来越温和。

今天，内心的合一与释然

我还发现，冥想，是一条通往自由的道路，可以通过冥想让自己渐渐摆脱各种各样的约束。我们不再去做那些理所应当之事，受到社会种种强迫观念的影响也越来越小，因为我们学会了将视线转向自己的内心，更加清晰地认识到自己的需要和感受。这条自由之路可能会让我们产生一种遗世独立、异乎寻常的感觉。我曾有过形单影只、慌乱不安的时候，因为我的运转机制变得跟所有人都不一样了。但我依然带着满腔的热情继续寻找自己内心之中最真实、最本质的部分，即便它们并不符合任何的既有规范。游艺于无常，接受自己的死亡，与内心对话，安于脆弱，接纳自己，这反而让我获得了无穷的力量。我不再感到恐惧。

这种探索让我接触到了不同的灵修向度。灵修，为我们提供了找到内心声音的指引。灵修的传统中有很多教人如何放下自我的方法，也就是放下我们的既有模式预先设定的固化人格，放下自我能够让我们触及自身的真相。这些方法可以是冥想（包括曼特拉冥想）、观想、祷告或虔信。

我一直都致力于把自己的所察所感分享给病人和其他的人，因为我强烈地感觉到塑造另一种精神病学的可能性，一种更为人性化、更加注重意识和探索精神本质之发展的精神病学。

我认为，通过这种循序渐进的过程，并伴以认知行为疗法第三浪潮的兴起，正念必将成为治疗精神疾患的主导。

获得改善的我之管见

林林总总说了这么多，以下是我能够提供给所有想要过得更加幸福和获得心灵宽慰之人的几条建议。这些建议源自我的个人经历、经过科学验证的不同治疗技术、我和病人共同实践的结果，以及我自己相关理论的阅读心得。我提供的这些建议绝非包治百病的灵丹妙药，而只是一种指引，引导每个人开拓属于自己的治愈之路。

首先，最为根本的主题就是幸福。我们每一个人都向往幸福——获得安宁，持续的安宁，内心的安宁。任何外物和他人都无法给予我们具有决定性作用的持续的安宁，所以，我们必须自己去寻找获得这种安宁的方法。那么，是什么让我们无法安宁呢？是心灵，是精神的惶惶不安。

坚持不懈地练习冥想和正念，最终会令我们获得心灵的安宁，即便是在静坐冥想之外的时间里，也能安之若素。但是这样还不够。明白心灵为什么会惶惶不安很重要，否则的话，无论我们再怎么勤勉地练习，都无法驱散这种惶惶不安。之所以会惶惶不安，是因为我们渴求的东西太多，还因为我们把时间都用来杜撰以自己为主角的小说情节了，这些情节不过是肆意而为的构建——这，就是自我。只有理清我们的认同机制，冥想才能发挥有益的作用。摆脱关于自己的固化观念，就能够让每一天都成为新生之日，能够重塑自我，拓宽可能的疆界。走出自己的舒适区，是我最想给您的建议。敢于害怕，敢于不自在，敢于悲伤。

冥想，可以帮助我们驯服难处的情绪，让我们在暴风雨中保持航向，找到飓风的“风眼”。我建议您去旅行，去了解不同的文化，去尝试从未参加过的活动，去做别人认为滑稽可笑的事情，去体验完全陌生的环境（比如，晚上习惯宅在家里看电视的人去参加跆拳道的课程）。直面意料之外，直面荒诞不经，这对更好地了解自己非常有用。当然了，对他人敞开心怀是最为根本的。我建议您尝试一个小练习，非常简单，但具有意想不到的效果。在超市收银台，当您付款和收银员给您找零的时候，看着对方的眼睛，并热情地说谢谢。在公交车上对着司机做同样的练习，等等。这种态度将打破您循环往复的穷思竭虑和烦躁不安，而且还会让您开始关注跟您分享着同一片土地的其他人。

练习目光的注视后，慢慢增加挑战的难度。冥想和注视，是同一回事：通过面对事物本来的样子、真实的样子，从而面对自己的恐惧和畏缩的倾向。

实际上，提出能够让人获得改善的建议并不容易，因为人各有不同。我觉得，我的建议主要是让人学会倾听自己内在的声音，找到那个始终都在的可靠向导，而只有在心灵获得了彻底的安宁时，我们才能听到这个向导的声音。紧紧拥抱自己内在的小孩，感受自己的情绪，因为它们是洞悉自己真实本性的窗口。

当下，只有当下。所有的答案，我们全部的创造力，就在当下。

接受自己的与众不同，当它是财富而非缺憾

在这条通往本真的道路上，处处都是陷阱，因为每穿越一道障碍，每了解一种模式或制约，我们就会遭逢更多的痛苦。首先是了解模式的痛苦，接着是意识到自己在这种模式之中封闭了如此之久的痛苦，然后是感到不知如何才能摆脱这种模式的痛苦。这种因为认定始终都是如此而无力改变的感觉是合情合理的。但是，只要能够以正念带来的清醒去真正了解问题的全貌，改变就会自行发生。

依靠正念，我得以从巨大的痛苦之中穿行而过，有时会连续几天躺在床上，整个人因为悲痛而僵直不动，因为通往自由之路的障碍在我的眼前渐渐显出了轮廓，而且我知道自己必须越过这些障碍才能绽放出生命的力量。在这种时候想要撑

下去，向朋友寻求帮助是非常重要的。这些年来，在这条我们内心真正觉醒之路上，有许多朋友曾是我们坚强的后盾。回望这条让我们得以摆脱家长或社会强加的束缚，最终获得了更多的快乐和自发性，并接纳了自己的人性和强大创造力的曲折道路，是一件多么美妙的事情啊！跟那些不曾有过这种经历、始终保持着理性、固守陈规旧俗和物质安全感的人相比，我们是多么不同啊！

在刚刚踏上这条道路的时候，鲜有人能够理解我的举动，尤其是家人。而今天，我的与众不同，我那些异乎寻常的想法，往往会令人莞尔，或予人启发，而且随着时间的流逝呈现出一种名副其实的和谐。一开始，我自己也不清楚是什么点燃了我的热情，是什么让我做出了那些在我舒适区之外的荒诞不经的选择。现在我明白了，每一个用心了解的人，每一个追随内心指引而非理性因素做出的决定，都是恰逢其时的，这一切让我成了真正的自己，让我拥有了灿若繁花的丰沛生活。

所以，我建议每一个人都试一试。有多少六十、七十岁乃至八十岁的病人前来我这里就诊，只为最终能够全身心地去体验生活，不再为了取悦他人或因害怕无法取悦他人而按部就班。让我们敢于尝试不同，尝试批评，尝试痛苦，在这个世界里绽放出自己的光芒，不再过一种臣服于恐惧的生活。

照亮他人之幸

克里斯托夫·安德烈向我们提出的这个倡议，是一个既高明又棘手的挑战。精神科医生曾是权威的象征，他们懂得那些无法洞察自身和因太过脆弱而无法正常运转的人，并为这些人做出决定。

米歇尔·福柯（Michel Foucault）在《古典时代疯狂史》（*Histoire de la folie à l'âge classique*）中讲述了精神病院的诞生，那是为了收容无法在工业体系中运转和生产的疯癫之人而建的。

今天，所有的人都在要求自己存在、生活和享受这种存在之幸福的权利，这样很好。我们进入了一个后现代时期，在这样一个时代中，人类面临的挑战将不再是物质上的安逸，而是构建自身的幸福。于是，我成了新时代精神科医生大军中的一员，这些精神科医生的职责不再是把病人关起来，而是解放他们，借助简单、容易理解和与人希望的方法为他们指出一条通往自由的道路。

我对此深感自豪。但是我觉得，就像所有的先行者或是身处革命洪流中的人一样，我以眼前所见为航行的方向，并追随着一种前路尚未全然明了的趋势。十年前，我在首次尝试冥想时可曾想到过，冥想在今天几乎走进了所有的医院？我可曾想到过，人们为了改变自己的生活并最终获得自由和幸福而走进我的诊室？我可曾想到过，自己出于职业道德理应迈向自由和找到真实的自我?

人，可以创造自我，成为独一无二的个体；而我们，精神科医生，则在这片通往新生自由的丛林中扮演着向导和灯塔的角色。这是一种幸运。

第十二章

商贩、亡童与仙女

Le colporteur, les enfants morts et les fées

安妮·洛兰（Anne Lorin）

社交焦虑让我无法生活——只要在场的人超过两个，我就无法再“安插第三个”。赧颜恐惧症：在令人尴尬的情形中面红耳赤；所有只是接近某个人或几个人的情形，都会让我感到焦虑不安，我的面颊如同火烧火燎，涨得通红，有时候是半边脸，冲着那个让我最为不安之人的那半边脸……我的这个毛病治好了吗？

我们家从未出过医生，我的前路并非命中注定。可我在学会认字读书之前，就已经接触到了精神病学……

疯人的故事

1912年6月，格雷泽（Grèzes），洛泽尔省（Lozère）的一个小镇，山坡的一侧矗立着一幢金色石灰岩的屋宅，蜀葵在四下里疯长。一个骑马的男人来到了小镇。陌生人，大事件。男人穿着一件旧式的短礼服，头发梳得一丝不苟，满面笑容。他是来兜售瓦龙布料的。她站在农场的院子里，金色的头发，蓝色的眼睛，她十七岁。她终于看到了自己的白马王子。她与男子四目相交，两两相望。

她不想过村妇的生活。虽然父母反对，但她在祖母茹丝汀（Justine）的支持下开始学习。学习有什么用？但在那个时候，那种环境下，话语权掌握在家中最老一辈的人手中。初中二年级时，她的祖母去世了。她承受着双重的痛苦：学业终止了，寄宿生活、友情、女孩间的笑闹、远离家庭的体验，一切都戛然而止。她重新回到田间地头。从那时起，她开始了等待。

她与男子坠入爱河，两人结为夫妻。很快，生活变成了炼狱，他说什么都有理，任何的交谈都无有可能。她时时刻刻都感到被贬低和羞辱。他的嫉妒心强得怕人，他不准她跟其他男人说话。之后，他坚信她跟一个邻居暧昧不清。最终，有一天，陷入极度妄想的他手拿一把斧头袭击了她，然后抛下她自生自灭，自己逃之夭夭。她活了下来，带着自己的小女儿艾娃（Éva）远走他乡。为了生存，她在蒙彼利埃（Montpellier）的一户富人家里帮佣。后来，她返回故里，再次嫁人，成了我的祖母——诺艾米（Noémi）。

她在农场度过了余生，带着没能成为小学教员的遗憾，也带着满足的幸福。她的两个孩子——艾娃和我的父亲艾力（Élie），圆了她的梦想。每每说起孙辈们“辉煌”的学业，她都会面露骄傲之色。随着年事渐高，她陷入了两段抑郁期，随后，她的人生平静地落下了帷幕。

艾娃，1960年

那年我六岁，艾娃，我的姑姑，我父亲同母异父的妹妹，在家中的厨房里。就像每次来这里一样，她的状况一团糟。我看着她把牛奶（那是她唯一吃的食物）倒在咖啡机的滤纸上，因为她坚信有人要给自己下毒。

圣阿尔邦精神病院

经过了一整晚的情绪波动之后，在我们家那位充满人性关怀的家庭医生的帮助下，艾娃被送进了圣阿尔邦精神病院。医生亲自开车，我父母陪同。他在车里跟艾娃进行了一次长谈，劝服她接受入院治疗。

我经常陪着父亲去医院看望他的妹妹。那里的气氛令人感到舒服，接待也很周到，医院没有高墙，病人们在小城里闲游乱逛。当时的主治医生是弗朗索瓦·托斯盖勒（François Tosquelles），他在1952年走马上任。这位加泰罗尼亚精神科医生，在自己国家被独裁者佛朗哥（Franco）判处死刑后逃亡法国，他把圣阿尔邦精神病院变成了体制心理治疗的首开先河之地。

艾娃再也没有离开过圣阿尔邦精神病院，直到二十五年之后与世长辞。

因为耳濡目染，我的精神病学训练自童年就已经开始了。我们家里几乎收全了所有关于精神病理学的书籍：伴随嫉妒妄想的偏执性精神病，伴随被下毒的迫害妄想的精神分裂症，原因不明的急性谵妄症发作，躁郁症，被动依赖型人格，神经症性抑郁……以至于在决定要孩子的时候，我跟丈夫特别咨询了一位遗传学专家——选择繁衍后代是否明智？那位专家告诉我说，到目前为止，科学界尚无法对此做出解答……

成为精神病人并继续生活下去

2014年7月沉闷的午后，一位满脸倦容的老先生走进了我的诊室，身后跟着一位看不出年龄的女士，矮胖的身形，眼神空洞。她五十六岁，移动起来就像一团影子，一团父亲阴影中的影子。她的目光涣散，动作机械而僵硬，就像我很久以前在圣阿尔邦精神病院里看到的那些病人。跟她在一起，我感觉像重返故里。她从来没看过精神科医生。她的父亲解释说，她在十四岁时开始出现这些病症，那以后就再没有上过学，由母亲在家中照看，但如今母亲命不久矣，她感到自己得到了承认。好几年不愿开口说话的她，语带犹豫地回答了我的问题。

精神疾病最大的受害者就是主体自己，陷在疯狂、混乱和毁灭性的痛苦之中不得脱身。亚历山大，二十二岁的某天开始不再走出房间半步，不再进食，不再洗漱，常常一动不动地坐在床上或躺在地板上。在开始接受治疗以后，他描述出了这种“内心崩塌”的感觉，不再是他自己的感觉，整个人被一种分裂、颓丧的不安所侵蚀。

治疗应该把适合的精神类药物和心理治疗结合起来。在这个基础上，还可辅以一切对病症有益的治疗方法。此外，家人的支持对病情的改善也至关重要。如此，生命力再次起航，病人再次踏上生活之路。

学习，一段有关自由的故事

我一直都知道，自己成年之后绝不会待在洛泽尔。我对外面的世界充满好奇，对法国南部充满向往，空旷的大海和辽阔的天际线，还有一座适合念书的大学城。我一直都知道，我会去念书，去念自己选择的专业。

我的祖母、外祖母和我的母亲，都不曾享受过学习的乐趣。对于我来说，学习意味着自由，意味着摆脱命运的枷锁。祖母、外祖母和母亲，还有家族中更老一辈的女性，她们就好像我的前车之鉴。她们的故事不仅让我深感哀伤和怜悯，更成了我开辟崭新人生之路的力量之源。

祖母、外祖母、母亲和我，在童年时都是在厨房的餐桌上做作业。我的母亲，小学教员，总是一边准备晚餐一边陪孩子们做作业，耐心聆听孩子们的各种问题。

在芒德市（Mende）念高中时，有一次，圣阿尔邦精神病院的伊夫·拉辛（Yves Racine）医生到学校里来举办讲座。他当时提到了自己年幼儿子说过的一句话，我至今记忆犹新："精神病人是一些看上去很精神的病人。"一个文字游戏，一个我们身上被自己所遗忘的部分。"学医"的渴望在我的心中萌芽。但当时自身的情况令我打消了这个念头：我有细菌恐惧症，每次经过芒德市医院的时候都要绕道而行，我还会晕血。于是，我选择了文学专业。在念了一年的文学专业之后，我打定了主意，我想成为医生。那时候已经是九月份了，学校的注册手续在两个月之前就结束了。为了实现自己的目标，我去了秘书处，但教学秘书拒绝了我的请求。我后来又去了六次，等到第七次时，不胜其烦的秘书终于回复了我："无论如何，您拿的是文科类高中文凭，学医肯定是行不通的。"

更换专业，意味着我要接受决定错误的可能和前路的彻底改变，不会因糟糕的选择而作茧自缚；还要在没有任何预科培训的前提下，承担高淘汰率的风险和接受激烈竞争的挑战。自己给自己打气，自己寻找解决问题的办法：拼搏，拼搏，再拼搏，用尽全身的力气去拼搏。母亲曾对少女时代的我说过这样的话："医生，对于女人来说是最糟糕的职业。"言下之意，对于一个想要生养孩子的女性来说，当医生几乎是不可能的事情。就是说过这种话的母亲，在我决定更换专业的时候，给予了我无条件的支持。

蒙彼利埃大学医学院，一年级的期末，我的第一堂解剖课。那是一具女尸：身形瘦小，老年，白色的短发。我不敢看她的脸，目光停在她的脚上。我感觉那就是自己死后的模样，有一种似曾相识的感觉。记忆浮现在脑海之中：我的眼前是五月阳光下户外的一幕，我坐在吉罗（Giraud）阶梯教室的楼梯上，在那里，我听过一年的课程，楼梯朝着阿尔伯特一世（Albert I er）广场，广场上有一棵巨大的法国梧桐。我想象着自己背靠树干，人的一生犹如一条从地面伸向天空的直线，在生命终结时重新落回地面，在天之灵得到安息。

在念了几年的医科之后，我选择了医科之中最具文学性的专业，专注文字的专业——从我自己的文字开始。

“说说您想到的一切”，分析式治疗

“或者说，我是如何治愈自己的，也为了能够治愈他人。”

十年，每周三次，每次四十五分钟。一间坐落在一个大公园里的小屋，透过高大的五针松，可以瞥见一幢清漆瓦的私人宅邸——“绿屋”（Green House）。小得不能再小的候诊室，只有一个座位。在这位精神分析师的诊所里，你碰不上别的病人。医生面无表情地跟我打了个招呼，头斜向地面，就连他嘴角的那丝浅笑都透着距离感。他的办公室里摆放着当代风格的家具，墙壁上悬挂的绘画也是这个风格。他坐在我的身后，时不时呷一口咖啡。他很少开口说话。说到底，这就是一条漫长的道路，孤独，但不仅仅是孤独，迁移也在其中。我是在最初的几次会面之后，才决定选择这位医生的。因为他是男的（选择精神分析师，就和根据性别选择妇科医生一样），当时的我在跟男性相处时感到浑身不自在；社交焦虑到了极致。治疗，回溯童年。不过，我是在两个哥哥的陪伴下长大的，而且跟他们相处得很愉快。而跟大我两岁的姐姐的关系，则要紧张得多，这种关系状态一直持续到我们成人。因为我觉得她比我漂亮，觉得父亲更偏爱她——父亲常常夸赞姐姐；而我却很少得到父亲的夸赞。当时正处于青春期的我，为此向母亲连声抱怨，结果在接下来的几天里，父亲就会来夸我，这让我感到很高兴，但过后才知道，这都是因为母亲的介入。我姐姐则认定母亲更偏爱我，所以在经过我身旁时，总要掐我两下。我们经常吵架，甚至会打起来。母亲总是教训我们说："动口别动手！"

社交焦虑让我无法生活——只要在场的人超过两个，我就无法再"安插第三个"。赧颜恐惧症：在令人尴尬的情形中面红耳赤；所有只是接近某个人或几个人的情形，都会让我感到焦虑不安，我的面颊如同火烧火燎，涨得通红，有时候是半边脸，冲着那个让我最为不安之人的那半边脸……我的这个毛病治好了吗？沉浸式治疗：在公共场合授课，尤其是在大学医疗中心，是个非常有效的方法，但首先要允许自己去面对这样的情形。

追想童年往事，纷乱的回忆涌上心头。一些事件令我身心受创，弄懂这些事件如何塑造了我的人格和我与别人的关系模式，在心理和关系的游戏中就能够获取些许的灵活，并让自己去适应这些游戏，学会与之共处，好好地生活。确实，生活待我不薄：与丈夫相遇，现在依然鲜活如初的爱情生活，与四个孩子幸福的日常点滴，孩子们充满了生机与活力，如今也已长大成人，各有所成。尽管教育子女的过程并非一帆风顺，心存疑虑，每天都在思索我与他们所做之事和我想要与他们所做之事之间的差距。疑问，是生命不可分割的一部分，而答案，永远都不会是一劳永逸之法。

我在治疗中获得了自由，获得了可以绕着生命的时间轴线自由旋转的能力，在此时此地、厚重的过去和或近或远的未来之间来去自如。我感到自己可以做出选择，并将这些选择进行到底。沿着时间的轴线缓步前行，必将会抵达生命的极限，让死亡进入当下的维度，就好像一种已知的现实，又好像是一种有些不可想象的体验。

分析的工作永远不会停止，它会陪伴我们的一生。我觉得其他的疗法也是如此：正是凭借这一点，人类的心理才得以更好地稳步向前。

被抛弃的故事

阿雅克肖，1927年

一个小女孩出生了，玛蒂娜（Martine），我的母亲。在出生后第十天，玛蒂娜跟着自己的父母——阿德里安（Adrien）和塞西尔（Cécile），登上了驶往内陆的轮船，接着又坐上了开往洛泽尔一个小村的火车，那里是她祖父母的出生地。玛蒂娜在旅途中一直哭个不停。她父亲不停地跟自己的妻子说："快给她喂奶！快给她喂奶！"那个时候，婴儿是不能扰人清静的。在玛蒂娜五周大的时候，她的父母再次启程，这一次没带着她。她落得孤单一人。祖母玛丽（Marie）每天晚上都把她抱在怀里，直到一岁；祖母每天夜里都会起来拨旺炭火，好给孙女热牛奶。玛丽和丈夫已经承担了抚养玛蒂娜哥哥的重担。玛丽话不多，总是忙于家务和农活，从没歇下来过，她在上楼睡觉之前，一定会把客厅打扫干净，"整洁是穷人家的奢侈物"。孩子们成长在爱的怀抱之中，但很少听到柔情蜜语。

我的外祖父，家中的长子，把自己所有的孩子都托付给了自己的母亲，他因为在战争中受过伤而成了公务员，伤残让他无法从事农活。他就任的第一站是阿雅克肖（Ajaccio）[1]。塞西尔惊异于科西嘉的美景，在那里，她远离了双方家庭，没有了孩

1 科西嘉首府。——译者注

子的“负累”，过上了甜蜜的二人世界，享受了拥抱自由的喜悦。那一年，她十九岁。

每年的狩猎季，阿德里安和塞西尔都会返回内陆一次。玛蒂娜害怕自己的父母，她时时刻刻都提心吊胆，害怕遭到父母的训斥：“我从父母那里得到的恐惧要比爱多。”有一次，阿德里安对已经长大成人的玛蒂娜说，他觉得自己的妻子没有抚养孩子的能力，不像他母亲，独自抚养了十个孩子，还不算那些她帮着抚养过的孩子……在玛蒂娜即将生产第四个孩子的时候，她母亲对她说道：“我给你找了个保姆，她会帮你抚养这个孩子的。”母亲从不曾因为丢下自己的孩子而感到难过，这一直都是玛蒂娜心里的痛。

我母亲并没有放任自己生活中的不幸。被自己的亲生母亲弃之不顾，确实，但她在祖母充满爱意的怀抱中长大成人，在遭逢不幸时，她总能看到事情好的一面，以自己拥有的去继续生活，而不是哀戚自己失去的或未曾得到过的。她教会了我“往火堆里添柴，而不是对着灰烬哭泣”[1]。

塞西尔从来没有“成为过母亲”，但她是个不错的外祖母，总是体贴周到，高高兴兴的，总有讲不完的科西嘉故事。她的家里总是一派其乐融融的景象，她的厨房里总是散发着梨子蛋糕、巧克力奶油、杜松果斑鸠和其他美味的香气，我从她那里

---

1 Alain, *Propos sur le bonheur*, XCL：«L’art d’être heureux», 8 Septembre 1923.

继承了对烹饪的热情。

母亲的经历让我特别有感于小孩子的分离情形。

今天的婴儿：日常的分离与重聚

年轻的父母总是忙忙碌碌，承受着各种压力。他们一面要忙于在职场上出人头地，一面又要日复一日地去维系比以往任何年代都更加脆弱的夫妻关系，还要应对生活中的物质需求……

对儿童精神生活认知的研究，指出了言语安抚在分离情境中对婴儿起到的作用，通过言语的安抚，婴儿可以在心理上部分地保留父母在场的感觉。

艾莉（Elly），十一岁，坐在童车里。她手里拿着一个软乎乎的布娃娃，在她抱紧布娃娃的时候，布娃娃会在她的怀中盘成一团。她把布娃娃扔了出去，布娃娃掉在了童车座椅下方的置物篮里，这样，布娃娃就在她的视线范围内消失了。保姆把布娃娃捡起来递给艾莉，艾莉笑逐颜开，用力地把布娃娃紧抱在胸前，把布娃娃的脸靠在自己的嘴上，好似久别重逢一样。接着，她再次把布娃娃扔了出去。而当保姆重新把布娃娃递给她的时候，她又再次做出了同样的兴奋反应。她这是在一次又一次地玩着跟妈妈分离和重逢的游戏。

婴儿的存在延续随着自身需求定期得到的满足而发展，乳房或奶瓶、换尿布、盥洗、好玩的互动，“躲猫猫”一类的游戏，可以帮助婴儿在避免陷入混乱的前提下去适应日常生活中出乎意料的情形。[1]

亡童屋的故事

1895年至1918年期间，在洛泽尔的一个小村里，玛丽和丈夫生育了十个孩子，只有四个活过了二十五岁。因为乡下缺少血清，结果半数的孩子都死于白喉。（1894年才开始使用的血清疗法，是治疗这种疾病唯一有效的法子，而最早的疫苗则出现在1923年。）即便这种事情在当时的乡间实属常见，但失去亲生骨肉依然令玛丽感到万分痛苦。痛苦难当的玛丽决定离开陈放过孩子棺椁的祖屋，迁到了附近的一个小村居住。当时还是孩子的我，给那幢无人居住的房子起了个名字：亡童屋。

在那个时候，大人不会跟孩子聊天，更不会谈论死亡。1932年，在玛蒂娜四岁半的时候，她的小弟弟出生了；一年之后，玛蒂娜被送到邻居家待了几天，没人跟她说为什么。等她回到家中时，小弟弟不见了：他得了肺炎，挨了几个星期之后就夭折了。（人类发明的第一种抗生素——青霉素，直到1940年才出现。）后来，她对此事唯一的了解，就是听到医

1 Daniel Marcelli, Florence Raffeneau, «Le bébé et le jeu», *Le Journal des psychologues*, 6/2012, n° 299, pp.18–23.

生对祖母和父亲说的几句话："你们还有别的孩子吗？这个算是没了。"

多年以后，我继承了亡童屋。我对屋子进行了翻修，孩子们在门前快乐地玩耍。

拄拐杖的乖巧女孩

我是在索菲亚（Sophia）八岁的时候认识她的，当时，她因为神经性骨痛退化症前来大学医疗中心的疼痛儿科就诊。她在一次寻常的脚踝扭伤痊愈去掉夹板之后出现了持续性的疼痛，以至于都无法把脚放在地上。她因此拄上了双拐。她的脚肿得厉害，没有血色，皮肤脱落，就像坏死的肢体。索菲亚是个典型的乖乖女，所有的行为举止都符合父母和社会的期望。"我是班上最好的学生，我的脚踝有点肿。"这真的是寻常的扭伤吗？索菲亚可不这么认为。她当时正跟班上的同学一起溜冰："老师提议跟我比赛，她看到我溜得比她快，于是开始加速，溜得越来越快，但她溜得不如我好，然后她就摔倒在了我的身上。之后她还说没事。"索菲亚的母亲在单独见我的时候告诉我说，她在三年前再次怀孕，怀的是双胞胎，妊娠六个半月的时候，其中一个因为疾病而胎死腹中，之后她接受了剖腹产。另一个胎儿存活了下来。父母向索菲亚解释了这个情况：有一个小宝宝得了重病，医生也没法子救他。然后，医生宣布了胎儿的死亡。索菲亚责怪父母没让自己瞧瞧那个死去的婴儿，没拍一张照片。婴儿被埋葬在家族的墓地里。索菲亚要求要时不时地去墓地，她给死去的婴儿带去了几幅画。

她的脚被忽视，死去，而她自己则（重新）成了那个让父母抱着从楼梯上下来一直到灵车里的“婴儿”。

索菲亚花了几个月的时间，才再次回到这个世界当中，再次回到自己的成长当中。

允许孩子谈论死亡，不要刻意回避这个因亲人去世而有可能在孩子四五岁时就出现的话题。成年人因为恐惧而对死亡的话题避而不谈，这只能让这个话题变得更加可怕。

童话和其他的晚间故事

小的时候，母亲每天晚上都会给我们读一个故事。夏尔·佩罗（Charles Perrault）的《小仙女》（*Les Fées*）是让我印象最深刻的。“从前，有一个寡妇，她有两个女儿……”她喜欢跟自己一样焦虑自恋的大女儿，讨厌乖巧而富有同情心的小女儿，“跟她父亲简直就是一个模子里刻出来的”。寡妇打发小女儿去离家半个小时脚程的地方提水。小女儿在喷泉边遇到一位跟她讨水喝的贫苦老妇人，她和善地把桶里的水拿给老妇人喝。老妇人是个仙女，她送了小女儿一件礼物：“从今往后，你每说一句话，口中就会吐出一朵鲜花或一块宝石。”看到这个情形，寡妇就让大女儿也去提水，大女儿口中埋怨着上了路；在喷泉边，一位公主跟她讨水喝。她粗鲁地拒绝了公主。仙女变成的公主也送了大女儿一件礼物："从今往后，你每说一句话，口中就会吐出一条蛇或一只癞蛤蟆。"寡妇把这一切都怪罪在小女儿的头上，痛打了她一顿。小女儿哭着逃出了家门。她遇到了国王的儿子，国王的儿子对她好言安慰，并跟她结为夫妻。寡妇再也无法跟大女儿生活在一起了，最终把她赶出了家门。大女儿没有碰上任何愿意跟自己在一起的人，最后"孤独地死在了树林的深处"。

在所有的童话故事中，这个是我最喜欢的，它让我痴迷不已。它让我得知言语的力量，善言暖人，恶语伤人。毫无疑问，这也是促使我成为精神科医生的原因之一。在成长的过程中，我养成了形象地看待冷言恶语的习惯，这让我能够及时地亮出自己的盾牌。我对大女儿的不幸也并非无动于衷，她的遭遇消除了我和自己姐姐之间的不睦……

我接过了母性和晚间故事的接力棒。我的一个孩子反复要求我给他讲《白雪公主》的故事。我把这个故事念了又念，他记在了心里，可以毫无困难地全篇复述。用童话故事跟他交谈，让他懂得了其中的道理：母亲不一定都是和蔼可亲的，有的母亲甚至会"虐待子女"，发火、训斥、拒绝自己孩子的要求。在童话故事中，母亲往往分为两类，一类是善良的母亲，往往早早过世；另一类则是恶毒的母亲。[1]这些童话幻想，可以帮助孩子在无法拥有好母亲的现实中心存好母亲的印象。童话故事允许孩子在没有负罪感的前提下，去感受自己对恶毒母亲的愤怒。对恶毒母亲的幻想，使得本质善良的母亲形象完整地保留了下来。

童话故事一直延续至今，它们以同样的方式对过去的孩子和现在的孩子娓娓讲述。这些故事的内容涉及孩子的问题：对兄弟姐妹的嫉妒之情、对父母一方的爱恋、成长的艰辛，以及死亡，故事中还会提出解决问题的办法。故事中的主角离开父母，在大千世界里遭遇重重考验，最后克服了艰难险阻，遇到了能与之幸福生活的人。孩子在不知不觉之中明白了一个道理："粘着父母，是无法从分离焦虑和死亡焦虑中抽身而出的"。[2]

当然了，作为儿童精神科医生和给孩子讲《白雪公主》故事的母亲，我知道儿子就像一面镜子，照出我烦躁、喊叫的样子，总之，就是跟我想要成为的那个自己完全相反。

我跟您讲述的这些故事，只不过是人类境况无限可能中的一条道路而已。成为精神科医生，就必须直面自己的过去，直面数代先辈的过去，这样才有可能去聆听那些走进我们诊室之人的故事。您或许无意去挖掘自己的过去，但是，您过往的财

1 Bruno Bettelheim, *Psychanalyse des contes de fées*, Paris, Robert Laffont, 1976.
2 Ibid.

富将为您的未来提供来自当下的推动力。我建议您去发掘自己过往中的力量之线，同时也从中找出“毒性”之线。对它们的了解，可以让您退守一步，如果有必要，可以寻求专业人员，也就是精神科医生的帮助。想要选择自己的生活，就要敢于追随自己的渴望，构建并代代相传。

第十三章

圣母与牧羊人

La Vierge et le berger

若埃尔·本（Joël Pon）

“你怕是疯了吧？老弟，我看你是疯了，拿高中文凭不是为了去做牧羊人的！你要么是疯了，要么是病了！你要是不知道想学什么，那就和我一样学医啊，医学系有漂亮的女生，还能找乐子！”……于是，我成了守护痛苦灵魂的牧羊人。我试图把在危险关口不辨方向的迷途之人引回正途，我助人渡过生活中险境丛生的难关，我包扎灵魂的伤口，我尝试安抚面对恶狼时的恐惧，我在天降暴雨时提供可以栖身的庇护所。

她只剩下那目光，满是不安、悲伤和厌弃的目光。那清澈的目光穿过她的蓝色眼眸，与她身上其他已然死去、空空如也的部分格格不入。她那副形如枯槁的身躯的确让人过目难忘，真好像身染恶疾一般，就连身上厚厚的睡袍也遮挡不住。她的脸庞瘦削不堪，颧弓像翅膀一样架在深陷的两颊之上，而那目光看起来好似供在脸上的圣体显供台。细腻如丝缎的皮肤覆在隆起的额头上。蜿蜒的血管游走在太阳穴的位置，清晰可见。变白的头发剪得短短的，盖在发亮的前额上，仿佛想要遮住这片已然遗失的土地。

“这酸奶实在难以消化，我就不该吃它，我这肚子胀得跟鼓一样……”我建议她喝一杯由我精心泡制的马鞭草茶，对这种积食的问题具有助消化、软化和催泻的作用。“不用了，谢谢！我喝不了草药茶，我来这儿三个月，就第一天喝过一次，结果难受了一夜。”我把她的药递了过去，是白班护士悉心准备的，放在一个小小的塑料杯里。五颜六色的药丸和胶囊，在这个冰冷阴郁的房间里就像一道忽然闪现的彩虹。我这时候才发现，她的这间单人病房就像是僧侣的禅房。没有一件家用的物品，没有一张家人的照片，也没有任何用来休闲娱乐的东西。所有的一切都是冷冰冰的，凄凉而灰暗。只有一个巨大的闹钟，放在她的床头柜上，迫切的嘀嗒声细数着哀伤的白天和空洞的夜晚。

“我觉得，我今天晚上又得因为这个睡不着觉了。”瘦骨嶙峋的右手上青筋暴突，与其说是手，不如说是爪子，她怯怯地伸出这只手，恭恭敬敬地接过晚上要服用的药物。我正要把水递给她，她断然地阻止了我，然后朝着壁橱走了过去。她打开壁橱（就像她的房间一样空空如也），我以为她是要拿晚间的小甜点，和着她最喜欢的安眠药一起吃。结果，等她转过身来时，我看见她干瘪的手里拿着的，是一尊大号的圣母像，圣母身穿洁白无瑕的长袍和淡蓝色的斗篷；然后，她从圣母像塑料做成的侧腹部倒出镇痛的圣水，虔诚地就着这水把药片吞了下去。吃完了药，她把用作塞子的蓝色小花环塞了回去，又查看了好几回，确定把出水口塞紧了，才虔诚地把圣母像放回壁橱里，那副神态，真好像我小时候在村中教堂当祭童时，我们那位老神父在弥撒结束后收拾神龛里的圣餐杯和小花环的样子。

她低垂着头，就像餐前祷告的修女，然后爬上床躺了下去，一副肃穆的神态算是对我下了逐客令，我于是知趣地离开了她的房间。

精神病科的第一夜，第一课：先聆听，再给意见……

那是我第一次接触精神病科，在当夜班的时候，我当时正准备履行自己护士的职责，对这行尚一无所知。因为在医院里当早班是没有实习工资的，那笔少得可怜的奖学金早已在度假时花了个精光，让我在被政府遗忘的大学暑假里落得个身无分文。我跳上自己那辆叮咣作响的雪铁龙2CV直奔医院，凭借自己的强健体魄和随叫随到的热情，争得了一份护士的工作——在那个年代，医科学生可以在夏季凭借同等学力给去度假的护士们代班。就这样，我这个享受奖学金的平凡学生，找到了能让自己干瘪的钱包稍稍充盈一些的法子，也让自己摆脱了在图卢兹的夏天里食不果腹的烦心日子。

在当班的头一天晚上，我只来得及认识了一下夜班的同事们，学会了怎么炮制草药茶。第一天当班，我感觉挺轻松，推着盛药的小车，走在图鲁斯小山丘上精神病诊所的狭长走廊里。我当时没想到，在四十年后，就在这同一条走廊里，我会每天前来，尝试为受苦的灵魂指出一条获得救赎的情感出路。能够来到这座以人为本的诊所，实在是我的运气。这天晚上，精神病科擒住了我的心，而且这一擒就再也没有放开过。奇怪的是，我对精神病学没有丝毫的使命感。一点儿也没有吗？或许也不尽然……

一个离开本行已经好些年的热情护士，陪着我去见了我的第一个病人，并给了我不少工作上的指导，然后把我一个人留在了寂静无声的夜里。然后，就发生了我在开头跟您讲述的那次离奇的经历。

轮班结束后，大家在午夜前聚在一起吃了一顿冷餐，一边吃，一边互相说着发生在院内或院外的奇闻逸事。同事们问我对这里的第一印象如何，我回答说还不错。但我提到了自己在看到那位手拿圣母像的女病人时感到的惊讶和困惑，当同事问我觉得那位女病人有多大时，我才意识到自己根本无法说出她的年龄。她究竟有多少岁呢？我说不出。她是一个藏在老奶奶身体里的小姑娘。她是一个栖身在空空躯壳里的纯洁灵魂。

“她得的是厌食症，很严重的厌食症，而且情况越来越糟。”跟我们一起聚餐的夜班实习医生用专家一样的口吻对我说道。因为我当时还没有上过精神病学的课程，所以这位实习医生觉得有责任对我指点一二，于是借助精神分析的假设跟我描述了这种藏匿在进食行为异常之下的病痛，这些最为严重的身份认同障碍，无异于一场对抗自我和他人的战争。“医生把她的情况都写在病历里了，你应该去了解一下她的故事……”

她已年近五十，罹患精神性厌食症已有二十多年，再加上后来出现的慢性抑郁症和疑病症，已经开始出现去身体化症状。这副躯体，因为遭到绝望的主人长期的否认，对她采取了报复，变成了一间令人不适的“屋子”。她只想拥有一副纯洁的灵魂，却只得到一副苦痛不堪的身体。身染陈疾、孤独一人，她坐拥巨额财产，却不知该做些什么。金钱、社会、生活，让她感到害怕。她委托家里的会计管理自己的财产，并尝试重回正轨，但这一次，让人感到害怕的，是她。疾病成了她的领地，痛苦成了她的语言。

那是一个寂静的午夜，我正在看书，忽然听得铃声大作，她那间病房的指示灯闪烁了起来，我赶忙跑到病房去看她。她无法入睡，陷入焦虑之中。“我实在是睡不着，我的肚子疼得厉害。我就知道那瓶酸奶下不去……”我建议她把实习医生叫来，结果被她断然拒绝了。“我知道自己的病，我也知道这病没法治！”她带着看穿一切的语气冲口而出：“我曾经让我的精神科医生把我送到养老院里去，可他说这很难办，我还不到五十岁，进养老院不合规矩，我既想去又怕去，就是因为这个我才感到焦虑不安的，您要是我的话，会怎么做呢？”

她的情况都详细地写在病历上，虽然已是深夜，但我记得一清二楚。我这个身无分文的穷学生，想也没想就冲着这位惊慌失措的女富豪说道：“我会怎么做？我要是您的话会怎么做？嗯，我要是有钱的话，就去买一个岛，或者买一座山，然后让人在上面盖一幢又舒服又宽敞的大宅，然后在屋子周围养些羊和马，我会请朋友来家里玩，再雇一帮人来服侍我……”

“我的老天爷！”她惊呼道，“您这是跟我说什么呢！”

我不过是直抒胸臆罢了。可我当时既不是心理医生，也不是外交官，我就这么不负责任地对她说出了自己欠考虑的想法，何止是不负责任，我根本就不该说这些话。

那天夜里，她把我叫去了好多次，结果，无论于她还是于我，那一夜都成了噩梦。我把她的不安放大了十倍，我打开了潘多拉的魔盒，我就像一头闯进瓷器店里的大象！我实在没想到，自己的建议会让她惊恐万状。可这是真的！我对幸福的构想，并不是她对幸福的构想！负罪感让我这个不善交际的精神科新手如坐针毡。

她对我则表现出一副基督徒的仁慈心肠（感谢圣母），并没有因为那天晚上的事情记恨我。我们一起度过了一个愉快的夏天，其间她又向我提出了很多的问题，我也学会了谨慎对待。晚上心情不错的时候，她会在那只小银杯中倒上圣母像里的圣水，然后在圣母玛利亚的注视下，跟我讲述她童年的事情。

就这样，我每次去精神科，更多的变成了出于需要，而非愿望；是出于迫不得已，而非渴求。每次谈起她时，也多了几分无奈，少了几分愉快。

天堂与比利牛斯山：必须热爱生命才能更好地帮助他人吗？

我的学医之路，走得漫长而艰辛。

我的父亲是屠夫的儿子，他的死是个意外：阑尾炎被误诊，结果发展成了突发性腹膜炎。他大概后悔自己抛下了没有工作的妻子和两个年幼的孩子。我当时一岁。我的母亲在修道院里一直待到二十岁，她在那个圣洁的地方只学会了刺绣和得体的礼仪。父亲死后，她不得不躲在窗后偷偷地为别人缝绣节日用的桌布、仪式用的床单和裹尸布。我在比利牛斯山里的一个山谷中长大，陪伴我的先是一件绒布的外套，然后是一件棉质的长袍，再后来是一条屠夫的围裙。绒布外套，是我小学老师的，这位共和国政府的黑衣轻骑兵，唤起了我对精神生活处处精妙的向往。棉质长袍，是我神父的，他为我打开了道德和宗教的灵魂之门。屠夫的围裙，是我继父的，那个男人满腔热情，母亲嫁给他那年我十六岁。他跟我们家是旧相识，曾是我父亲的雇主。我追随着这些令人安心的榜样，在生活的道路上前行，对未来不曾多想。在青少年时代，我发现了群山之美。在那以前，我作为向导跟几个朋友在山里远足过几次。我们在天亮前出发，看初升的朝阳勾勒出锯齿状的树梢；登顶之后，我们在美景中分享午餐，虽然累得够呛，但心中甚是欢喜。海拔三百六十米处的风景，有时会点缀着一片云海，返回山下的牧羊人小屋里过夜又有别样的景致，这一切令我意醉心迷。到了十六岁，一切都升华了，我体会到了独自身在山中的幸福。我体会到了空旷、自由和美丽。站在山巅，我感到自己无比渺小，无比卑微，但有无边的幸福，那是呼吸的喜悦和饱览旷野无瑕景色的快乐，几乎是一种原始的体验。我伏在溪流里痛饮，吃上一顿粗茶淡饭，再配上大自然的馈赠——野生覆盆子或是徒手捉来的鳟鱼；我在刺骨的湖水里裸泳，在护佑着我的满天繁星之下呼呼大睡，这一切对我来说，就是最大的幸福。所有的一切都让我心醉神迷，娇羞的楼斗菜那暗沉的颜色，还有晚上瑰丽的冰斗，太阳在那里两次落下，消失在花边一样的山口后面，或是沉入波光粼粼的湖水之中。我心中安然、独自一人待着，沉浸在无边的遐思之中，自由如风的感觉常常会不请自来，这么着过了多少个小时啊？我体验过牧羊人艰辛孤独的生活，并因此而感到心旷神怡。他们对大自然无所不知，他们对大山了如指掌，他们对自己的羊群一清二楚。他们活得自由，活得聪明，活得快乐。我常常会跟着这些牧羊人去坍塌的乱石堆里，或是危险的冰原上，找回受伤或迷途的羊。我非常欣赏他们恰到好处的动作，既有男子汉的胸有成竹，又不缺仁慈的温情。在他们粗俗的外表之下，往往藏着无比的慷慨和深邃的智慧。心爱的群山和亲切的牧羊人展现出的神奇魔法，伴着我度过了整个夏季。没过多久，积雪覆盖的连绵山巅就消失在我所在高中的板岩屋顶之后，我也迎来了中学寄宿生活的第六个年头。

一个长我两岁的发小，让我意识到自己即将进入高中的最后一年，高中文凭将为我的中学阶段画上句号。我可怜的母亲，拿着一根绣花针忙得焦头烂额，根本没工夫考虑这些。她问我：“你明年高中毕业以后要去做什么？”我想脱个精光，一头扎进山上那熟悉的湖水中去。拿着高中文凭，我能做些什么呢？谁又能保证我能得到这个至高的奖赏呢？我是个成绩平平的中等生，在每三个月一次的排名中常常处于被人遗忘的位置。“好吧！我不知道，我还没想过这个问题……”发小瞪大了双眼。“牧羊人，或许吧，我非常喜欢牧羊人，喜欢他们的为人，喜欢他们做的事情。我喜欢自由自在，喜欢照看陷入困境的羊。”我答道。“你怕是疯了吧？老弟，我看你是疯了，拿高中文凭不是为了去做牧羊人的！你要么是疯了，要么是病了！你要是不知道想学什么，那就和我一样学医啊，医学系有漂亮的女生，还能找乐子！”

高中关键的一年，因为“五月风暴”提前结束了。从学校寄宿生活中提早脱身的我，一路奔到山里，想把心里矛盾的想法理个清楚：我到底是去当牧羊人，还是去当医生？我跟母亲说了自己的想法，母亲冷静地反驳我说：“与其去照看羊，不如还是去照看人吧！人，至少人会跟你说声谢谢。”这句话，让了我领悟到了母亲的智慧。

我再次见到了那位学医的发小，他跟我讲述了刚刚度过的欢乐的一年。因为“五月风暴”没能拿到高中文凭的我，再次踏上了进山的道路。群山慰藉了我的心灵，牧羊人让我忘却了烦恼。初秋时节，我下了山，参加了会考，并获得了高中文凭。在11月灰蒙蒙的一天，我到了图卢兹，进入了医学院。我又想起了朋友对我说的那番话。医科的女生确实漂亮，但乐子却是没有。我就这样一年又一年地在各门医学课程中向前走，但每逢考试，我都会焦虑不安，想着要是考过了，母亲会很高兴，要是考砸了，或许自己就能永远地跟群山和牧羊人待在一起了。

守护灵魂的牧羊人：“付出点滴的真我”

于是，我成了守护痛苦灵魂的牧羊人。我试图把在危险关口不辨方向的迷途之人引回正途，我助人渡过生活中险境丛生的难关，我包扎灵魂的伤口，我尝试安抚面对恶狼时的恐惧，我在天降暴雨时提供可以栖身的庇护所。我的病人就是我的羊群。我尝试成为一个看得清前路、能给人启发的牧羊人，一个满腔热忱、令人安心的牧羊人。因为在选择了精神病学的道路之后，我遇到了自己的导师，我的牧羊人。于是，我也成了迷途的山羊，一个迷失在离奇陌生世界里的毛头小伙。是他，为我指明了方向，带着我越过了艰难险阻，带着我敲开了智慧的大门，攀上了泰然的高峰。他让我明白了什么是苛求和人性。在我们相识之初，他就告诉了我那句出自巴斯德（Pasteur）之口，后又被哲学家扬科列维奇（Jankélévitch）借用的话："有时治愈，经常缓解，总是慰藉。"我是在开始护士工作的头一个晚上看到导师的文字的，这些文字描述了那位手拿圣母像的老妇人的痛苦和言语：一个用语简洁准确的意大利女人，一把名副其实的心理解剖刀，尤其拥有深刻而谦卑的人性和满腔热忱的同理心，这跟弗洛伊德派学究式的技术风格形成了鲜明的对比。当时，精神分析占据着统治地位。精神病领域的一切，都是从精神分析的角度来加以解释的，生活的领域也是一样。精神分析成了万用的话语，进入了精神分析的世界，就好像进入了圣殿。精神分析有着自己的规则、语汇和言下之意，它的阐释有时令人茅塞顿开，有时则让人百思不解。因此，我在开辟自己的职业道路时，必须选择个人的定位。这件事情做起来并非那么容易。因为在当时，精神分析拥有一大批颂扬者：弗洛伊德及其古典式的维也纳做派，荣格及其论战式的苏黎世风格，拉康及其晦涩的巴黎腔调。我守护着自己牧羊人的灵魂，自由地走在这条灵魂选择的道路上，我对那种微薄的奖学金无法让我与之亲近的荣光嗤之以鼻。那间我在一个夏日的夜晚不期抵达的诊所，成了我栖身的小木屋。我在那里找到了自己的牧人，一位热情博学的导师。那里有在复原之路上需要引导的羊群。尤其是有大量的工作需要开展，对我自己，一如对他人，而我在那里第一天晚上灾难性的职业经历，就是最好的见证。我表现出的蠢笨简直无以复加，违背了所有心理治疗的基本原则。但我惊异于精神生活的蜿蜒曲折，惊异于这种内心世界怪诞的机制，不停地在天堂与地狱之间，在无可避免的分离与抚慰人心的复原之间摇摆。那时的我，在几次不同的实习经历中，只看到形同机械的器官：跳动的心脏、呼吸的肺部、过滤废物的肾脏，而我的好奇心，自然是中意去了解内部的运转失调，去衡量某种恶性病变的后果，但在小心翼翼（笨拙不堪）撩开显露出异乎寻常之复杂性和心心念念之无所不能的灵魂的面纱时，我看到了一番更为广阔的全景，我触及一个全新的界域，它如同珠穆朗玛峰那样宏伟，如同切尔维诺峰那样险峻。对于我那渴望广阔空间的牧羊人的灵魂来说，这个界域实在诱人，可我是否有能力去应对这个挑战呢？

前路漫长，只需迈出第一步；前路艰险，只需保持内心的平和。我铭记导师那些令人鼓舞的话语，他一路陪着我前往那片未知之地。这些话语就像是我的“临终圣体”，就像是我的指南针，就像是一首我们在欢快行路时浮现在脑中的悠扬小调。这些话语在我的耳边喃喃说道“成为你自己”，“谨慎行事”，“耐心地倾听”，“施与怜悯但不要身陷其中”，“付出点滴的真我”。在这条漫长而艰险的道路上，我学会了善意的共情，简单说来，这就好像有去有回的远足：我朝他人走去，尝试去理解对方，接着我又回归自我，尝试去分析他人对我的呈现。

这种善意的共情，比精神分析师飘忽不定的关注更加引人入胜，因为在我看来，那种关注好似漫不经心的无动于衷。

受创的牧羊人：内心的复原

牧羊人迈出的第一步，缓慢而平静，为的是开辟一条最为悠长的道路，为的是在遭遇困难、逆境和阻碍的时候能够随机应变，为的是尽情享受沿路的风景，为的是在路途变得更加平坦时能够呼吸当下的泰然、在路途变得能够宽慰人心时去升华这一分泰然。这一路上，我遇到了一位人生的伴侣，我把两个小姑娘放到了自己的肩头上。在这个小家庭的陪伴下，我安之若素地扩大着自己的生存空间。

我就这样在自己生命的朝圣之路上缓缓前行，直到有一天，一团阴沉的黑云遮住了我的天空。一位朋友，我的至交，我的好兄弟，突然离我而去。我们之所以成为朋友，是因为我们有着相似的灵魂。令人感到不可思议的是，我们的孩子先在学校里成了朋友，然后才促成了我们俩之间情投意合的友情，打开了这片令人甚感欣慰的天地。他是个仁慈开朗之人，我们分享的一切都烙着双重的印记。他的死令人扼腕，在医院的病床上，孤单单一个人。那是一个阴郁的夜晚，他正等待着第二天的手术。他去世的消息令我痛心不已。刻骨的痛楚啃噬着我的心。

这就如同灵魂的撕裂，在凄凉的漠然中消融了生命的色彩。这一次，我既是牧羊人，也是羊，我要抵达的，是回忆的峰顶。这一次的远足，将是一次虔诚的旅行，一次没有欢笑的跋涉。但我发现了复原力的神奇力量，它令严冬变成了暖春，令寸草不生的冰原变成了开满黄水仙的田野。因为就像总会随身携带三件法宝（一把刀、火种和细绳）的牧羊人，我在精神病医生的生涯中也淘选出三个我经常会推荐给病人的治疗要素：时间、信仰和希望，而那时正是我应该运用这三大要素的时候。

第一个要素，时间的概念，是我在一位图卢兹精神病学老前辈保罗·瓦弗内尔（Paul Voivenel）的书中学会的。他写下了这句我经常会引以为例的绝妙话语："苹果树结出果实需要五年的时间。"这句话教会我们要有耐心、有毅力。没有什么是一蹴而就的。所有的一切都是慢慢形成的，尤其是在心理学的世界。再者，应该对时间，对不可见的事物赋予信心，因为时间自会悄无声息地让这些事物瓜熟蒂落。就像一瓶美酒，在昏暗的酒窖深处慢慢变成明澈的琼浆；就像春天，在第一朵鲜花绽放之前就躲在土壤中暗自酝酿。正是时间，让年历上凄冷的月亮变成了明媚的太阳；让令人满腹愁肠的"我们以后再做这些"，在不久后变成了令人满心欢喜的"我们已经做了这些"。时间让我懂得，拥有这样一位常常会不由自主浮现在记忆中的朋友，是一种怎样的幸运。

第二个要素，信仰，当然是源自我的宗教素养，但也经过了生命的淬炼。因为生命本身，就是一种令人不可思议的信条。而当我们对一切都不再相信的时候，也就是死亡来临的时刻，即便肉身依然活着。相信明天，相信自己，相信他人，相信生命。相信，是把几分自我交付给自我，交付给我们身边的一切。相信，有点像是走出自我，忘记自我。因此，结束忧伤那病态的愁苦，结束无果的穷思竭虑，他人的忧伤不过是自我的哀悼。信仰，可以让人从痛苦的泥潭走向神采焕发的个人成长，从而翻转无意识情感悄然无声的运行机制。诚然，在我与自己的信仰并肩而行时，它让我相信，我与挚友终有一天能够再次聚首在仁慈上帝的桌边，一起痛饮雅马邑白兰地，一起讲笑话（在如此尊贵的主人面前，当然不能太过低俗）。但在这次悼念中，信仰让我真切地看到了事物的相对性：一些事物华而不实，但却受到这个社会的推崇；另一些事物崇高壮丽，但低调得几乎无人问津：纯粹的友情给人带来的快乐，心有灵犀的默契显出的和谐，简单事物的纯真之美，我们身上失而复得的童趣……忧伤让我看到了这些灵魂的启示，让不期而至的痛彻心扉变成了一种令人心怀喜悦的思念，一种泰然自若的情感冲动。死亡滋养了生命。他的死亡，滋养了我的生命。

第三个要素，就是希望。是不是因为那句“有生命就有希望”的格言给我灌下了鸡汤呢？或许是吧！是不是因为我那不知从何而来的乐观天性呢？或许也是吧。总之，希望是一种积极的思维方式，为最阴暗的夜空带来一丝光亮。哪怕再糟糕的惨境，也会迎来好消息的降临；哪怕再骇人听闻的海啸，也会有幸存下来的人。希望就是许给自己一个明天。对我而言，挚友的离去就好像自己生命的停摆。他的死亡，让我身上的一部分也随之而去，就像是经历了某种灭顶之灾。但在哀悼的无边黑暗之中，希望的星光为我照亮了重拾往昔点滴快乐的道路。阿波利奈尔（Apollinaire）说得没错："多少欢乐事总在悲哀后。"

在以灵魂体验了我通常会以理智去解读的经历之后，我与病人之间的关系发生了巨大的变化。并非是我感到了更多的亲近、私密或认同。更确切地说，是建立了一种令人欣慰的默契，让我能够跟病人继续携手向前。我非常喜欢埃里克森派的一个观点：从本质上来说，在曲折的治疗之路上，治疗师把自己的几分无意识给予了病人。就这样，我们一起踏上了一段有时很短，有时则长达几乎一生的旅途。我看着自己的病人由"疯狂"中而生，有时则因它而死。但我也看着他们用疯狂织就了某种和解，这种和解让他们得以继续自己的生活，让他们从病痛的艰险小道抵达了缓解或康复的灿烂顶峰。可说到底，疯狂，它是疯狂吗？依我的愚见，信疯者疯。

第十四章

与自己、他人和世界和谐处

克莱尔·米齐（Claire Mizzi）

我不停地问自己，我在别人的眼中价值几何？我夜不能寐。我的言语表达和单词拼写一团糟，我的注意力涣散。我经常虚构小说一样的情节，给自己编故事，好让自己能够亲近他人，或许也是为了能够继续梦想。

Être en harmonie avec soi-même, les autres et le monde

那年我十六岁。阿哈加尔（Hoggar）高原上的长途漫步，让我疲惫不堪，但绮丽的风光让我的心中充满了喜悦。我不由得独自走到了一个山谷之中，抬眼可见赤褐色的沙丘和被古老河流冲刷得光溜溜的玫瑰色大理石。黑色的火山尖直刺天穹。周围的一切都沐浴在金色的夜光下。就在那一刻，我淹没在一种极为强烈的情绪中，我感觉自己与自然与天空融为了一体。那种灼热的体验转瞬即逝，就像一道穿透夏夜的闪电，让我在须臾看到了所有的景象，随即便烟消云散，只留脑中的一幅画面和挥之不去的快意……

这种与身边的一切交汇融通的体验，让我获得了一种对自己、对自身的孱弱和力量不足洞若观火的感觉。我不由得生出了重拾自己的渴望，想要去了解自己的心景，赋予它某种意义，摆脱自我的种种冲突，进而得以从容不迫地面对这个世界，并追随自己的价值观。那也是一种想要尝试通过灵修的方式去超越自我的渴望。

成为心理医生，正是源自这种之于自我的觉醒：为了向他人敞开心扉，并借助同样的意愿为那些苦于内心的矛盾、囿于自己心理弹性的人提供帮助。

成为心理医生，也是我尽自己所能去企及一个更好世界的方式。就像印度哲学家吉杜·克里希那穆提（Jiddu Krishnamurti）所说的："只有人们了解了自己，一个好的社会才能形成。"

换作其他人，很可能会出于类似的原因而选择法学或是发展经济学。但我的目标是，陪伴那些选择了去理解自己、获得自由、实现转变之路的人。我觉得，我们每一个人都应该去发现自我，去意识到自己内心的能量——即便是最为暴戾的能量，了解它们的本质，转变它们，不为其所害。在我看来，这是自我建构、觉醒和意识演变的必经阶段。这个过程会让我们渐渐获得内心的安宁，让我们看到生命的流动，进而影响到我们与他人的关系，并最终对整个人类社会产生深远的影响。我所从事的这个职业，给我一种不断把我带向高处的长期体验。这种与他人的接触，如此亲密的接触，与我个人的情感琴瑟和鸣，因为我们所有的人，在前进的过程中都会产生联系。

这一刻，我渴望全情投入生活

幸运的是，我的父母在对待自己的三个孩子时，表现出了对我们个性的尊重。父母为我们提供了令人安心、富于交流和探索的成长环境，让我得以找到家庭圈子之外的参照标准（我就读的学校、所在的住宅区、父母亲其乐融融且志趣相投的交际圈）。在好奇心的驱使下，我们不断思量自己的出身环境和教育选择。当然了，我们也曾因为各自的性格和对生存的担忧而意见不合。

同样幸运的是，我始终都心怀与志同道合者快乐生活的渴望。这种渴望就像一座灯塔，照亮了我生活的前路。而在这段生活的旅途中，我们每个人都各自背负不一样的行囊踏上了征程。

现实也好，重塑也罢，在六岁时，我感到自己做出了活下去的选择。当时，病体沉重的我接受了住院治疗，在一年多的时间里，我的身体虚弱到了与死亡擦肩而过的地步。最糟糕的那段日子，我整个人都陷在眩晕、疼痛和发热性谵妄之中。我体会到自己的痛苦，也体会到其他住院患儿的痛苦。我还体会到某些医护人员的冷漠，甚至是恶毒。其中一位女护士让我怕得不行。她让我认为打针是因为自己不乖。她总跟我讲述其他人遭受的那些痛苦治疗，还说我很可能也会吃尽同样的苦头。在那个年纪，我没有能力去理解和面对发生在自己身上的事情。还好，其他的医护人员对我关怀备至，我至今都对他们心怀感激。

关于我差点儿死亡的问题，悄无声息地萦绕在了家人的心头，并形成了一种让我倍感孤独的无法言说。但我清楚地记得当时的情形：既无法动弹也无法做出回应的我，真心实意地想要活下去。暖融融的阳光透过窗玻璃照在我的身上，浑身感觉麻酥酥的，我听得见母亲的话音，想要去安慰她，却无能为力。我还想今后能够继续看到自己深爱的父母和妹妹，还有我的毛绒公仔和数月未见的好友。这些渴望重新点燃了我体内的能量。在那一刻，我感到生命无比珍贵，它让我甘之如饴。这次经历令我产生了对理解和意义的渴求。后来，我下定决心要去体悟所有快乐瞬间的不凡之处，这些快乐的瞬间构成并滋养了我们的日常，也给了我们求生的渴望。可是，我们常常对这些瞬间视而不见，将自己封锁在只关注那一瞬烦恼的执念之中。我们只需记得，生活就在那里，充满了不公，但也焕发着神奇和美丽的光彩；唯一重要的，就是尽享生活——本真的生活。

另一次令人不快的经历，是在一所宗教学校里，一位总是处处刁难我的老师强迫我用右手写字——我是左撇子，并以我"被魔鬼附身"为借口，禁止我进行日常祷告。发作业的时候，她总是按照成绩从高到低的顺序，这种体验让我心惊胆寒……这些事的冲击令我的内心变得极为脆弱。我无法忍受孩子间的暴力行为。我不停地问自己，我在别人的眼中价值几何？我夜不能寐。我的言语表达和单词拼写一团糟，我的注意力涣散。我经常虚构小说一样的情节，给自己编故事，好让自己能够亲近他人，或许也是为了能够继续梦想。但这些情节很快就成了作茧自缚的陷阱。它们成了我对现实的逃避，在这些杜撰的故事里，一切皆有可能而无须付出任何的努力。因此，现实变得平庸、受限、令人失望。多亏了身边的人和学校，我最终找回了自信。我停止了逃避。

另类教育的好处

后来，父母给我们注册了一所新的学校，那里推行崇尚自由意志的教学法，很多学生的父母都曾亲历“五月风暴”。这种教学法旨在“为每一个孩子创造有利于促进探索、试验、社会化、发展和成长的环境”。学生们真正地参与到学校生活中。最为难能可贵的是，我们拥有一块可以尝试各种冒险活动的空间。我们每个人都可以按照自己的节奏去学习。我们的言语，还有我们的情绪和身体，在教学中都得到了极大的重视。我们常常练习肢体表达、瑜伽、静默和冥想。如今，瑜伽和冥想已经完全融入了我的生活，而且我也建议自己的孩子们去练习，好让他们学会如何自我陪伴。冥想是一种精神的操练，目的是转变自己的精神状态，发展我们与自己的身体、情绪和阐释反应保持联结和意识的能力，从而了解我们自己，并接受自己本真的模样。我们培养自己的情绪平衡，以及对自己和他人的关注力。我就是通过这种与自我的接触下定了决心的。

回想起来，从某些方面来看，我在小学和中学的那几年过得似乎有些放纵，但我从中获得了受用一生的教诲。在那段日子里，成年人相信我们自身的力量，他们让我懂得，每个人都拥有独特的才能，我们应该对这些才能善加利用，而不是千篇一律地想着怎么让自己变得更加完美。于是，我们的错误变成了学习的动力和自我构建循序渐进的不同阶段。很少进行的评估是为了让我们了解自己的进步，不带任何竞赛或比较的意味。

这种教育方式给了我相信自己、接受真实的自己和前进的冲力。我竭尽所能让我的孩子也能够体验这种教育方式。我努力成为与他们并肩而行的盟友，鼓励他们，而不是表现得忧心忡忡或是妄加评判。这种思路就像我们面对幼童时的态度：在他们迈出第一步时，我们予以鼓励，而在他们脚步踉跄时，我们不会批评，因为我们坚信他们可以做到。所以呢，为什么要在孩子成长的过程中听命于我们自己的怀疑和恐惧呢?

更为宽泛地来说，就是努力培养我们优先关注孩子的优点和潜质的能力，以及陪伴他们、信任他们的能力。爱孩子真实的模样，虽然他并不完美，但绝妙非凡。这也适用于我们自己。实际上，在我作为心理治疗师的工作中，这种对访客不予评判的开放态度和休戚与共，是执业的核心所在。

自信，是我们心理构建的基础，它可以帮助我们超越偏见，超越对他人评判的恐惧，它可以帮助我们抛开自身的敏感性和阐释，真正去了解他人对我们的看法；我们也就不再会因为担忧而觉得自己成了众矢之的。做自己最好的朋友，可以帮助我们从容不迫地不断演进。接受生活真实的样子，它的机遇和它的局限可以让我们释放自己、做出选择和采取行动。

开阔眼界，拓展视野

这所学校同时也为我打开了一个进入边缘世界（或世人眼中的边缘世界）的奇妙出口。身体和精神的残障，在这里都有被人接纳的一席之地。我们在校委会上一起讨论解决问题的办法，并制定需要遵守的规则，从而令所有的人——脆弱的或强壮的，都能够相互理解、相互尊重和相互帮助。这可不是一件容易的事情。我们还会讨论拉尔扎克军营（Larzac）的扩建和印度曙光村（Auroville）的建设。我常常会在周末去我朋友父母的社区。一些社区源自建立另类世界的组织构想，另一些社区的构想则更为奇异，甚至具有破坏性。其中一个社区位于需要步行四十五分钟的荒郊野岭，那里的人们以羊群为伴，成年人早就先于时代地过上了去增长的生活。后来，我又去了越南禅宗僧侣释一行创建的梅村，但在成年之后，我才完全体会到那里洋溢的温情和尊重。

至于我的父母，他们为我们提供的生活范例属于传统路数。因此，我有时会被这些边缘的生活方式所吸引，而这种差异造成了我们之间的紧张状态。我今天才意识到，正是这种紧张状态促使我去思考自己眼中真正的自由所具有的意义。我学会了去尊重每个人选择的道路，即便是那些“非典型的”道路，也有可能成为幸福的源泉。但如果想要构建我们的自由，就必须与冲动和自我主义保持恰当的距离，同时尊重他人的生活，尤其是孩子的生活。孩子的生活构建需要指引和规矩，即便当我们游走在规范之外时，也是如此。

家人与朋友

在我7岁的时候，我们家搬到了一个当时在我们这些孩子眼中神奇无比的住宅区。这个住宅区的周围全都是可以用来探险和建造小棚子的田野。我们总是三五成群地走街串巷。我就是这么认识了我最好的朋友。我们俩一直到现在都很亲密。在这个两人小分队营造的安全感和舒适感中，我们相互影响、共同成长。她的家庭和我的家庭，成了我们汲取能量的源泉。

那几年的经历让我深刻地体会到，与他人的相遇相知能够让我们在不同的生存方式上获得怎样的启发与灵感。后来，我又认识了其他的至交好友。这些挚友都成了我支撑自我构建的坚实基础。成年之后，我继续悉心呵护这些珍贵的友情，这些情感的维系就好像能让我们超越自身的锚点，支撑并改变着我们。

沙漠与日本

我的教父是个与众不同的人。他既是神父也是教师，曾经在阿尔及利亚与境况最糟糕的人生活在一起。我们曾经在他那里度过几次暑假。在那里，水和电时有时无，有些人家全家老小都住在一个房间里。暴力行为时有发生，但也不乏相互间的帮助。在那里，传统的地位远远高于个人。对于当时还是孩子，而且已经对舒适和自由习以为常的我来说，这种冲击，以及跟教父和他身边之人的交谈，让我思考良多。

还有在阿哈加尔地区沙漠里的旅行，那里的图瓦雷克人依靠很少的资源和物品生活，而我们则淹没在各种各样的生活物品之中，还有无穷无尽的欲望。回来之后，那些遍布百货店的现代城市，在我的眼中变得匪夷所思。大自然最本色的一面让我体验到了身心合一和忘却自我，但自我的力量始终都在。而大自然让人猝不及防的一面，则让我不得不直视生命的无常，不得不面对我在法国从不曾遭遇的风险。我感受到了一切。我在青春期时最喜欢的电影是雷蒙·德帕东（Raymond Depardon）的《挣脱西方世界的人》（*Un homme sans l'Occident*），它成了我思考的源泉。后来，我又读了勒克莱齐奥（J.-M.G. Le Clézio）的《沙漠》（*Désert*），书中梦境般的描写和沙漠民族表现出的生命与自由的力量令人印象深刻。

再后来，我丈夫获得了前往日本学习的奖学金，借助他的一双慧眼，我发现了这个神奇的国度。日本之旅，再次刷新了这种具有深刻转变之力的他处对我造成的冲击。日本的文化，还有那种既美丽但有时又很危险的大自然，深深打动了我和丈夫。大自然，是日本人生活中密不可分的一部分，日本人深谙它的强大，升华它的美，而我们却一心想要去支配它。京都的寺庙清静肃穆，让人心下安宁，虚空受到人们的尊重。佛教中的菩萨代表着我们内心的存在，它带着我踏上了一段全新的内心旅程。

旅行，是可以转移文化和我们自身关注焦点的良机。旅行，让我看到了我们获得的自由，也让我看到了时下占据压倒性地位的个人主义，而这种个人主义最终让我们中最为脆弱的那群人陷入了孤立无援。富足，让我们在面对选择时陷入强迫、嫉妒和焦虑，并最终形成了长期的欲求不满。我们在自己的内心之路上迷失了方向。克里希那穆提告诫我们要超越自己的条件反射：我们的偏见、痛苦、焦虑和想法，还有我们的文化，我们的民族主义，我们的宗教，等等。所有这些造成了人与人之间的隔阂，并限制住我们的大脑，让我们无法清楚地意识到生活的全貌。

灵性

在塔曼拉塞特（Tamanrasset），我遇到了夏尔·德·富科（Charles de Foucauld）神父的基督信众，并了解到他们坚定不移的信仰和虔诚之心。我还记得其中的一位女教友，跟在场的妇女们其乐融融，看上去是那么幸福。她令人动容，就像我的教父那样，她让我看到了饱满的生活是多么美妙，真诚地面对自我，让我们对生活和他人敞开了怀抱。我带着少年人的狂热阅读了著名的神秘主义作品，文字中描述的内心冒险和虔诚的信奉让我痴迷不已。

我从中明白了一个道理：实现自我转变，仅凭理智是不够的，我们还需要渴望和勇气。渴望和勇气是一种能量，是源于内心的力量。但我们总在想方设法地想要去满足各种各样困扰着自己的渴望。我们内心的功课，就在于去识别出这些渴望，但不可操之过急，并从中找出那些自己真正在意的渴望，然后努力去实现它们。正是这些渴望，成了我们一时或一生的方向。

心理学的选择

就这样，我开始进行自我构建，并毫不犹豫地选择了心理学这个专业。步入成人阶段的我满腔热情，多愁善感，但自信不足，尚欠成熟。我的关注力总是摇摆不定，缺乏保持专注的自律。我频繁地与他人交流，对一切抽丝剥茧，想要窥透人际关系的机巧，但我那时还无法看到强加于我们的生活构造和思维模式的蒙眼布。比如，我后来明白了，自己每每在担心和缺乏自信的时候就会做出拖拖拉拉的行为。

大学，让我的思维有了条理。边缘生活的体验，促使我去研究那些没有在课堂上教授的心理治疗流派。帕洛阿尔托学派将精神疾病视为对病理环境的适应模式，并由此发展出了家庭疗法。从更为本质的角度来看，卡尔·古斯塔夫·荣格对精神分析的创见令我印象深刻，自性化过程尤其引起我的兴趣。荣格认为，我们每个人都应该对适应这个世界的必要性和忠于内心自我的必要性进行整合。在生命的第一阶段，为了找到自己的位置，我们更多地要顺从父母、社会等的期望，但结果可能只是实现了我们没太意识到的核心维度的有限部分。

人本主义疗法和存在主义疗法，也是非常重要的流派。堪称积极心理学先驱之一的维克多·弗兰克（Viktor Frankl），关注人类的行为，关注每个人想要赋予自己生命的意义和想要实现的目标。在他看来，我们应对痛苦的方式决定了我们生命的意义，在遭遇不期事件时，我们可以选择应对的态度。还有卡尔·罗杰斯（Carl Rogers）的“案主中心治疗”，这种疗法认为，每个人都拥有了解自己、改变自己的核心态度和在面对自己和他人时行为方式的潜能。与弗洛伊德不同，罗杰斯坚信“对人类的核心本质不该惧怕，而应该通过负责任的表达方式加以释放”。他认为，病人获得成长的先决条件，是治疗师的真诚态度，在内外一致的状态下，治疗师以同理心去体会案主的经历，并与之进行交流。卡尔·罗杰斯认为直接经验具有至高无上的地位，而不仅仅是自我的精神感受，因为在直接经验中，感受和认知会相互渗透。虽然我在从事心理治疗时借助的是另一种理论背景，但这些不同的治疗流派依然构成了我执业的基础。我在冥想中再次找到了这种对人类的观察视角。

伤痛和易感，令我们封闭心门。个人历史可以帮助我们去理解和察觉自己，但我们自身的可能性要远远大于我们过往经历的简单总和。我们可以摆脱内心的不一致、脆弱或焦虑，从而能够灵活开放地面对这个世界。这条道路很漫长，但我们必会不虚此行。

接受现实

一次荣格式的精神分析，带着我沿着时间的线索意识到自己的构建和能量，以及形成我体验生活的方式的原因，并让我得以与自己的人格和谐共处。我发现自己的内心平静了许多，不再那么纠结，接受力也更强了。

冥想和静修的练习，在这段漫长的自我转化和驯服的过程中，也起到了关键性和补充性的作用。对自我的认知并不仅限于从智力上对我们是谁的理解，而是一种更为直觉和具体化的认知。今天，我能够更好地察觉到现实与自己期待之间的不相协调。拒绝接受事物本来的面目，只能让我们锁闭心扉。如果有人对我们做出评判，我们马上就会感觉到身体的收紧，并否认这个人所说的一切。在这个时候，如果我们能够接受这种由评判引起的不适感和痛苦，一种“心灵的智慧”和一个来自内心深处的答案就会在我们的身上生发出来。放下我们原始的反应，选择符合我们价值观和楷模的应对方式，这一切都需要一块空间，而创造这块空间的可能性，只能一步一步地在每一次情形、每一种情绪中慢慢得来。我们持有的信念和我们往往不假思索而做出的阐释，令我们距离真实的生活越来越远。

这段漫长的修行，让我对自己形成了更加全面的察觉，让我在面对他人和日常生活时感觉更加自由和有尊严。我内心罗盘的指向也变得更加清晰，生活依然如我们每个人所知的那样充满重重考验，但变得更加丰盛了。现在，我与真实生活的关系变得更加亲密和明澈，这种关系让我能够以更加娴熟和有力的方式去随机应变。各种生活事件照旧接踵而至，而我们的应对方式已经变得灵活、巧妙和出人意料。

我的心理学实践

大学毕业以后，我的第一份工作是为准政府机构做应用定性研究。我在其中体会到了以科学论证为支撑的实验的严谨性。这种研究带来的确凿性，此后成了我倍加珍视的一种品质。随后，我又进入了市场定性研究领域，带着浓厚的兴致继续探索人类的行为，尽管这些研究的终极目标给我造成了伦理道德方面的困扰。

与此同时，我还跟随精神科医生克里斯托夫·安德烈和帕特里克·莱热隆（Patrick Légeron）工作，并转向了心理治疗。多亏了他们，我才做出了接受认知行为疗法培训的决定，因为这种疗法符合我的期待：实用、有效，并且经过了研究验证。这种疗法目前的发展趋势与我的期待和信念非常吻合。在巴黎的圣安娜精神病院工作了一段时间之后，我选择了成为自由执业医生，并继续学习其他作为补充治疗的方法。眼动脱敏与再处理疗法，在面对创伤性事件或痛苦事件时，可以调动我们的治愈过程，让人不会再陷入与事件相关的情绪中无法自拔。杰弗里·杨的图式疗法，融合了认知行为疗法和存在主义疗法，可以帮助我们辨别出自身从童年就已有之的深层图式和情绪，形成更健康的行为方式。安娜前来向我咨询，她给我讲述了自己的一次经历：她给一位朋友写了一封电子邮件，但对方两天之后才做出回复。在等待对方回复的过程中，她陷入了一种无法忍受的焦虑，而焦虑的程度与邮件的内容跟朋友多年的友情简直不成比例。安娜渐渐地识别出自身存在的一种抛弃图式，她了解到这种图式的成因，并体会到与这种图式相连的情绪和想法，最重要的是，她明白了这种图式已经时过境迁。这种领悟让她得以退一步，从而找到了自己的力量之源，并以更加令人安心的方式去感受眼前的情形。

接纳与承诺疗法融合了认知行为疗法和正念冥想，能够促进心理弹性的发展，鼓励病人明确和追求自己的生活价值。

冥想已经成为我日常生活的一部分，瑜伽的练习也颇有时日。那还是在刚刚接触瑜伽的时候，克里斯托夫·安德烈带着我了解到乔恩·卡巴-金（Jon Kabat-Zinn）和辛德尔·西格尔（Zindel Segal）的治疗方法。我接受了正念认知和正念减压（MBSR）的培训，然后在自己的诊所（还有企业）里进行小组咨询，在此期间，我认为冥想是对治疗工作极为有益的补充，并与我在工作中的收获相得益彰。冥想，可以让我们与自己产生联结，按照乔恩·卡巴-金的定义，冥想可以让人进入“一种知觉的状态，这种状态源于在当下不带评判地将注意力集中在此时此刻的体验上”。冥想可以发展我们的专注力，调节我们的情绪，让我们更好地察觉自己的身体。由此，我们就可以摆脱自身反应性、思维和阐释的桎梏，从而迈向更具创造力、更加积极、更符合自己价值观的生活。冥想还可以是一种小组式的体验，它可以让我们以独特而深刻的方式与其他的组员产生联结。

生活和它教给我的事

夫妻关系是生活中的另一门功课。在许下承诺的那一刻，就会形成一种关乎生命本质的存在。对这一选择的明了和念及，可以让我们在遭遇暴风雨时渡过难关。在孩子的成长过程中，我和丈夫经历了一次让我们两人暂时分开的危机。这次经历让我重新寻回了自己的力量和渴望，让我转而专注于其他实实在在的生活蓝图。正视情绪，耐心观察，既不否认这些情绪，也不任由自己陷入思绪的控制，这是一种极为宝贵的体验。保持自信，让我能够不加评判地去接受没有控制权。在生活中，我们会遭遇一些前路未卜的情形。如果我们试图去控制、评判，或是承担他人的责任，我们就会与自我隔绝。接受前路未卜，专注自我，联结自己的能量，穿越情绪的反应和思绪、满怀真诚地迈步向前，可以让我们获得深刻得多的领悟。危机的考验令我们夫妻二人都发生了转变，我们最终带着满满的幸福，从心底再次找回了彼此。

选择在一起，同时也选择维系让我们走到一起的东西，维系彼此身上互生爱意的东西，维系让两个人形成互补的东西。我们两人之所以结合，不是因为找到了能够决定自己幸福的理想伴侣；每一方都带着自己的构建，带着自我平衡的责任和自己的价值观。我们在可以彼此推动的相互分担中携手并进。能量必须流动起来，才能心怀喜悦地去生活。

把精力集中在孩子身上，是我们两个人的首要任务，这也符合促使我成为"心理医生"的信念。家庭，是接受这个世界，并向它敞开心怀的首要之地。如果我们儿时在家中获得了安全感和陪伴感，那么在成年以后就更有可能满怀信心地找到自己的人生道路了。

为人父母的我们，就是依照这个思路来安排事情的优先顺序的，有的时候，放弃更为丰富的社交生活和职业生活绝非易事。我们要对孩子满怀柔情，跟随孩子的节奏，与他们一起体会当下；要避免对孩子发号施令，要认识到他们的独特之处，好让他们能够提出恰当的疑问，并拥有属于自己的生活；然后引导孩子与他人和谐共处，超越自己的冲动和评判；帮助孩子领会只有努力、律己才能实现自己的目标，并从中获得成就感。

这就要求家长必须警惕自己的投射，并培养自己的耐心。我们必须想办法成为自己孩子的盟友，同时为他们划定界限并提供指引。

保持觉醒

我们每个人都可以驯服自己的本性，与自己和平相处，从而开拓一块获得宁静和联结的空间。我们应该耐心地陪伴自己的痛苦和自己的内心冲突，即便有的时候我们只想逃避它们。我们应该洞察这些痛苦和内心冲突对我们自身、人际关系和世界观所产生的影响，这样才能走出我们的惯常反应和思维图式。培养我们感知和表现的能力，让自己稳稳地立于最为直观的现实之中。意识到并接受制约我们的机制是一个漫长的过程，但只有这样，我们才能变得更加自由，紧系于自己的价值观，与自己和平相处，同时在尊重自己的责任和极限的前提下保持与他人的饱满关系。培养对自己和他人的温情、善意和仁慈，可以让我们向这个世界敞开心怀。

塑造自己和正视自我，从最为隐秘的内心去了解他人，为每个人表现出来的转变能力而感动，这一切令我发生了转变，并丰富了我的体验。这整个过程始终伴随着我的治疗工作，不论现在还是将来。成为心理医生并继续这条道路，让我始终保持觉醒。

我非常喜欢杰克·康菲尔德（Jack Kornfield）引用乔治·华盛顿·卡弗（George Washington Carver）的一段话，现摘录于此以飨读者："在生活中你能走多远，取决于你是否对年轻人温厚和蔼，对老年人心怀怜悯，对奋斗者支持有加，对弱者和强者宽容大度，因为有一天，你也会成为他们其中的一员。"

第十五章

探索世界，爱上世界

Explorer le monde et l'aimer

让－路易·莫内斯蒂耶斯（Jean-Louis Monestès）

阶梯教室的后面，简直就是旧时巴黎的贼窟“神奇宫”！首先，你会注意到一片烟雾缭绕。接着，在阶梯之间，你会看到所有在那个年代被划归为地下时尚的装扮：头发五颜六色的朋克，发型蓬乱、身穿拖地长裙的嬉皮，几个涂着黑色睫毛膏的新浪潮人士。有的人席地而坐，有的人坐在桌子上，其中的三个在弹吉他，甚至还有一条狗！

当时是九岁还是十岁，我已记不大清楚了。总之，那个时候的我完全不知道自己长大以后想做什么，也完全不知道什么是心理学或心理治疗。那个时候，我脑子里想的都是如何在学校操场栗子树交错的树根里赢得弹子、漂亮的假玛瑙珠和放大镜（也可能输掉，这要看当时的手气）。爬到广场商店的屋顶上溜达两趟，一张纸板房的建筑师文凭，用父母糖果店里的糖果建立一个销售网络，简而言之，都是些小孩子关注的事情。

我们家住在三楼，窗户冲着市政府的广场。那是个平淡无奇的广场，有几棵高大的椴树，还有几条漆成绿色的公共长凳，放在一尊纪念拉·巴尔（La Barre）骑士的雕像周围。这位骑士在法国大革命爆发前，因为在宗教队伍经过时拒绝脱帽而被处决。

站在我们家公寓的窗前，可以居高临下地向外眺望，那是个绝佳的瞭望塔，可以看到脚步匆忙的行人和手拎大包小包的主顾。站在这个瞭望塔上，我可以看见别人而不被别人看见——倒不是偷窥，而是一种试图在最低程度上影响研究对象的科学方法。这里也是仔细观察以下故事主角的行为和动作的理想地点。

对他人的好奇

这是一种大多数心理系学生所具有的小小怪癖，无论在哪里，他们都会仔细地观察他人的反应、在做的事情、谈话的内容，以及他们的理解和感受。在超市的收银台前，在火车上，在游泳池里，但凡上演着日常生活场景的地方，他们都会想要去了解、去发现，对他人做出种种的推测：他是谁，他喜欢什么，是什么扰得他心神不宁，他需要些什么，他的精神状态怎么样。

观察他人，并不是为了发现那些或许他自己都不知道的个人信息，也不是为了诊断出什么稀奇古怪的问题。人们常常认为心理医生具有未卜先知的能力，绝对没有，而且心理医生只能发现他人想要诉说的那些事情。成为心理医生，也不是出于想要窥探他人秘密的意愿。我们每个人都有自己的秘密，总的说来，这些秘密对理解人类心理的意义非常有限，至多也就是让我们了解到每个人都害怕被抛弃，都需要被爱。这已经相当不错了，但还有更加有趣的东西有待发现。

观察他人，更多的是为了察觉出个别之中的普遍，是为了研究人所共有的机制在不同个体身上的表现方式，而对于这些表现方式，就连心理医生也未能全盘了解。正是因为如此，心理医生才会对他人如此关注，如此好奇。

不自知的友师

每天，无论刮风下雨还是阳光明媚，大约在午饭后的同一个时间，他都会坐在我们家所在住宅楼对面的那条长凳上。三天没刮的灰白色胡茬，破旧的西服外套，厚重的皮鞋，其中一只的鞋带替换成了铁丝，无论春夏秋冬，他的这身装束从没变过。除此之外，他还留着精心打理过的长指甲，其中几个被烟草熏得发黄，脖子上系着一条好似蕾丝领巾的酒红色围巾，始终都是那一条。他就像个身无分文的公子哥儿，虽然没有锦衣华服，风格派头却丝毫未减。他的动作讲究、细致、优雅，就像极尽美感的舞蹈家，但不免有些老掉牙。他吸烟的时候尤其带着一种玛琳·黛德丽（Marlène Dietrich）的风度。

过了一段日子，我看懂了他的这套仪式。让我最感到好奇的是：为什么他总是做出同样的动作，在同一时间、同一地点？他每天一准儿会从广场的左侧走过来，然后开始仔细地查看他那张长凳。他用大拇指和食指小心翼翼地拿掉春天落在长凳上的椴树花和冬天落在长凳上的干树枝，或是用他的格纹大手帕擦去沾湿了他专属座位的雨滴。他坐下来，拽一拽扣得整整齐齐的外套，就好像是个准备发表演说的政客。然后，他平静淡然地朝左右看看，弯下身抓起一把小石子放在身旁。他就像魔术师一样，不知从哪儿掏出一根Gitane香烟，叼在嘴上，用防风火机点着了，吸上几口，然后再把烟轻轻地放在长凳上。

接下来就要上演最精彩的部分了，也是最让我着迷、最让我费解的部分：在两个小时里，他会对着阳光一个一个地端详那堆小石子，然后扔掉其中的一些，把留下的那些认认真真地摆放在长凳的一根板条上。他的选择标准是什么？这是不解之谜呀！尤其是他的这个戏码有什么意义？等到这堆小石子挑拣完毕之后，他又再次弯下身去抓起另一把，直到他觉得挑拣出的小石子差不多够了。然后，他会一边默默地抽着烟，一边欣赏着自己的作品，大概持续一刻钟的样子。接着，压轴戏登场，大结局上演：他用手指弹出第一颗石子，准确地说，就像弹子游戏那样。

这里也是，他的举动每每让我感到吃惊和不解：小石子才一离手，这个家伙就大笑起来。一种不可思议的笑，让人看得晕头转向，但他笑得满口白牙，撕心裂肺。待到笑声平复下来，他又弹出第二颗石子，明显带着同样的喜悦之情，接着是第三颗、第四颗……直到笑得满眼是泪，再没剩下一颗石子。

因不同而被吸引

你可以想象得出，一个十岁的孩子在看到这一幕时脑子里会想些什么。所有引发人好奇心的元素都有了：非同寻常的情形，猜不透的动机（直到今天我都还在寻思，这一通摆弄对他具有什么样的意义，如果有某种意义的话），看到一个成年人用小石子玩弹子游戏的困惑不解，尤其是这种奇异行为中流露出的不加掩饰的喜悦。他在笑，他在放声大笑。几颗石子就能让他玩得不亦乐乎，就好像我们在那个年代用两个包装纸箱搭房子一样。一种单纯的快乐，这种快乐已经被今天的成年人所遗忘，而且不为今天的孩子所了解，因为纸箱上是没有触摸屏的。

这种兼具怪异、优雅和生之快乐的奇特混合深深吸引着我。我需要去知道、去了解他的动机。为什么？小孩子没完没了的问题着实让人头疼。我需要知道，是什么让这个人每天都做出同样的行为。我需要了解，为什么这个人要这么做，我想不出他为什么玩得那么高兴，我搞不懂这里面有什么滑稽好笑的。这其中似乎存在着某种我无法参透的逻辑，我必须把它找出来。

容纳不同

在那个并不久远的年代，不同，远不像今天这么令人生畏。那些不走寻常路的人，那些略带古怪的人，并没有被当成是威胁或潜在的攻击者。大家知道他们姓什名谁，我至今都还记得。大家了解这些人，他们也了解大家，尽管与众不同，但他们也是集体中的一分子。虽然也会有人嘲笑他们，但从某种意义上来说，他们拥有自己的一席之地。比如，我就记得有这么一位先生。回想当时的情形，我觉得他应该患有智障。他之前肯定在一个饱经战乱的地区遭遇过教育缺失的惨境。孩子们最爱的游戏（不得不承认，有些大人也喜欢），就是逗他破口大骂，他骂人还真是有一手。每次别人一喊他的名字，这位老兄就会脱口而出一连串不带重样儿的脏话，还会连带几个下流的动作。有些人乐此不疲，不无遗憾地说，我也是他们其中的一个。

有些人会嘲笑他，但大部分的人只会跟他打个招呼，还有的人会给他一个奶油面包，或者只是问问他的近况。那个时候不像现在，日常生活中没有处处充斥着把偶然发生的侵害事件描绘成常态的信息频道和电视新闻，因此，人们并不觉得这个世界时时刻刻都处在危险之中。怪异带给人的不安，往往会消解在接近和日常的平淡无奇之中。没有人会觉得不同的行为举止是一种危险。但人们在那些被他们称为“疯子”的人面前，确实有某种优越感，生活并不是尽善尽美的。但是，各有各的活法，所有的人都能在群体中找到一席之地，没有谁是完全被排斥在外的。

接近，是为了更好地了解

为解开令我困惑不已的疑问，我就这么穿过了街道，走过去坐在了他的长凳上。这既不是逞英雄，也不是一时糊涂，因为这位老兄既没有让人感到害怕，也没有让人感到担心。真的，我跟这个故事的主角混在一起，我父母的店铺就在街道的另一头，看到一个小男孩跟一个今天被称为“无固定住所”的流浪汉一起在长凳上排列小石子，没有人会感到过分担心。

或许也是出于这个原因，我才想要揭开他行为举止的谜团。他的古怪被社会所容纳，所以在我看来，这种古怪既不是问题，也不属反常。还有，他跟所有人一样，能够融入社会的总体动向之中，所以我不明白自己为什么会搞不懂他这些行为的动机。说到底，要是他跟所有人都一样，那为什么还会做出不同的行为举止呢？

我只知道自己一无所知

于是，我走过去坐在了他的身旁。不过，你不必期待我们之间会发生小说里描写的故事：不屈不挠的年轻人在遭到神秘人最初的拒绝之后，最终跟他成了至交好友。又或者，满心好奇的少年发现这个古怪的家伙原来是个世外高人，一位把自己的人生哲学倾囊相授的智者。这种事情根本就没有发生。

我在这条长凳上跟他一起消磨了不少的时间，但有时候我会觉得，我在不在那儿对他来说并没有什么不同。他依旧扔着那些小石子，并不怎么在意我。我倒是跟他聊过几次，都是拉家常的话题：他住在哪儿，是否有家人。他的心思都扑在那些小石子上，每次都以非常简短的方式回答我的问题。有一天，就像对待一个跟他同龄的老伙计那样，他下意识地递给我一根烟。我赶紧凑过去接过来，这个分享的举动令我心中狂喜，让我一下子就进入了成人的世界。我把香烟叼在嘴里，他帮我点燃，我咳了几声，他笑了。在这说不清道不明的默契一刻，我感觉到了一种真正的联结，触及到了他的不可触及之处。

但总的来说，我们的“交谈”少之又少。有时候，他会吐出几句我听不大懂的含混话，字词含混，语法不通，跟当时发生的事情或是我们的聊天内容也没什么联系。至于他为什么要排列那些小石子，他怎么去选择那些小石子，他为什么在弹石子的时候笑得那么开心，又或者为什么每天都会回到同一个地点做同样的事情，很不幸，我从来没能看穿他这些秘密。也许正是因为这个家伙从来没有跟我透露过有关自己行为的秘密，才让我怀着一颗好奇心想要去了解他本来的面目。

体现不同

很奇怪，我完全不记得有关自己职业选择的细节。不是因为做出这个选择的时间太过久远，就像那些一早就知道自己将来要去修建桥梁或治疗小动物的孩子，而是因为这个选择并非出自我本人的意愿。不过，我倒是隐约记得跟一位哲学老师的激烈讨论，他试图向我证明弗洛伊德思想的缺陷，而我则拼命用自己浅薄的知识据理力争。再后来的一天，我的名字上了榜，我高中毕业了，鉴于我那一年的学业表现，这个结果实在是出乎所有人的意料。接着，我在拉脱维亚待了一段时间学习语言，又做了一份暑期工，再后来，我就稀里糊涂地注册了心理学专业。我不记得自己做出过什么决定，那更像是一种顺应形势的水到渠成。

不过，我倒是清清楚楚地记得第一次上课时走进阶梯教室的情形。我当时没怎么想就顺着阶梯往教室后排走去，我一下子就注意到了聚在那儿的一群人。那是一些表面看来形容怪异的人，跟我在外省高中的同学完全不同。阶梯教室的后面，简直就是旧时巴黎的贼窟“神奇宫”！首先，你会注意到一片烟雾缭绕。接着，在阶梯之间，你会看到所有在那个年代被划归为地下时尚的装扮：头发五颜六色的朋克，发型蓬乱、身穿拖地长裙的嬉皮，几个涂着黑色睫毛膏的新浪潮人士。有的人席地而坐，有的人坐在桌子上，其中的三个在弹吉他，甚至还有一条狗！没有人用小石子玩弹子游戏，但很可能会出现这种情况。那有点儿像是每个人都想要体验与众不同，体验他人投向自己的目光，好去真切地感受什么是离经叛道。我呢？我感到自己如鱼得水。顺便说一句，除了个别的几个人，所有我这些教室后排的同党们，后来都顺利地拿到了大学文凭……

会发光的不一定是金子

来上课的人和课上教授的内容，令这里弥漫着某种奇异和神秘的气氛，这让我觉得自己来对了地方。那个时候，我本能地觉得，必须亲身体验，见识过奇怪的人和事，发现藏在表面之下的含意，才能理解什么是离奇古怪和与众不同。因为理解怪异并不容易，我觉得，怪人总是遭受误解的事实，就是最好的证明。所以呢，通过亲身实践，我了解到了那些在我看来真实的东西。真实，是因为它们既奇怪又复杂。在我读过的很多书籍中，语言只为自己服务，种种概念都经过精心的雕琢，理论模式犹如哥特式大教堂，装饰着漂亮的拱心石和抽象的华丽花纹。所有这些，跟我观察到的现实没有丝毫的关系，而且往往不具有任何意义，但不得不承认，这在智力层面显得非常诱人。

自那以后我便认定了一个事实：人往往会用令人费解的表述来掩盖自己的无知，那些没人知道其中含义的字眼，掩盖着他们似是而非的理解。我的大学时光让我特别的感慨万千，因为我不得不重新审视自以为了解的有限事物。最终我领悟到，想要接纳一个人的不同，最好效仿奥卡姆（Occam），采用简约的原则。最恰当的解释，不一定是最复杂的解释。想要意识到他人的反应和行为并没有想象中的那么怪异，最好的便宜之法，就是站在他或她的角度去仔细打量这个世界，并借助一些能够被有效证实的原理。你很快就会意识到，如果人们拥有同样的经历，那么他们就会用同样的方式去看待世界。你还会发现，他人的行为较之其自身的所有经历，是完全符合逻辑的，而事实上，我们所认为的怪异往往不过是我们对他人的不甚了解所导致的。

学习中有益身心的不安全感

从那位我未能够真正了解的投石子的人，到令人感到失望的解释体系，你大概会觉得，我这一路走得实在叫人灰心丧气！你说得对。而且之后我又碰上了别的死胡同，或是让人心灰意冷的时候，说到此处，你会有种发现了新大陆的感觉，但你其实不过是拾人牙慧罢了。不计其数的哲学家和智者都曾关注过人类的境况，而很多的人早已从其中提炼出了人类的行迹和心灵救赎道路的本质。

如果你在这所有的一切之中只看到了失望和沮丧，那么你就只对了一半。首先，在种种的令人失望中，我了解到各式各样的理论模式，每一种模式都在为大厦添砖加瓦。尤其是对规律的了解，这些规律看似简单，但用来理解人类的行为非常有效。我们整体上的举止、情绪和感受，正是建立在这些规律之上的。再者，这些表面的挫败教会了我职业生涯中最为宝贵的东西，那就是能够感知自己的不确定，有时甚至是自己的无能为力，从而保持追溯源头寻找信息的习惯，而那个源头就是他人所在的地方。每个人都是独一无二的。当然了，还有那些把我们界定为一模一样之人的主要原则，而这些主要原则对了解人类格外有用，但就像演奏乐曲，每个人拿到的乐谱都是一样的，只不过演奏方式因人而异。只有在与他人的关系和接触中，我们才能真正地去了解他人。

令不同正常化

有的人难以自抑地每天要把车洗上个四五次；有的人一想到要去面包房买长棍面包就会感到反胃；还有一些健康状况良好的人坚信自己患了重病；有的人无论做什么，都会觉得有个声音在评论自己的一举一动；而有的人则无论怎么清洗，都觉得自己身上有异味。整整十五年接触各类心理障碍的职业经验，让我可以继续列举出无数表面看来怪异无比的人的行为。看到这些例子，你或许会暗自庆幸自己不必遭受如此的精神痛苦。你或许还会发现，自己身边的一些人也位列其中。你甚至有可能因为做过别人看来“怪异的”事情而感到浑身不自在，对你在同事、朋友和亲人面前羞于启齿的小怪癖感到羞耻。或许你会觉得自己有点儿古怪，因为你的情绪起伏超出了自己的想象，或者你的焦虑似乎过了头。当然了，并非所有的人都需要专业人士的帮助。可当所有的人都有所不同的时候，又该怎样去看待这些不同呢？教室的后面还有位子，你先找个座位坐下来吧……

不同，构成了正常。我们常常因为想要企及正常而痛苦不堪，而正常就近在眼前。因为我们每个人的独一无二就是正常。对这种独特的兴趣和好奇，指引了我前行的方向。我意识到，我们对不同靠得越紧，就越不会觉得有什么不同。每当碰到一个看起来古怪的人时，我们就会不由自主地避之唯恐不及。这大概是助长误解的最佳方式了。相反，接近那些让我们困惑不解的人，你往往会惊讶于他们的可爱之处，或者，你至少会发现我们与他们的相同之处。所以，我们需要做的，就只是让他们拥有在城市的喧闹中玩石子的权利和放声大笑的权利罢了。

第十六章

一个“叛逆心理医生”的故事……

Histoire d'un «psy révolté»...

迪迪埃·普勒（Didier Pleux）

辞职以后，我开始寻找心理医生的工作，我决心成为一个可以影响他人的人，而不再只是一个教育他人的人。所有的工作面试都以同样的结论告终：我不够“心理”，我是个实干型的职业者，我所有的观点都表明了这一点。是的，我不谈“精神分析”，而心理学几乎已经成了弗洛伊德思想的代名词，所以，我不是心理医生……那我是谁？

我不会因此而一蹶不振，于是，我决定成为精神分析的反叛者，但这不是一种职业……我已婚，三十二岁，有两个孩子，没有任何的补助金，因为我辞职了。

讲述自己，是一件容易的事情吗？确实，我们的职业就是倾听，避免过于突出自己。但是，分享我们的自我构建，可以帮助很多其他的人更好地了解自己，做出新的生活假设，形成真实的存在哲学。

在克里斯托夫邀请我写下这段见证文字时，我不由得心中暗问，这种形同自我披露的叙述有什么用？我是个以反精神分析的立场而为人所知的心理医生，这么做会不会给那些中伤我的人留下话柄呢？那些人总想用一段被曲解的“故事”去解释我的“叛逆”姿态。对多尔多（Dolto）的不同见解，不过是我和母亲之间的清算；对弗洛伊德和精神分析的批判，不过是我反抗父亲的意愿！我的父母和我自己都没有什么了不得的经历：我1952年生于一个既没有什么特别之处，也没有什么异常之举的小康家庭。我的家庭背景没什么不可告人的隐秘，因此，我在本文中讲述的只不过是一个生活的选择，成为心理治疗师的选择。而这种对我职业生活之“为什么”的回溯，就成了一次我的朋友米歇·翁福雷所说的存在的解构。这种解构“没有将生活和作品分离，没有将其人和其思想分离，没有将书本理论和实际操作分离”。

再也不要“这不公平！”

我在童年时期没有经历过创伤，我的记忆开始于三四岁的时候，那个时候我们家住在卡尔瓦多斯省毗邻卡昂的小村阿尔让塞。我的父亲是公务员，注册税务师，我的母亲负责照料家中的三个孩子。我们不是大富之家，属于战后依靠父亲勤勉工作养活家人，但也不至于困苦不堪的社会阶层。在我们村里，有些人过着吃了上顿没下顿的生活，也许我的“故事”就是这样开始的。

我还记得有一次返校，那是在圣诞节过后不久，我当时在阿尔让塞上幼儿园，大概四岁半的样子。圣诞老人送给了我一个玩具车库和几辆玩具车，在课间休息的时候，小朋友们凑在一起相互询问：“哎，你得了什么礼物？”有个跟我同龄的孩子一言不发，我追问道：“圣诞老人送了你什么礼物啊？”他怯生生地回答说："水果……"我感到很吃惊，回到家里之后，我问父母："圣诞老人怎么会把小孩子给忘了呢？"父母的回答含糊其辞，我带着满心的不爽回屋睡觉了，脑中想的全都是那个小孩儿的面孔和他说的那句话："我得了些水果。"

"这不公平！"这句话就此深深地烙印在了我的心里，让我多少年后都无法忘记。当时的我年纪还太小，无法为自己制订未来的职业规划，但我下定决心要让这个世界不再会有"这不公平"！我要竭尽所能让所有的孩子都能收到漂亮的圣诞礼物！我的承诺仅此而已，因为小小年纪的我还无法为自己的信念采取行动。为了避免再次遭遇那个"可怜"孩子的噩梦，我开始梦想自己的生活。就像绝大多数小孩子一样，我为自己编写出动人的人生剧本，倘若我在将来必须从事某种"职业"（在那个年代，"未来的职业"是一个备受关注的话题，孩子们也不例外）的话，那么这种职业就必须符合我当时的偏好：西部警长、远航船长、冒险家，还有伸张正义的好汉！

或许，这种对正义英雄的迷恋影响了我之后的所有计划。在20世纪50年代，我不曾读过美国的超级英雄漫画，让我痴迷不已的，是斯皮鲁（Spirou）、丁丁（Tintin）、布莱克与莫蒂默（Blake et Morimer）。我们家1962年才拥有第一台电视机，当时我十岁。我们通过唯一可以收到的频道观看了连续剧《佐罗》（*Zorro*）。再一次，这个英雄人物改变了我对世界的看法：锄强扶弱，惩奸扬善。这正合我意，而且，打六岁起，基督教义和我那位身为神父的叔叔，就让我愈发坚定了自己的信念——体验他人的感受。于是，我慢慢形成了自己的生活哲学，并且在岁月的历练中不断地加以巩固。

在进入青春期之前，我阅读了浪漫派作家的作品，大量的阅读让我对这种人文主义的信仰坚信不疑。我在自己的身边看到了很多的不公，而我的想法也渐渐成熟：在这个弱肉强食的社会里，捍卫贫弱之人的权益。我本可以成为本堂神父的，可我的力比多，它却渴望自我的满足……所以，我要成为律师！

几年之后，“五月风暴”的喧嚣让彼时正当青春年少的我愈加坚定了自己的想法。虽然我是个叛逆之人，但是我并没有被那种愈演愈烈的个人主义所吸引。很多热衷于政治承诺的人，不过是想以此为借口让自我得到满足，他们早就把人道主义的抗争抛在了脑后。这种面目不清的政治化令人失望至极，我拒绝听命于任何派系，决心孤身踏上自己的理想之路。我相信，学习法律能够满足自己的期待。

“放胆去做！”

高中毕业之后，进入大学之前，我获得了一笔奖学金，到美国的一个当地家庭居住一年，并获得美国的“高中文凭”。那是当时很多人都知道的AFS国际文化交流项目。我申请前往得克萨斯，但最后去了阿拉斯加。那是1970年，我很想知道，跟这些在法国“五月风暴”后的评论中被频繁提及的“帝国主义者”一起生活会是什么样子。我很快就了解到，不是所有的美国人都把选票投给了尼克松，也不是所有的美国人都是反共产主义者或个人主义者。我很快就被“放胆去做！”这句美式口号吸引住了：在那之前，我的人道主义理想只是停留在概念和知识的层面，我的想法倒是条理清晰，但具体的实践却乏善可陈。我那些待在法国的伙伴们选择了投身政治，但他们的参与至多不过是兜售诸如《红色周刊》（*Rouge*）之类的政治读物；在日常生活中，他们极少采取过落实自己信念的行动。但渐渐地，在“敌对国”度过的这一年中，我成了朋友圈里的“叛徒”：我跟邪恶之国共通一气，而且，我打算在回国之后学习法律。

在阿拉斯加州的首府，我很快明白了光会说漂亮话是不够的。朱诺，我所在的高中将要在来年接待的另一位“交换生”，我们必须为这位交换生筹措旅费和食宿费；因此，我周六大部分的时间都用来给邻居洗车、在超市门口制作和售卖煎饼、教人法语和参加用来募捐的小型戏剧演出了。在这里，人们不会等着发放津贴，不会祈求上帝保佑一切顺利，人们会采取行动！这让我彻底改变了自己的思维方式，从以前整夜思索重塑世界的欧式讨论，到最终形成了这种本能式的反应：“这个周末要做些什么？”

当然了，阿拉斯加人也并非完美无缺，但他们教给了我这个至关重要的信念："相信就去做！"我渴望了解特里吉特文化，那是阿拉斯加的原住民印第安人的文化，为此，我后来只身前往遗落在太平洋岛屿上的小村胡纳，在那里待了三个星期。我还想拜访阿拉斯加的其他城市：安克雷奇、克奇坎、锡特卡、费尔班克斯，负责帮我安排行程的AFS俱乐部，每次都会建议我筹措将计划付诸实施的资金。而我为了挣钱，只要一有时间就会去洗车，去帮邻居清扫车库门前的积雪，去市中心的快餐店里刷盘子，为高中的校报撰写文章……

但我花时间去做这些事情，不只是为了给自己的人道主义理想增添几分荣光；我在自己的生活和典型的美式"乐享"之间建立起一种平衡，这种"乐享"的生活方式从不排斥娱乐和消费！在美国高中里，我选修了语言、戏剧、造型艺术和法律等课程，以便为回国之后进入大学做准备。我娴熟地掌握了英语，这让我越发觉得"就读法学专业"是个明智的选择；在那个年代，法学是文科生的最佳选项，因为据说就业前景非常广阔。

在结束了阿拉斯加一年的学习生活之后，我如愿以偿地进入了享有盛名的卡昂大学法学院，这里曾经培养过很多著名的法学专家。我那时最想做的，就是成为律师。我曾无数次到卡昂的轻罪法庭去旁听庭审，那些为孤寡病弱辩护的"黑衣"男人和女人让我敬仰不已。大学第一年我过得春风得意，我的未来似乎已经板上钉钉。但是在第二年，我很快意识到，律师这个职业，多数时候都是帮着超市业主跟偷鸡贼打官司。法学院的氛围令人厌恶，那些“有产者的孩子”，一心只想着继承爸爸的公证事务所或保险事务所。另一些人则期望能成为法官，但他们似乎更愿意维护秩序，而非维护弱势群体。至于那些未来的律师，他们非“有利可图”的官司不谈，正是在这类官司中，律师会毫不犹豫地为了客户而出卖自己，诉讼的目的也不一定是为了伸张正义。我跟班上同学的交流本来就不多，而且往往说不上几句就会冷场：他们认为我是“左派”，是“空想家”，总而言之，我跟他们是话不投机半句多。

人道主义的选择

在此期间，我的一些高中同学成了小学教师或其他教育工作者，从事着人道主义的职业；而另一些更为崇尚自由主义的同学，则抛弃了一切去“过自己的生活”。引起我注意的，是那帮从事教书等教育行业的同学。渐渐地，我越来越觉得法学跟自己的信念格格不入，在获得了两年结业的大学法律普通学习证书之后，我离开了学校。

在那个年代，一旦中断学业就要去服兵役。在不用学习的一年中，我坚定了自己的选择。服完十二个月的兵役，我又恢复了自由身，为了找份工作挣点钱，我决定到卡昂的一家管教所工作。我在那里担任实习管教员。

这家“半自由式”的管教所，专门收容少年和青年惯犯。对这些青少年而言，这是一种在监狱和精神病院之外的幸运之选。我在那里工作了十多年。很快，我决心一边工作，一边到大学重新开始学习心理学的课程，以便丰富我作为轮班专业管教员的继续教育经历。这个工作让我着迷，因为它可以让我把大学的心理学课程和自己与少年犯的日常接触结合起来。

这家由路易·卡萨利（Louis Casali）一手创建的管教所，成功率高得惊人：在这里经过平均时限为三年的特殊教育之后，80%被管教的青少年可以毫无困难地融入社会，并且没有出现重犯。当时是20世纪70年代，我那些蒙有政治色彩的极“左”认知让我坚信，违法行为不过是人对人的社会盘剥造成的恶果。我所说的“机构安置”的正面效果[1955年，亨利－吉贝管教所（Henri–Guibé），至1980年]，并没有受到某些革命的影响：那是第五共和国时期，执政者从戴高乐（De Gaulle）到吉斯卡尔·德斯坦（Giscard d'Estaing）。这家管教所倡导的，不过是通过调节学校教育、职业学习、体育或艺术活动，尤其是在专业管教员协助下的集体生活，帮助少年犯重新融入社会。这些管教员会用每周两到三个晚上和每两周的一个周末陪伴少年犯一起度过。这些管教员会进行“教育”：他们迎接、接纳、分享、建议、展示、教授、反驳、对抗、惩罚……而当我为了某个周日的活动向我的一些大学同窗求助的时候，这些伶牙俐齿的社会学分析家全都一口回绝了。借口说这是一项徒劳无益的工作，对于解决轻罪问题不过是杯水车薪。所以你看，他们心里什么都明白，但是什么也不做。

分歧

不过，在日常工作中，我发现大多数的“犯人”并非来自社会底层，而是来自各个阶层。他们的共同之处就是，所有的人都苦于深层的教育缺失，而不仅仅是社会缺失。

那以后，我就决定跟那些“知道”但只说不做的社会学家或热心政客少打交道。很快，我在心理学系也发现了同样的荒谬行径。满身学究气的教授和他们被洗了脑的学生，只是一味地将轻罪行为定义为一种情感的缺失：“犯人会做出自毁和攻击他人的举动，目的是为了补偿自己内心的空虚，他们从来没有被人爱过、渴望过……”

这里也是一样，我在这些“不容于社会”的青少年身上并没有看到他们所谈及的任何一点，这里借用罗杰·穆奇艾利（Roger Mucchielli）的定义：是的，一些少年犯曾经遭受过常人无法想象的虐待，但是他们中的大部分人，在童年时都不曾有过真正的情感缺失。我的理解恰恰相反，是小皇帝的生活经验让他们曾经要风得风，让他们不曾在权威面前碰壁，让他们对自己至高权力的限度一无所知：他们被自己的“快乐原则”所支配，任何的人和事都不该阻挡他们的道路。他们所有的人都表现出一种极端的自我主义，追求即时的快乐，拒绝付出努力和接受限制，否认“现实原则”。为了达到目的，他们会引诱、操控、攻击或毁灭“他人”，在他们的人际关系中，他人是“物化的”，并且只为他们的快乐而存在。因此，对我而言，这是一个有关生活经验的问题，这种生活经验没有教会他们如何在自己对快乐的正常追求和现实的苛刻之间找到平衡，也没有教会他们如何让自我的错觉和他人的真实和谐共处。他们不曾有过可以学习的楷模，他们时时都处在冲动之中，陷在自己急迫需求的牢笼之中，令所有的社会关系失去了人情的意味。这就是我们教育的目的：重新了解自我，同时也重新了解“他人”和“现实”。可那是20世纪70年代……

精神分析之外的可能

每月一周的轮班专业管教员的经验，以及在大学里的心理学课程，让我看到了一种完全不同的可能：一切病理表现都源自一种无意识的问题，源自需要挖掘的深层的情感缺失，源自因母亲的过分涉入和父亲造成的阉割焦虑而被抹杀的“存在的渴望”。精神分析一统心理学和特殊教育的天下，教育变成了照本宣科，要求学生乖乖听话，并在考试和评估的时候原样复述。就这样，我背下了弗洛伊德、拉康、贝特尔海姆和多尔多所宣扬的情感缺失的种种成因。在完成了心理学学习（巴黎的心理学职业型硕士——DESS，后来被Master 2所取代）之后，除了需要签名点到的指导课程，我再也没有去上过一次课。我凭借记忆背下所有符合精神分析教条所期待的答案，好分数也随之而来。在最后一学年，一个学生把他几年前获得良好评语的试卷给了我，目的是帮我更好地理解"专家"教授的课程，而我在考试当天通过复述他的那些博得好评的论述，顺利通过了"罗夏墨迹测试"。

在此期间，我在卡昂的少年犯管教所里继续着对教育假设的抽丝剥茧，并造访了加拿大蒙特利尔的博斯科维尔少年犯管教所，在那里度过的几个月让我愈加坚定了自己的信念。博斯科维尔管教所里也有专业的精神分析师，其中就有著名的精神病专家米歇尔·乐梅（Michel Lemay)，他的热销经典著作《母亲伤了我》(*J'ai mal à ma mère*)，对人类之爱的缺乏所导致的异常行为进行了阐述。我还见到了道明会神父马尤（Mailloux)，他也是一位精神分析师，但他摆脱了理论的束缚，为那些托付给他的青少年（他们中的很多人都因为严重的犯罪行为，包括谋杀，被安置在这间"封闭型"管教所里）创建了可以相互交流的讨论小组，以便让他们能够更好地了解导致自己反社会行为的原因。这里的心理管教员令我刮目相看：他们会组织各种各样的活动，比如体育比赛和戏剧表演，一切的目的都是为了让这里的少年犯可以畅所欲言，并看到自己可以正常地活动。少年犯们必须“用语言表述”自己的行为，并聆听其他人在某种经历中的感受，比如一场美式足球赛。在有意识的情况下，“我的动作过快，不假思考，因为我当时想要那样去做”，一个被批评为只顾自己的球队成员如是说。接着是队友们的看法：“我骂了你，因为你不给我传球”，“你眼里没有其他人”。回到法国之后，我决定在一个由几名少年犯构成的小组中采用同样的工作方式，他们都参加过以重返学校为目的的日常学习课程。在持续一个小时的小组活动中，我让他们讲述一件管教所里的生活事件，我想要让他们通过字句意识到导致自己行为异常的原因：如果有人使性子，那是因为他的要求遭到了拒绝；如果有人打架，那是因为他看不惯另一个人。这些交流的目的，是为了培养一种我认为他们几乎不具备的能力：对自己和他人的行为进行思考。

快乐原则与现实原则

我的工作以两种推想为基础，在我看来，这两种推想是处理犯罪行为的根本所在：正视一种始终“以自我为中心”的想法，与这种想法拉开距离，让它变得更为“明确”[我醉心于让·皮亚杰和让·德雷维伦（Jean Drévillon）教授所讲授的发展心理学，并对他们的理论深以为是]。我全心全意地想要激发出管教所里少年犯们的一种更为抽象、更为人道、更为自省的思维方式，以便瓦解那些要求、冲动和不法行为的束缚，而正是这种束缚令他们拒绝评估，尤其是不愿意去思考自己的行为和表现。我希望能够通过这种做法促使他们去理解自己对快乐的强烈要求和自己拒绝接受的现实之间的关系。这种假设提出，在犯罪行为和思考缺位之间存在某种关联，一种存在于感受、思考和行为方式之中的微妙关联。这种假设，成了我之后很多年的工作核心，并成了我后来博士论文的主题。

但是，我在不知不觉中渐渐成了我们机构里的“异端分子”。精神分析学派的支配地位发挥了作用：我的工作方式只引起了极少数人的关注，在路易·卡萨利退休离开之后，再加上两位把精神分析奉若神明的心理治疗师的影响，我们这家“半自由式”管教所很快就变成了精神分析式假设的乐园，并且神不知鬼不觉地，或许是没有意识到，抛弃了教育的“动手做”，而这种“动手做”的方式在此之前已经呈现出极好的效果。现实不再重要，从今以后，取而代之的将是一个我们的“萨满巫师”灌输给教育团队的洞天之地：管教所里的青少年在日常活动中取得的进步不再是根本所在，他们心理世界的最深处才是根本所在，他们压抑在那里的种种冲突，不久以后就会在小组心理治疗的炼金术里烟消云散。这些心理治疗小组是在1970

年末创建的，采用的是德兹瓦尔（Desoille）的“引导性醒梦疗法”（简称RED，即Rêve Eveillé Dirigé）。在小组里，十来个青少年通过自由联想式的语言或是绘画，尽情表达自己所有的幻想。我参加过几次这种小组治疗：我听到的，只有针对心理治疗师的污言秽语；我看到的，是很多内容淫秽的绘画。心理治疗师跟我解释说，那是他们的无意识在发挥作用，在“诉说”。

如果这些小组治疗确实对管教所里的日常生活产生了积极的影响，那么我或许会重新审视自己的态度；但事实恰恰相反，管教所里的气氛变得越来越乌烟瘴气，对青少年的管教越来越趋向心理模式，越来越脱离教育手段，这令他们付诸行动的频率大大增加，并出现了在此之前从未有过的针对当时成年人的暴力行为，而心理医生依然固执己见。有一次，管教所里的一位心理医生把他新近出版的一本著作拿给我看，他在书中讲述了所里一名年轻人的故事，这个年轻人是“越战”的幸存者，通过心理治疗发现了自己被压抑的创伤。我提醒说，这个年轻人后来重犯了，而且进了监狱，对方忙不迭地回答道：“他在心理治疗中的收获以后会发挥作用的。”我们不再置身现实之中，所以，在心理治疗师看来，这个少年犯的情况有所好转，他成了一本大作的描述对象，而这本大作的目的是为了阐述引导性醒梦疗法之于少年犯的有效性，而这个年轻人却被关进了监狱。在日常工作中，我感到自己越来越被孤立，因为在我那些需要实际工作验证的“教育性”假设和心理医生的奇想之间，所里的工作人员必然是被后者抽象、深奥的高谈阔论弄得晕头转向，就像从前那些社会学系的学生一样。

在这家管教所工作了十二年之后，我辞职了，这其中有八年的时光可谓美妙，也就是推行教育式管教法的那几年，而在最后的三年中，我目睹了教育的真实性渐渐毁于精神分析的假设。后来我发现，一切的教育，在弗朗索瓦丝·多尔多（Françoise Dolto）的影响下都会遭遇同样的命运：“教育的精神分析化”会制造出小皇帝，而在那个时期，我已经亲眼见证了精神分析式的假设对少年犯造成的危害。这种病症需要现实来医治，而不是从未经过实际验证的理论，换句话说，教育需要教会孩子认识现实，而不是把现实概念化。

阿尔伯特·艾利斯的理性情绪认知疗法

辞职以后，我开始寻找心理医生的工作，我决心成为一个可以影响他人的人，而不再只是一个教育他人的人。所有的工作面试都以同样的结论告终：我不够“心理”，我是个实干型的职业者，我所有的观点都表明了这一点。是的，我不谈“精神分析”，而心理学几乎已经成了弗洛伊德思想的代名词，所以，我不是心理医生……那我是谁？

我不会因此而一蹶不振，于是，我决定成为精神分析的反叛者，但这不是一种职业……我已婚，三十二岁，有两个孩子，没有任何的补助金，因为我辞职了。还好，我妻子是教育部的观察员，她的工资可以养活全家，但也绝非手头阔绰。我非常清楚地知道，想法对于直面现实毫无用处。我把自己的处境告诉了我高中毕业之后去的那个美国家庭。

他们很快就回复了我：“来我们这儿散散心吧！”我再次启程去了阿拉斯加，那是在三月份，我住了四个月，而且得到了一份在朱诺做心理医生的工作承诺。我一个人先行动身，等待家人来年夏天来美国与我相聚。美国的现实很快就让我的计划化为泡影，所有的工作机会都随着石油危机而灰飞烟灭，这种事情可不是我这个初来乍到的法国人可以解决的！在美国前途渺茫，我的美国朋友是注重实效的现实主义者，他们建议我利用没有工作的这几个月去参加其他心理学理论的培训。我听从了他们的建议，我去参加了酒精病学和家庭暴力处理的培训。我在培训中认识了其他的心理医生，并向他们诉说了自己在法国时对精神分析的种种失望，以及自己打算在博士论文中研究的治疗推想。我至今还记得当时跟一位朱诺的心理医生、我后来的朋友马克的交谈：“在魁北克的时候，我研究了思维方式与行为之间的关联，而且我还在之前工作的管教所里跟少年犯一起对这种关联性进行了测试……”他回答我说：“在这里，我们把这种方法叫作认知疗法啊！”

我再次发现了新大陆。“什么？”我对行为疗法已经有所了解，但是对“认知行为疗法”却一无所知。那是在20世纪80年代——“认知疗法在美国发展得顺风顺水。而且我感觉你好像在法国对精神分析颇为失望，我敢肯定，你一定会对阿尔伯特·艾利斯（Albert Ellis）的研究感兴趣的。”

我研读了哈珀（Harper）和艾利斯的《理性情绪疗法》（*L'Approche émotivo-rationnelle*），并且了解到，自1950年开始，艾利斯就成了在美国抨击精神分析学的先锋。我心意已决，必须跟他见上一面！但眼下还有另外一件急务：迎接我的家人，不能让这趟美国之行变成我一个人的冒险，要让他们也看看阿拉斯加的美景，感受一下当地人的热情好客。我的美国家庭为他们提供了旅费，而我则在这里边工作边攒钱：在我美国父亲的车库里洗车，为一个我在就读朱诺高中时认识的朋友开的“纯天然”食品店送货……

我们返回法国后，我妻子找到了一份教授法语的工作，而我依然是无业人员，而且心境不太乐观。美国人对我“在法国根本无法找到心理医生的工作”的感叹做出了这样的回应：“你自己开诊所啊，试了之后再说可不可能！”实用主义的绝好忠告，我回去之后也确实这么做了：我用最后的积蓄在卡昂市中心租了一间办公室，然后挂上了“心理医生”的牌子。但除了法国大学承认的培训之外，我还需要另一种培训，那就是艾利斯的心理疗法培训。来我诊所的病人不多，但我通过为企业界提供培训赚到了一些钱，因为他们颇喜欢我这种看起来非常热衷于英美技术的“心理培训师”。

一年之后，我攒够了钱，于是决定联系由阿尔伯特·艾利斯领导的纽约理性情绪疗法研究所。“可以到你们的研究所进行培训吗？”几个月后，我得到了这样的答复：“可以，只要您说英语，并且能够支付所需的费用。”就这样，我在艾利斯那里接受了每年八天的研修班培训。

阿尔伯特·艾利斯给我留下了深刻的印象：强大的临床能力，广博的知识背景（他甚至对拉康的作品了如指掌），尤其是不服输的精神。而他对精神分析的抨击，再合我的胃口不过了！艾利斯本人就是学精神分析出身的，后来叛离了这条道路，所以他深知就里。他一直都在重复自己的观点：“就算您的母亲不曾爱过您，就算她过度涉入，或者您有个引发阉割情结的父亲，但最终，您将是那个唯一可以选择接受或不接受这些缺失、创伤或破坏的人……人对自己的神经症负有责任，可以揭开过去的伤口，通过自己的想法拒绝接受它们或维持其原状……个体应该拷问自己对此负有的责任……”因此，理性情绪认知疗法提倡处理有害的想法（我们的认知）和我们生活的非理性合成，从而无条件地接受自我、个人历史和他人，也就是现实，最终重新获得心理的平衡。

艾利斯帮助我摆脱了困扰我多年的幽闭恐惧症，发挥作用的并非行为疗法的什么秘方，而是对自我的深入了解，当然还有在令人惧怕之情境中的暴露。[我在《心理医生的秘密》

(*Secrets de psys*)一书中讲述了治愈的过程。] 我因此而体会到，人是如何不停地给自己灌输在生活中臆造出来的非理性原则，这些原则又是如何渐渐地变成了如同金科玉律一般不可违抗的想法。就像艾利斯所说的，这些一无用处的“必须”侵害着人的精神，只会带来无力感、焦虑和愤怒。艾利斯提出的“拒绝必当化”(拒绝“必须”“应当”的累积)，促使我后来开始研究这种人对生活合成的无意识的现实化。我非常欣赏他提出的“无法忍受的挫折”的概念，也就是人拒绝在自我、他人的身上和广义的生活中去体验努力、束缚和不快。这种他所说的“低挫折忍耐度”(LFT)，后来成了我工作中研究和推想的主线：这是一种人表现出的病理性和寻求快乐之间的微妙关联，而人往往会无视厄运、挫折或现实。兜兜转转回到原地：我更好地理解了亨利－吉贝管教所里那些青少年的反社会性和他们极度的自我，他们唯一的目的是体验因为不现实而成为“非理性的”快乐原则。我后来明白了，在这种放任式教育的恶性影响之下，很多孩子都受到了这种“无法忍受的挫折”，这种为了一己之欢而将他人物化的全能自我的侵害。对他人感受的缺失和对所有艰难现实(学业、令人不快的工作、权威等)的拒绝，在很大程度上造成了他们在无常现实面前的不堪一击。我明白了，艾利斯所倡导的三大接收(接受自我、接受他人和接受现实)，将是消除反社会的感受、想法和行为的不二法门。

而我亦有责任去“挑战”自己非理性的期待或想法。最需要挑战的一点，就是我对精神分析在法国一统天下的无法接受。艾利斯跟我说，想要赢得战斗，只需证明认知行为疗法比无休止的分析更加有效。他的精神传人雷·迪吉斯伯（Ray Di Giuseppe）也是这么认为的。直到有一次他来巴黎主持心理医生培训，我带他参观了几家FNAC[1]门店，他发现在人文科学的商品分区，心理学书籍的货架上杂乱无章地陈列着认知行为疗法、催眠、家庭疗法、个人发展等类别，而精神分析类书籍则以绝对的优势占去了两三排货架。在二十年后的今天，这种状况依旧。

改变现状

于是，我开始对改变自己关于精神分析的想法和态度下功夫：它压倒性的霸主地位让我难以忍受，但我并没有为了改变这种现状而采取任何实际的行动。因此，我应该审视自己诸如“人们应该意识到拉康学派在法国的专制地位”“家长们应该看清并摒弃多尔多的理论”的观念。这些想法是非理性的，因为它们在我这里变成了消极的期待，期待一切都会“顺理成章”

1　法国零售连锁店，主营书籍、游戏娱乐、数码影音等产品。——译者注地发生而无须我去做些什么。接受事实是另外一回事，接受精神分析在法国无所不能的地位，并不仅仅是表现出毫无用处的运转不良的负面情绪（主要是愤怒），或是抱怨“法国应该像其他西方国家那样，在面对病症时采取一种兼收并蓄的做法”。接受，就是承认法国——就像阿根廷——仍然是精神分析之正确所向披靡的最后堡垒：文化、艺术、教育、心理病理学……正因为这是我们眼前的现实，我们文化的例外，因此在抱怨之外的解决办法，就是自问：“我能做些什么去改变现状呢？”

我决心从想法迈向行动：我参与撰写了《精神分析黑皮书》[1]，此书引起了大量读者的关注，而在几年之后，我的朋友米歇·翁福雷（Michel Onfray）……后面的事情您都知道了。后来，我又写了两本关于多尔多的书。前路漫漫，但终于有人开始“真正地”听到异见人士的声音了。

纽约理性情绪疗法研究院成了我临床实践和理论研究的立足点。但我不会忘记20世纪80年代末，在耶路撒冷的Hassadah Wisoh Canada学院里度过的一个月。我在那里见到了心理学家鲁文·费厄斯坦（Reuven Feuerstein），他是工具强化教程（PEI）的创始人。在他的影响之下，我借助他的“学习潜能评量模式”（LPAD），以不同的方式对儿童和青少年的认知潜能进行了测试：我们惯用的静态测试（如今创造出无数的超智儿童），让

1　*Le livre noir de la psychanalyse. Vivre, penser et aller mieux sans Freud*, Paris, Les Arènes, 2005.

位于采用认知与情绪互动评估的测试。我在他那里还学到了关于“中介”的基本概念，一种病人与治疗师之间互动性极强的方法，一种必不可少的“改变的积极态度”，而非绝大部分健康领域专业人士所持的“接受的消极态度”。后来，我便专注于这种治疗师的投入和这种有时对推动心理治疗进步来说不可或缺的争议性。这不再是一种无意识的移情，而是一种对抗，病人神经症、非理性的现实和提出另一种现实的治疗师中介之间的对抗，而治疗师所提出的现实，最好就是眼前这个真真切切的现实。所有这些工作中全新的推想，都是精神分析的研究对象，不是弗洛伊德式的精神分析，而是真正的存在精神分析。

脚步不停，学习不断，捍卫己见

是的，我对心理医生这个职业的投入，就是我的个人历史、经历、所见所闻和价值观里生活的总和。“此在”（dasein），这个在萨特和现象学家眼中如此重要的概念，首先指的是一种存在于世界中的方式，而这个世界既不是由生物学，也不是由社会或情感来决定的，而是由全然的意识构成。正是这种对决定论的拒绝，让我坚定地站在了精神分析假设的对立面。正如当初我拒绝接受幼儿园里的那个孩子没能得到自己期望的礼物一样。我在生活中能够做些什么去减少这样的不公呢？这些不公不仅仅存在于社会层面，它们也存在于心理层面，而我的意愿，就是推翻心理领域中所有类型的决定论。

人脆弱不堪，在面对自己遭受的种种现实时会犯下错误。他可以选择恐惧（焦虑）、无力感或抱怨（抑郁）、对自我或他人的敌视（愤怒）。他也可以决定对自己的情绪，那些往往具有危害性的情绪下一番功夫，从而对这个世界“采取行动”，这个他往往拒绝接受的“现实原则”。

说到应对生活的能力，我并不比任何人强，我有幸遇到了让我受教匪浅的人，他们坚定了我的信念，让我在执行自己的计划时永不屈服于强制和支配。或许我是个性情执拗的人，但我之所以能够继续执拗地拒绝所有的成见，还要感谢阿尔伯特·艾利斯的理性情绪心理疗法对自我的塑造。通过不断地练习“挑战”自己的非理性和负面的想法，我找到了生活的守则，而这些非理性和负面的想法，可能会支配我的言行举止，而且一有风吹草动就会攻占我的大脑。而这，当然了，就是我想跟我的病人们，跟那些不再相信自己可以学会全新“生活技能”的人、那些往往遭受过现实重创的人、那些不再想要继续痛苦下去的人分享的。至于我那些亲爱的孩子们，青少年也好，大“皇帝”也罢，他们总是为了享受生活而否认现实，我在此也想要教会他们这种对生活的无条件接受：并非一种“无力快乐”的哲学，而只不过是一种理性存在于世界上的方法——成为自己生活的主宰，从而真正地构建存在的自我。

第十七章

行动，就是存在……

Quand agir, c'est exister...

斯特凡娜·罗伊（Stéphane Roy）

如今我意识到，是羞耻感造成了我的羞怯；是羞耻感通过对后果的恐惧，抑制了我的行为。在我感到羞耻的时候，首要的表现就是对自我的负面印象。我的身体变得沉重，我的动作变得笨拙，因为我感到手足无措。我感觉到的不仅仅是恐惧，而是一种整体上的无所适从。我感觉自己成了众人的焦点，我害怕会流露出表明自己尴尬的肢体迹象。

命运负责洗牌，我们负责出牌。

——阿图尔·叔本华（Arthur Schopenhauer）

在天马行空的浮想联翩之中，我想起了古希腊诗人平达（Pindare）的那句经典语录："成为你自己。"

"成为你自己"

理解这句话的方式可以有很多种，我的理解是，这就好像我们在生命中被推动着成了某个人。不是为了成就赫赫之名，而是为了获得他人的认可。无论阻碍、困难或痛苦，我们都可以选择成为或不要成为那个人。这取决于我们的自由意志。只有找到了自己的道路，只有去完成与自己的能力、价值和动机最为相得益彰的事情，人才能获得圆满。

成为谁？成为什么？我如何能够知道自己有朝一日会成为

心理医生呢？我如何能够知道这会让我的生活天翻地覆呢？亲爱的读者朋友，您马上就会猜到，我写下的将是一篇回顾性的文字，一种对自己过往历史的重读，一种事后的假设……相较于“我为什么成了心理医生”，我更愿意回答这个问题：“我是怎么成了心理医生的？为什么我会从中受益？这对您又有什么帮助？”

俗话说得好：“龙生龙，凤生凤。”我就像我的父母，我在很小的时候就发现自己具有一种相当高的敏感性。您会说，敏感并没有什么不正常的，确实。但就我而言，这种敏感更多的是一种缺点，而非优点，至少一开始的时候是这样。心理医生习惯于按图索骥、分门别类、开方授药。这也适用于不同类型的人格。这只是一些倾向，而非恒定不变的事实。长袖善舞的外倾型，与他人的关系充满活力，他们具有善于与人交往的倾向，有时甚至是一马当先的倾向。殷勤可亲的人，一心为他、心地宽厚、乐于助人。尽忠职守的人，能够专注于需要达成的任务和目标，并对它们进行组织、规划和实施。这类人做事讲究条理、方法、规则和严谨。神经质是另一种性格特质，表现为情绪的波动不稳和负面消极（焦虑、抑郁倾向、易激）。这种性格特质，会体现出一种在面对自己的情绪时感到不堪一击的倾向。最后，还有开放性特质，表现为富于想象、充满好奇、渴望全新的体验。

我们的人格，乃是基因遗传、生存环境和生活经验相互影响的结果。所以，在我提到自己童年时的高度敏感时，它也是以上各种因素相互作用的产物，表现为一种相当程度的内倾和责任心，一种在面对自己负面情绪时的强烈倾向，幸运的是，我同时也非常渴望能与人交心，渴望体验新奇的事物。

我们童年的成长环境，在很大程度上决定了我们会成为怎样的人。我的父母做了一辈子的生意人，就是人称的咖啡馆老板。我就是在这种欢笑与泪水交加的氛围中长大成人的。虽然我不是个擅长交际的人，但我发展出了极强的聆听能力和观察能力。我不知多少次坐在咖啡厅的角落里聆听客人的交谈……现在我知道了，当时自己感兴趣的不是谈话的内容，而是客人表达的方式。不时会有喜笑颜开的交谈甚欢，但更多的是孤独寂寥、苦闷忧伤和情绪崩溃的戚戚哭诉。我对后一种故事尤为记得清楚。看着那些醉生梦死的人，我想要了解是什么竟会让人这样地糟蹋自己。虽然当时毫无意识，但或许我就是在那个时期萌生出了成为心理医生的渴望，或至少是理解和帮助他人的渴望。

实际上，从我记事起，我就一直被他人所吸引，一直对他人感兴趣，尽管我有社交恐惧（后文中会谈到）。那人的脑子里在想些什么，竟然促使他做出这样的举动？这个疑问自此一直在我的脑中盘旋。我本就是个深受自己情绪和感觉影响的人，因此我很快就明白了，情绪和感受对我们的行为和思想发挥着重要的作用。

羞耻，让人念念不忘……

想要改变，是改变最大的阻碍。

——弗里茨·波尔斯（Fritz Perls）

在所有我曾体验过的感觉之中，首当其冲的要数令人深感不快的羞耻感。

别看我现在可以对自己的过往侃侃而谈，以前可不是这样。青春期，然后是青年期，我一直都清楚自己在与人初次接触时的浑身不自在，尤其是对方还表现得轻松自在时。我的脑海中充满了回忆。是否该对它们区别以待呢？我不觉得。我不禁再次想起了自己当年的怵惧：在课堂上大声回答问题的时候，跟朋友出行时需要提出建议的时候，敢于对自己无法满足的要求说不的时候，又或者跟心仪之人亲密会面的时候……所有这些情形都各有不同，但都讲述了同一件事情——害怕显得滑稽可笑进而遭到拒绝。

不得不承认，我开始学习心理学实在是意料之外。当然了，我在之前就拜读过西格蒙德·弗洛伊德的《文明及其不满》（*Malaise dans la civilisation*），那本书是我从高中图书馆偶然借来的。我很喜欢那本书栗色的封面，当然了，我在高中的哲学课上也初步了解到弗洛伊德的思想和精神分析的理论。我完全可以跟您说，我因此而深受启发，并感到了使命的召唤；但事实并非如此。初高中那几年的生活对我来说苦不堪言，哪怕再引人入胜的新知识，我都是油盐不进。拿到毕业文凭，摆脱了高中的束缚，我终于自由了，终于可以自由地选择自己的道路了。我心想，“心理学”应该是个耳根清净的专业，那我就可以继续自己的音乐爱好了。

情境，令所有的事物具有了意义，还会让人改变对世界、对他人和对自我的看法。没想到的是，我很快就对学习的课程产生了极大的兴趣，尤其是心理学（研究精神疾病及其成因和治疗）。其中一门课的主题让我感到大为吃惊的同时，也让我感到醍醐灌顶——终于可以用确凿的字句对我所特有的行为、想法和态度加以描述了。就是在那个时候，我明白了自己的感受是有名有姓有定义的——社交焦虑。

心理学上所说的社交焦虑，指的是个体在面对社交情形时感到的不适。它既包括羞涩和怯场，也包括更为严重的表现形式，比如社交恐惧症和逃避型人格。我的情况属于较轻的社交焦虑，也就是羞怯。羞怯，是一种非病理性的性格特质，它会导致性格内向者在人前退避三舍，或是避免引人注意。矛盾的是，这种人往往敢于另辟蹊径，因为他们非常需要得到他人的欣赏和重视。在那个时候，我并没有真正意识到自己采取行动是出于他人的目光，而非按照本身的需要和渴望。

如今我意识到，是羞耻感造成了我的羞怯；是羞耻感通过对后果的恐惧，抑制了我的行为。在我感到羞耻的时候，首要的表现就是对自我的负面印象。我的身体变得沉重，我的动作变得笨拙，因为我感到手足无措。我感觉到的不仅仅是恐惧，而是一种整体上的无所适从。我感觉自己成了众人的焦点，我害怕会流露出表明自己尴尬的肢体迹象。这种感觉跟我赋予他人目光的重要性有关，也跟我觉得他人对自己的印象有关。有点像是我把时间都花在自我批评上了，那必然是一种负面的自我批评。

觉得自己与众不同或受人期待，或只是被人注视，都会引起这种不自在的感觉。这种羞耻感传递出一种社交互动的焦虑，这种焦虑又会引发做出不得体的举动、说出不该说的话，以及对无法胜任或无法适得其所的恐惧。再者，还会觉得他人似乎能够看穿自己的想法，能够通过某种媒介窥见自己内心的隐秘，尤其是通过那些我们感觉得到的身体迹象，比如脸红。

重获新生

我无法期望去改变一个病人，除非我接受被他改变。

——迈克尔·巴林特（Michaël Balint）

关于这个主题，第一本让我大受启发的书籍，就是克里斯托夫·安德烈和帕特里克·莱热隆撰写的《害怕陌生人》（*La*

Peur des autres)，作者在书中明确指出："在日常生活中，羞怯的主体会在两大类情形中感到举步维艰：一种是必须在关系中采取主动的情形，另一种是需要亲身参与、讲述自己情绪的情形。"确实，识别、感觉、接受和表达自己的情绪，曾经是最让我感到为难的事情。

但理论并非实践。毕业之后，我有幸进入了一家专门治疗社交焦虑的机构工作。我不知道上帝玩不玩骰子游戏，但不管是不是偶然，我必须抓住这个机会。就是在跟社交焦虑病人打交道的这几年中，我对自己有了最深刻的了解。即便是带着最客观的态度，我也禁不住会对他们有认同感，禁不住将自己置身在他们的痛苦之中。我非常认同唐纳德·威尼科特（Donald Winnicott）的理论，这位著名的儿童心理学家曾说过："我对我的病人们怀有无尽的感激之情，感谢他们教给了我今天我所知道的一切。"我曾经陪伴过的和如今正在陪伴的病人，他们无法想象，接受我的帮助曾经是、现在依然是对我的莫大帮助，这是一种名副其实的携手合作……

在跟这些病人打交道的最初几年中，我记住了一个词——行动。如果我自己都不去实施那些我苦口婆心说与病人的好建议，我又如何取信于人呢？于是，我选择采取行动，毫无保留地去面对自己的困境。做治疗师，并非是要做到没有问题；做治疗师，并非是要知道如何解决所有的问题，包括自己的问题；做治疗师，是拥有尝试解决问题的方法。所以，我通过在令自己感到焦虑的社交情境中进行自我暴露，把自己的所知所识付诸行动。首先从较为容易的情境着手，然后逐渐进入困难的情境。对每一种情境，我都会练习、练习、再练习，直到感觉足够自如为止。我甚至会主动诱发自己的羞耻感，然后观察自己对拒绝和排斥的信念是否得到了印证，然而一次也没有。

白驹过隙，一晃已是十五年。即便我现在已经能够自如地与他人相处，但我仍在继续自我暴露。培训、讲座和采访，成了我青睐的游戏场。

现在，在心理医生和心理治疗师的工作中，我知道自己的羞怯是一种优势，因为羞怯可以让我无比专注地倾听他人。这种对他人评判的高度敏感，让我可以无条件地专注对方。还不止这些，要知道，甘地、肖邦、普鲁斯特、笛卡儿和爱因斯坦，全都是羞怯的人！

历数往事，我忽然想起了丑小鸭的故事。从前有一只鸭妈妈，它正在孵蛋。其中一只蛋的个头特别大，也是最后一只还未破壳的蛋。鸭妈妈的同伴对它说："小心这只蛋，它很可能是火鸡的蛋，火鸡就知道给我们找麻烦。你为什么不把时间和精力花在那些已经孵出来的小宝贝身上呢？忘了这只又丑又老的火鸡蛋吧。"但是，鸭妈妈决心听从自己的直觉，继续孵这只蛋，最终把小宝贝孵了出来。但破壳而出的不是火鸡，而是一只丑陋的小鸭子。这个笨拙的大块头就这么蹦到了鸭妈妈的面前，旁边是它漂亮的兄弟姐妹们。鸭妈妈的朋友们继续在它的耳边煽风点火，嘲笑这个怪模怪样的小家伙。但就像滋养万物的仁慈上帝，鸭妈妈一视同仁地爱着自己所有的孩子，尽一个母亲的所能，悉心地照料小鸭子们。光阴流逝，大块头的丑小鸭长得越发大了，但它常常觉得备受奚落。伙伴们因为它丑陋的外表而对它避之唯恐不及，其他成群结伙的家禽，则用弹弓和恶言冷语对它肆意羞辱……最终，在经历了看似永无尽头的这一切之后，丑小鸭在春光明媚的一天漫步来到城堡的池塘边。就在这时，它看见一只仪态庄严的美丽天鹅在水面上滑行，天鹅那无比的优雅和美丽让丑小鸭不觉感到心中一阵悲凉。它暗想：要是我长得哪怕漂亮一点点，拥有哪怕一丝一毫天鹅那样的魅力，那该多好啊！这么想着，丑小鸭垂下头望着自己跟前的水面，它看见水里有一个影子，它自己的倒影。它不再是一只丑陋的小鸭子了，而是一只天鹅，一只优雅而庄严的天鹅。

丑小鸭蜕变成美丽的天鹅，可能象征着我们每个人的成长和改变。过去或许会留下丑陋的痕迹，我们或许曾经是一只丑小鸭，至少是我们自己眼中对某些事物的印象，但我们依然可以借助深情的关注做出改变并破茧化蝶。我们的命运是完满而彻底地活着，对自己和他人饱含爱意，我们就这样朝着这个方向一路成长和发展自我。

心理医生的职业对我有何影响?

学习?当然了,但首先要去生活,然后通过生活去学习,在生活之中去学习。

——约翰·杜威(John Dewey)

如果我们把知识当作理论性的东西,那么,我们就可以说,认知是附带生活经验的理论。心理医生这个职业,让我有机会通过不同病人的问题接触到大相径庭的主题。就像我在前文中所说的,我从自己的病人那里学到了很多的东西,他们的困难有时会印证我曾有过的体验。

言语的分享

我在前文中已经跟您说到过在人际交往中可能遭遇的困难。但是,我现在明白了,一次交流、一个眼神、一只伸出的手,是最可宝贵的东西。人只有在人际关系中,无论是否处于治疗的语境之中,才能够寻获倾听、善意与安全感。

我们是需要同类陪伴的社会性动物,再没有什么比朋友、家人或亲近之人的拥抱和关怀更能鼓舞人心。因此,人的幸福与不幸并不取决于他人之于自我的存在,而取决于跟他人结成关系的质量。

近十五年来，新的研究尝试找出社会文化因素对语言出现的影响以及语言的发展方式，因为语言可以促进社会关系的形成，也就是人与人之间的分享。分享，是一种外在的人际关系和内在的人际关系（与自我的关系）优先选择的工具。言语塑造这些关系，同时也被这些关系所塑造，并因此而变得更加丰富。这种有时能够安抚人心的言语源自社会互动。促成并推动社会关系的言语，不仅仅是一种信息的交流。言语涉及对他人的敞开和聆听。基于这个事实，社会互动通过语言或非语言的形式，促使我们表达自己的情感和情绪。实际上，非言语交际在人际关系中也具有重要的作用。

感觉的色彩

有一个概念令我印象深刻，它陪伴我在日常生活中构建优质的关系，那就是“存在”。这个概念可以定义为将自己全然的存在带入到与他人的关系之中，并完全地与对方存在于当下。在治疗中，存在表现出若干不同的特点。这些特点适用于任何类型的关系：

- 将其整个人引向与他人接触的意图；

- 抛开自己的信仰、理论、预先假定和个人问题，创造出一块可用的内部空间；
- 发展一种开放、可得和不评判的态度。

所有这些品质都要求具有接纳能力。接纳能力，意味着以一种真实可见和具体有形的方式，将过往的经历纳入到自己的存在之中，可以是触觉、感官、身体、情绪和精神的方式。接纳能力的概念类似于冥想中的“正念”。这种为越来越多人所接受的冥想形式，可以成为有益的补充，从而让您在与另一个人的关系中更加强烈地感觉到自己的存在。

这种方法的目的，是为了认识自己精神的本质，而不是与之对抗。在冥想中，唯一的目的就是通过不予评判地接纳“来者”，在当下存在于此地、此时和此刻。对冥想敞开心怀，并不需要改变自己的生活。冥想是一种与生俱来的能力，它只是一种超脱或内心的警觉，以及一种当下的正念。

冥想并不是一种技能，而是一种领悟，一种对我们真实本性的意识。在大部分情况下，我们都会追随自己的想法或感觉，而且我们会倾向于认为这些想法和情绪就是我们本身。冥想就是这种存在的状态，只是存在，一种不牵涉身体或精神的纯粹体验。这是一种被我们遗忘的本质状态，因为我们更习惯于“做”而非“存在”。

冥想，意味着“成为见证”，只是为了去观察存在于我们身上的想法、情绪和身体感觉。这个过程是为了不再通过外部人格去进行自我认同，它可以让我们在不做任何评判的前提下更好地接纳自我。冥想，可以让我们摆脱想法和情绪的奴役，而只是去观察这些想法和情绪，像一个无声的见证人，拥有了解真正符合自己本性之物的天赋能力。

虚空的体验

在我们可以谈论家庭和传递问题之前，得先要结成伴侣。伴侣及其在时间里的构建，堪称是名副其实的冒险，而我们对前路却茫然无知。有时，这种冒险会早早结束，并以双方的分离告终。我在几年前就曾有过这样的体验。

在这场暴风雨的中心，我体会到了空虚的感觉。很多的病人都曾跟我讲述过这种体验。在亲身体验到这种空虚的感觉之前，我对他们的诉说只是似懂非懂。我所说的空虚，并不是那种您有时会在内心深处感觉到的空虚，而是那种矗立在您眼前的空虚，它就好像一股让人无法抗拒的吸引力。这种空虚，会让人有种忽然间被擒住的感觉，就好像坠向无底的深渊。

当另一方选择离开，这种分离令人感到痛苦的地方，并不仅仅是面对空虚的事实。您在面对这种空虚时，本质上感觉到的是恐惧。这种恐惧跟遭遇空虚没有关系，您恐惧的是自己越来越深陷其中可能带来的结果。遭遇空虚之后最令人胆寒的终极阶段，就是崩溃。另一些人称之为“湮灭”，因为消失在虚无之中，令人恐惧不已的就在于此。

因此，为了对抗崩溃和无力感，我们有时需要采取行动。在这一刻，我们惯常用来应对困境的抗争状态是毫无效果的。此外，还会出现焦虑发作和频繁就医的念头，实际上，这些反应都是为了逃避这种骇人体验的解困尝试。最后，还有一些人会出现成瘾行为（酒精、药物、食物、冲动购物等），就像是精神崩溃前的最后一道防线。

您可能会感到惊讶，但经验告诉我，一旦摔倒在地，我们所能做的就只有站起身来，正如法国记者兼作家菲力普·拉布罗（Philippe Labro）的著作标题：《跌倒七次，站起来八次》（*Tomber sept fois, se releverhuit*）。在这本书中，作者警醒地告诉我们，陷入抑郁不仅仅是一种虚弱的迹象，这种状态往往具有某种含义，某种需要解读的信息，比如加倍地爱护自己，或是改善与他人的关系。

在感觉到被世界遗忘的时候，正是这种对无力感无条件的接纳给了人勇气。无条件地接纳这样一个事实：空虚可能不期而至，并带着您到一个完全陌生的地方。正视这种体验，就像为了超越恐惧而去正视恐惧，让我认识到了真正的自己，并意识到我没有表达出自己内心深处所有的需求。

奇怪的是，我在伴侣生活中并没有足够地表达自我，因为我害怕对方无法爱上自己的本真价值；正是这种恐惧抑制了我的人格。无法做自己，最终促使对方选择了离开。因此，做自己，就在于客观地表达自己的需求、渴望和价值观。有一天，一个同事跟我说，“运转”良好的伴侣，都是能够在关系的最初就对可能促使任何一方离开的因素有所表达的伴侣。

因此，两人关系中的自我表达，就成为伴侣生活获得成功的必要先决条件（但无法保证万无一失）。伴侣间良好的沟通取决于双方的互补，就像硬币的两面最终合成一个整体。这种两极的共融，一方面赖于表达自我，一方面赖于倾听对方。

为了确保对方能够清楚地了解自己的心意，表达的方式和信息的内容都很重要。因此，关键在于清晰准确、简洁明了地表达自己的感受。意思是，话要说得明明白白，让对方不必琢磨揣测，或是以错误的方式解读传递的信息。以强势的方式进行沟通，同样要求在尊重对方的前提下以非指责性的方式进行表达；也就是说不带攻击性，不使用带有侮辱性的言辞，或是不去翻旧账，以免惹人不快，因为这只会让情况雪上加霜。最后，表达自我，也意味着懂得以真诚的方式去恭维对方。开诚布公地表达自己对他人的欣赏，可以增进伴侣之间的亲密度。

倾听他人并非易事。倾听并非人之本性，它要求在对自身反应有所意识和对他人保持可得性的同时，能够进行思考和保持警觉。当伴侣中的一方笃定自己占理而不愿去倾听另一方的时候，双方的沟通可能会迅速陷入僵局。为了实现我们所说的积极倾听，需要做到以下几点：

- 停止所有活动，以专注于对方和讨论的主题；
- 靠近伴侣，并避开干扰因素（广播、电话、电视等）；
- 采取中立的态度，抛开成见和仓促的定论；
- 杜绝一切解读的倾向；
- 不要打断对方，让对方尽情地表达；
- 在认为对方的意思不够明确时，通过提问请对方澄清自己的想法。

孩子想要“摆脱”父母展翅高飞，去探索外面的世界，这是很正常的事情，但两个决定一起生活的人，在结合的最初并没有分开的打算。然而，两个人的分离在当今这个现代社会中早已是见怪不怪的事情。保持长久伴侣关系究竟有什么秘诀？他们之间的矛盾是否比别的伴侣要少？肯定不是。相反，我们所说的“神仙眷侣”，是能够越过双方不同的信念和价值观而保持有效的对话。“神仙眷侣”并不是说双方都能够做到无条件地接纳，恰恰相反，他们往往对彼此都有较高的要求和期待。“神仙眷侣”的与众不同在于，他们会坦诚地就碰到的困难进行沟通，并寻找双方都可以接受的折中方案。最后，亲密而友好的关系也同样至关重要。比如，“神仙眷侣”每天至少会花五分钟的时间进行身体接触，每周至少一起参加一项活动，在一天结束时进行一次惬意的交流，或是在早晨出门之前至少了解一件对方在这一天要去处理的事情。

令生活具有意义

治疗师无法治愈，他只能治疗。只有天性才能治愈，只有生命才能治愈。

——让-伊夫·勒鲁（Jean-Yves Leloup）

我记得有一位治疗师曾经说过："成年治疗师，是在童年时没能成为治疗师的治疗师。"这句脱离了语境的话或许令人有些不解其意，但倒是挺适合我。我现在知道了，自己在年幼时就显现出了成为治疗师的天资，是我的不自信压抑了这份天资。只有在经历过我在上文中提到的那些早期体验之后，我才能在如今幡然醒悟。但为了能够把自己的天资和生活经历结合起来，还需要第三点。这第三点，就是在我的工作中与病人们的接触。

没有人不曾遭遇过困难：疾病、哀痛、丧失、分离。更好地了解自我，可以帮助我们更好地应对困难。同时，面对这些困难也可以让我们学会认识自己。更好地了解自己，可以让人与自我协调一致地行动，并提升自尊，可以让人发现自己的潜质和能力的极限，可以让人做出明智的选择，或是让自己的生活具有意义。

阻碍我们行动或朝着自我价值、生活方向前行的，是对痛苦、孤独或死亡的恐惧。然而，也正是痛苦、孤独和死亡，反过来会通过我们的行动令生活具有意义。且不论生活的变化无常，我想要传递给您的，更多的是期待，而非希望。期待，是在经历种种事件之后，依然怀有对生活的信念。期待，藏在三大领域之中，三种令生活具有意义的方式之中：发展令人满意的情感关系，向某种精神的灵性（无论有没有至高之神）敞开心扉，以及投身行动，工作也好，协会也罢。作为结语和新的开篇，请允许我通过让您思考以下这几个简单但至关重要的问题，为您提供一些前行的建议：

在您目前的生活中有什么进展势头良好的事情？

就您的生活方式而言，在您目前的生活中有什么可以改善的方面？

在您目前所从事的工作和休闲活动中，有哪些体现出了您的个人价值？

您是否对某个人欣赏备至？这个人是谁？这个人为什么能够博得您的欣赏？

您具有哪些受到他人认可的主要品质？

在您想要诉说自己碰到的或是想要解决的问题时，谁会是您的倾诉对象？

了解更多

书籍

- 克里斯托夫·安德烈，《灵魂的状态：泰然的修行》（*Les États d'âme. Un apprentissage de la sérénité*）。
- 乔恩·卡巴-金（Jon Kabat-Zinn），《身在，心在：正念冥想每一天》（*Où tu vas, tu es. Apprendre à méditer pour se libérer du stress et des tensions pronfondes*）。
- 雅克·勒孔特（Jacques Lecomte），《令生活具有意义》（*Donner un sens à sa vie*）。
- 丹尼尔·斯特恩（Daniel Stern），《心理治疗中的当下：一沙见世界》（*Le Moment présent en psychothérapie. Un monde dans un grain de sable*）。
- 欧文·亚隆，《存在心理治疗》（*Thérapieexistentielle*）。
- 杰弗里·E.杨和珍妮特·S.克洛斯特，《重塑生活：你比自己想象的要好》（*Je réinvente ma vie. Vous valez mieux que vous ne pensez*）。

电影

- 《生活琐事》（*Les Choses de la vie*），克洛德·苏台（Claude Sautet）导演，米歇尔·皮寇利（Michel Piccoli）和罗密·施奈德（Romy Schneider）主演，1970年。
- 《是的，但……》（*Oui, mais...*），伊夫·拉万迪埃（Yves Lavandier）导演，杰拉尔·朱诺（Gérard Jugnot）和艾米莉·德奎恩（Émilie Dequenne）主演，2001年。
- 《心灵捕手》（*Good Will Hunting*），格斯·范·桑特（Gus Van Sant）导演，罗宾·威廉姆斯（Robin Williams）和马特·达蒙（Matt Damon）主演，1997年。

第十八章

心理学，一个讲不完的故事

阿兰·索特罗（Alain Sauteraud）

在将近八岁的时候，有一天放学，我跟同学一起出去吃午饭，一个总坐在教室最后一排、顶着一头棕红色蓬乱卷发的小伙伴跟我说，他回家要挨父亲的打了，因为考试成绩不理想。我不相信他的话。当天下午，在我充满怀疑的目光下，他掀起了自己的衬衣，给我看他背上一道一道的血痕。

La psychiatrie, une histoire qui ne finit jamais

当我应邀参与撰写有关“您为什么成了心理医生”这本书时，我感觉自己年轻了二十五岁。

一个简单的问题：“您为什么成了心理医生？”

我耳边再次回响起母亲在我骄傲地向她宣布成功通过精神科专业实习医生考试时说的话：“真遗憾你没有选择心脏科！”几年前，当我费尽气力通过了升入医科二年级的考试时，母亲跟我说：“真遗憾你没有去国家行政学院！”我十分纳闷她是怎么想到国家行政学院的，或者她不过是随口一说。但那确实就是我母亲心里对我选择学医的真实想法：“不错，但你本可以做得更好。”母亲说的这两句话本该让我感到难过、失望或气恼，但很奇怪，我两次听到她的话都觉得那是爱的证明，证明她相信我绝对有能力考上国家行政学院或是她心仪的医学专业……我父亲呢，每一次都会安静腼腆地祝贺我，而且总是带着一副认为“学业有成”乃天经地义之事的神情。平心而论，我的父母从未想要去左右我的选择。他们都能够接受我不总是、不刻意去讨他们的欢心。他们给了我选择的自由，这实在是一种极大的幸运。

“我成为心理医生纯属偶然”

我不由想起了医科四年级时的一位同学——皮埃尔，他留着小胡子，秃顶，比我们大了整整十五岁，是我们的“同届大哥”。他是在做了十年的医药代表之后才开始学医的。我又想起了这位人际交往经验丰富、充满魅力的“大哥”曾经一副万事通的样子跟我说过的话：“医科学生选择心理学专业的原因有三个。第一，他们想要治疗自己；第二，他们没有选择；第三，他们成不了好医生……”

无论如何，我都宁愿自己是因为没有选择……但是，就算我那位老同学会不高兴，我也认为，人们成为心理医生确实有别的原因。首先，是因为偶然。是的，成为心理医生纯属偶然。在初高中期间，我们顺利考过了这门科目，考砸了那门科目，学习这门科目困难重重，对那门科目则兴致盎然，根本意识不到这些结果将会塑造我们的未来。接着，做出选择的那一天到来了。许下承诺和承担责任的年纪近在眼前。我们在所有可能的选择中做出取舍，这依然是出于偶然：要跟朋友们在一起，要避开某个昂贵的城市，要跟女朋友步调一致，要听一听在这一天最后一个表态或是最具影响力的人是怎么说的。当然，还有就是选择最能激发自己热情的专业方向。不，我不是“天生的”心理医生；不，我不想一辈子都从事这个职业。我更愿意成为摇滚明星、艺术家、红人，更愿意在世界杯上射进制胜的一球，更愿意成为一个英雄。小的时候，我经常连续几个小时浮想联翩，幻想自己鏖战正酣（我不知多少回在特拉法加海战中头戴元帅双角帽，手握漆木军刀），面对着漫天炮火、惊涛骇浪、暴风闪电和无边的孤寂。我将凭借自己的天才和勇气决定胜局，痛击邪恶的敌人，最终成为童年时的英雄。后来，我又梦想能够成为知识渊博的学者、冒险家、勘探者、飞行员。但是没有！我从未成为过这些人中的任何一类，我也永远不会成为他们中的一员。但数十年来，不知有多少人在碰到问题时曾向我求助。因为这个，我从来没有后悔过自己的选择。

至今仍是心理医生并非偶然

我至今仍是心理医生并非偶然，这不是一个天真幼稚的选择。我用了很长时间才明白了自己为什么做出了这个选择，而我如今依然走在这条领悟的道路上。

令人不解的断言

“你拥有获得幸福的一切。”不知道为什么，从我记得听到这句话的那天起，我就始终对它感到困惑不解。如果可以用一句话来解释我的所有经历，那就应该是这句话了：“你拥有获得幸福的一切。”可这句话我已经听了不下数十次：在家里，在学校里，在电视上，在日常的闲聊中。我也曾在报纸杂志、文学作品中看到过这句话：按照这句断言的意思，只有物质上的困苦或身体上的疾病才可能带来不幸。但是，应该如何去理解“你拥有获得幸福的一切”呢？首先，这个“一切”指的是什么呢？通常情况下，这句话的意思是说主体“什么都不缺”：吃得饱、喝得足、穿得暖、身体好、有家人、智力正常、受过教育。那为什么这些“拥有获得幸福的一切”的男男女女还会这么痛苦呢？难道他们只是一些被宠坏了的孩子，不懂得珍惜自己拥有的一切吗？那我呢？我这个号称“拥有获得幸福的一切”的人，我又为什么会“毫无来由”地感到焦虑，因为“蹩脚的理由”而感到沮丧，或者难受得四肢冰凉呢？

在将近八岁的时候，有一天放学，我跟同学一起出去吃午饭，一个总坐在教室最后一排、顶着一头棕红色蓬乱卷发的小伙伴跟我说，他回家要挨父亲的打了，因为考试成绩不理想。我不相信他的话。当天下午，在我充满怀疑的目光下，他掀起了自己的衬衣，给我看他背上一道一道的血痕。当他跟我说那是皮带抽的时，我对他的话已经没有丝毫的怀疑了。晚上回到家里，我跟父母说，班上一个坐在后排的男同学因为成绩不好挨了打，父亲说我们对此也无能为力。在那一刻，作为孩子的我，心中某些关乎信念的东西崩塌了。“拥有获得幸福的一切”还不足矣，小学的糟糕成绩就足以让一切分崩离析。所以，对这句话不能太过相信了。精神的痛苦，那时的我知道它是存在的，但不知道它是什么。

自那以后，生活就像这份职业，让我看到了精神痛苦千变万化的面孔：挫败、孤独、屈辱、背叛、焦虑或恐惧、愤怒、反抗、阴魂不散的暴力、情感上的不安全感、悲伤或失望。说到底，我作为精神科医生的追求，就是尝试回答这样一个问题：我们如何在“拥有获得幸福的一切”时过得更好？

迷之往事

另一段个人的往事，对我选择了一种科学的而非文学或哲学的精神病学产生了重要的影响。我们家族中一位成员，一个才华横溢的大学生，在我十四岁的时候住进了精神病院。我们曾去医院探望他。我当时对那些治疗药物的作用一无所知，那些药让一个生气勃勃、充满热情的年轻人，变成了一尊一言不发、动作迟缓、思维僵滞的活雕塑。当然了，他确实需要治疗。等到第二次去探望他的时候，医院通知我们说住院治疗结束了，他可以出院回家了。但是我们没能见到他，因为他当时正跟其他的病人在作业治疗室里缝制用来出售的靠垫。我清楚地记得，当时自己忽然感到一阵难以名状的不适：在我看来，“缝制用来出售的靠垫”，对于一个几个月前还是令父母感到欣慰和骄傲的天之骄子来说，是一个让人无法接受的回答。他的才华不可能被疾病摧毁到如此的地步。这段往事悄无声息地印在了我的记忆中，既没有被藏匿，也没有被忘记。而在十多年后，我成了住院医生，在一家医院收治精神分裂症患者的科室任职。于是，我要求会见年轻的让-马克，结果得知他正在农场忙着种葡萄。在那里，用于出售的不再是靠垫，而是“病人酿造的葡萄酒”。我于是开始频繁地前往图书馆，一心想要找到比“缝靠垫、酿葡萄酒”更有效的治疗方法。就是在那个时候，我想到了“以证据为基础”的科学精神病学。

但新的难题又出现了：为了在一种过时的、在战后抗精神病药物的研究成果中止步不前的法式精神病学领域扩大视野，我想要到图书馆里查找相关的文献，但必须能够用英语阅读，因为英语是全世界所有科学类出版物所使用的语言。我当时所在科室的负责人秉性正直，但对英语一窍不通，很难拓宽视野。几年后我才意识到这一点。那是在美国，一次规模极为宏大的精神病学大会上，我碰到了他，他是应一家药物研究所的邀请赴会的。他率直地跟我说道："看起来非常有意思，可惜我不懂英语。"有时候，某种疗法的现代性真是让人无言以对。

乐观主义

"您为什么成了精神科医生？"在我看来，这个问题更像是在问我当初为什么没有选择别的职业。实际上，我觉得真正的问题是这样的："为什么那么多的人会觉得这个问题如此重要？"我觉得，这似乎是因为精神病学涉及怪异、无法触知、非理性、非物质、灵魂和个人感觉、荒诞无稽和信仰，而我们中的每一个人都曾感觉到自己身上的那一分疯狂：过度的焦虑，情感中痴狂的亢奋，忧伤爱情中让人无法理解的怨恼，灰心丧气，被害怀疑或过度暴力，病态攻击性或恐惧。恐惧，只是恐惧，就会造成我们料想不到的闪躲和令人不齿的怯懦。不，精神病学无关道德，无关好与坏，精神病学只关乎人性，兼具优点和弱点的人性。

我的一位同僚，他的经验让我受益匪浅，他在上课的时候总喜欢说一句话："想要成为精神科医生，需要具备两种品质：

必须喜欢人，必须喜欢问题。”喜欢问题，也就是相信自己能够为此做些什么。精神科医生是乐观主义者。“某种形式的实证主义，”一位我深信不疑的哲学家某天对我这样说，“至于喜欢人，或许就要看各人的造化了。”

幸运

精神科医生是一种职业，一种可以学习和练习的职业；我们因为从事这种职业而领取一份薪水，但它也是一种让我们能够接受教育和培训的体制之结晶，这种体制赋予我们某种价值，而这种价值让我们获得报酬。老实说，我是个幸运的人。我从事着一种引人入胜的职业，这种职业的目的是帮助他人，而我因此获得酬劳。有一天，我的一个同事，也是精神科医生，问我为什么要写书，又长又难写，还赚不到什么钱。我回答他说：“为了还债。”他困惑不解地看着我，说他不明白我的意思。我跟他解释说，我只是感到自己对这个社会有所赊欠，因为这个社会首先支付了我的健康费用，然后是我父亲的工资，还有我老师们的工资，我在大学城的住宿，以及我的房补。所有的人都有所付出，为的是让我能够学习这项职业。还有那些在难以抉择的斗争中失去了生命，从而让我能够拥有这份生活的先人。所以，鉴于我所得到的一切，我实在应该为他们，为这些素未谋面的陌生人做些什么：竭尽所能去照顾我的病人，还有就是写几本书。

这个同事不相信我的话，扭头走了。如果没记错的话，那以后我就再也没有见过他。在那个时候，也许他还无法看到这样一个事实：长久以来，利己主义和自恋大行其道，所有的人都把自己的成功归功于职业，把自己的失败归咎于他人。自此以后，“我”始终比“你”或“他”更重要、更紧急。至于那些言必称“我们”的人，又有多少次是把自己凌驾于和他一起构成了这个“我们”的那些人之上了呢？

还有工作……

成为专家并不是多么困难的事情。一旦开始接受医学培训，成为专家就不是什么难事了。只有自命不凡的人才会尽信专家之说。我对一位乡村家庭医生的欣赏之情，要远远胜于对一位超级专家的敬佩之心，因为前者需要独自管理小至一天，老至一百岁的三千个居民，距离他们最近的医院也有五十公里。最困难的不是成为专家，而是一直都是专家。做精神科医生，要跟得上时代前进的步伐，接受继续教育是一种职责。在一生之中都是专家，活到老学到老，永不固守某种言之凿凿，腾出时间学习，并保持开放的心态，容纳、思考和怀疑，不因改变想法而惶惑惊惧，不因犯错而惴惴不安，只是怀疑，从而感受生命的川流不息。对这股永不停息的生命之流，我们不该妄下定论。要尽自己最大的可能，但避免“时时倾其所有时间和精力”，因为要顾及自己的健康。

沿法国精神病学的历史线索梳理我的培训经历

在那个年代，不懂英语并非精神病学培训中唯一的障碍。当时，在精神疾病的治疗领域中，尚无任何国际性的推荐指南，也没有任何可以遵照的治疗共识，只要某几位精神科医生有了想法，并在小小的医学圈子里分享一下，他们就差不多可以“为所欲为”了。所以，精神科医生也就成了制药企业唾手可得的猎物。精神病行业中最大的困难在于：缺乏共识。哪怕是到了今天，在某些领域中依然如此；再就是激烈的派别之争。我经常想：如果一个罹患心肌梗死的病人去看了三位不同的心脏科医生，就得接受三种完全不同的治疗，那么心脏病学会变成什么样子呢？知识的更新换代非常之快，一些我们在二十年前推荐的治疗方法，如今已经变成了不当之法，甚至被禁止使用！

20世纪80、90年代的主角是制药企业和精神分析师。前者从自己产品的实际效果中获利。后者捍卫一种自高中最后一年起就由哲学老师教授给学生的观念，这种观念认为，精神痛苦的真正根源，存在于我们早年经历中被压抑的某段记忆。正是这些隐藏在“某处”但却伺机而动的经历，形成了各种各样最为强烈的痛苦。或许有一天，这种得来不易的发现可以缓解精神上的痛苦……制药企业通过向外界宣传精神分析的学说，一手掌握了讨论治疗效果的话语权，进而独占了巨大的健康市场。而其他一些在法国鲜为人知的心理疗法，则以百计的数量，公布了众多有关精神病心理学和心理问题的经过实证的有效结果。最著名的就是认知行为疗法。

然而，这些“高效的”心理治疗法并没有沉醉于治愈的美妙幻想中，这也正是它们的可贵之处。让·高特罗（Jean Cottraux），我接触过的最博学的法国精神科医生、法国认知行为疗法的领军人物，对我的一些入门级问题敢于说出“我不知道”。他推荐我看了十几页（英文）的相关资料，以帮助我更好地去判断并对问题进行思考。能够因为学识或眼界让我由衷佩服的精神科医生并不多，让·高特罗是其中的一位，我对他感激不尽。但我遇到的绝大多数精神科医生，无论男女，都是心地诚恳、满怀善意的人。只有个别几位，让野心、金钱、机会主义或对权力的贪欲侵蚀了自己的人道主义精神。推动心理学世界的动力之源，与其他领域并没有什么不同。

我投身这个行业已有二十五年，这个职业的种种特质令我始终对它热情不减：现代性、演变性、不为人知、有效性、实用性，能够缓解男女老少的痛苦，充满人情味，很少流于千篇一律。

精神病学是个永远也讲不完的故事

在工作中，我每天都会听到新的故事，或是发现一些饱含深刻人性、发人深省和激发创造力的东西。有时候，病人讲述之令人动容，言语和表达之深刻、精妙，在我的诊所描绘出一幅幅人类情况非同寻常的图景，让人觉得最好的小说和电影作品，相形之下都成了拙劣的模仿。这些故事的主角往往是一些年轻人，如果无法得到帮助，他们将会痛苦终生。这些男人和女人，一旦精神的创伤得到了医治，痛苦的折磨得到了缓解，就能重新焕发出勃勃的生命力。每当察觉到这种改善，我就会感到无比幸福。但我每次一想到精神科医生的队伍应该更壮大一些，应该借助有效的措施去给予患者更多和更好地疗愈，心中就不免徒感悲伤。但马上就会有人批评说："又来了一个想要增加健康支出的人！"不！这么做将会减少健康支出。不要等到停工三个月之后才开始治疗，不要让一个前途无量的大学生深陷抑郁的牢笼，最终在房间里自缢而死。对痛苦的庸琐化或否认，会导致对其持久性的接受。而持久的痛苦会造成"健康间接费用"的不断飙升。精神疾病有别于其他很多的疾病，这类疾病的间接费用（物质支持的费用或功能障碍所导致的社会费用）要远远超出其直接费用，比如诊疗费、住院费和医药费。救助精神疾病患者，可以为整个社会节省开支，并在某种程度上挽救生命。

我心目中的理想世界？在学校里开设有关精神疾病的课程，教授一些预防精神疾患的简单规则，让年轻人了解精神疾患可能带来的危险，学习有关心理病痛的预防措施，就像学习急救措施那样。是否有可能给那么一两门课程减负？比如，我还记得自己曾经背下法国历代王朝的名称——卡佩王朝、墨洛温王朝等等。难道这比当时我这个小学生未来的健康还要重要吗？

这就是为什么，我现在还是心理医生。

精神科医生的日常生活是什么样子？

二十年来，人们经常会问我两个问题。

第一个问题："您是不是能解读我所说的一切，因而猜透我的心思？"我碰到的人，甚至有时候还有我的家人，他们往往认为我就像某种占卜师，借助某种神奇的力量在不知不觉之中就能看透人心。我回答他们说："我连自己都难以看透，更何况是别人……再者，我一整天的工作就是面对他人的各种问题，下班之后不想再继续同样的事情。"有时候，如果气氛允许，我还会补充说："您会对我的能力感到大失所望的。对我来说，领会一个跟我解释了几个小时的人想要表达的意思，是一件非常困难的事情。那您可以想见，我怎么可能猜得出人家没有说出口的那些想法！"但其实，这个问题有时候会让我心中暗问："为什么这个人会那么害怕表露自己的心迹？"实际上，我觉得人人都害怕表露自己的害怕……随着年龄的增长，我越来越能够敢于向他人表露自己的害怕，这并不是为了"以身作则"，而是为了告诉他人："我也会害怕。"因此，我会练习在人人都想夸耀自己丰功伟绩的情况下去暴露自己的局限性。

第二个问题："您是如何做到可以整天倾听别人的痛苦

的？”我的回答是：“有的人可以，有的人不可以。在开始接受专业培训的最初几个月里，我们就知道自己属于哪一类人了。这是天生的。这种能力无法通过后天的训练和学习去获得。而且还有其他一些我们职业中的心理局限性。就拿我自己来说，我对暴力行为就应付不来。”

精神科医生的孤独

病人的暴力行为改变了我对自己职业的看法。这么说可能显得有些幼稚，但身为医生，我们会觉得自己是在行善。但有两个事件对我产生了尤为重要的影响，说得更确切些，这两件事让我改变了自己“行善”的方式。第一个事件在几天之内重复出现了两次。那是在医院两次值班的时候，当时我觉得自己的小命就要栽在一名由我负责的病人手中了。有个病人逃离了护士的看管，用尽全身力气（他是个彪形大汉）把一个陶瓷的马桶槽朝着我砸了过来，马桶槽在距离我脑袋几厘米的地方飞了过去。我们一共上了四个人才制止住这个失去理智的病人。几天之后，另一个病人掰下他病房里的一根木桌腿拿在手上。这根斜着断开的木桌腿又尖又锋利，无异于一件致命的武器。这个病人走出病房，正好跟我狭路相逢，他来回挥舞着这根木桌腿威胁我。我当时背靠着墙动弹不得，他完全可以毫不费力地把我扎个透心凉，亏得一个勇猛的男护士从背后扑过去制住了他，我才能毫发无伤地侥幸得脱。那两次值班之后就再无下文了：没有通报会，没有同事只字片言的安慰，没有医院领导的鼓励，更没有病人恢复平静（几个星期以后）之后的道歉，或是他家人的道歉。于是我就想，难不成帮助别人意味着他们可以夺走我们的性命……

我的问题没有得到解答，而且在十数年后再次出现。在几个月的时间里，三个病人投诉了我，理由荒谬至极，而且其中的两个经过我的治疗，生活质量有了显著的改善，第三个，我在第一次问诊之后就决定让他接受住院治疗。警察传唤了我，我不得不在严守医疗信息保密原则的前提下去证明自己的清白，并否认了所有不实的陈述。三起投诉就此不了了之，但投诉者并没有因为对我的诽谤和威胁而感到心中不安。就在我心有余悸的时候，竟然听到这样的话："您要理解，他们都是病人，您是最应该理解这种情况的人啊，医生！"得说自那以后，我再也无法带着一如既往的善意和宽容去看待病人了。因为我亲历了这份职业中存在的不信任。现在，无论为别人提供怎样的帮助，我的脑中始终都会有这样的念头：一切皆有可能，病人可能有暴力相向，即便是对那个唯一愿意帮助他的人。是人就有可能犯错，要是我哪天出现什么过失和疏忽，那又会怎样呢?

但是，即便没有暴力行为，我也还有另一个局限性——疲劳。疲劳是我的大敌，是医生的大害和重病——精疲力竭，职业倦怠。这种疲劳不仅仅只是写在新闻稿件或专业杂志上的一个字眼，不是的，它就近在咫尺，与我如影随形。在波尔多，我的四位同僚，四个我曾经相识的，一起吃过饭、值过班、“狂过欢”的精神科医生自杀了。他们可没指望会在自己病人的家里自杀。注意了，这是危险的职业！您或许会想：“精神科医生都是疯子，所以他们才成了精神科医生。”精神科医生在医生中的自杀率是最高的，而医生的平均寿命已经比总人口的平均寿命短了十年。成为精神科医生，是因为本身就是疯子，还是这个职业让他们成了疯子？自杀，是因为他们一开始就脆弱不堪，还是因为这个职业实在不易？我觉得是第二个原因，因为整天倾听他人的痛苦是一件非常不易的事情；正是出于这个原因，我的一些同行会躲藏在无意识的技术性背后，为的是保护自己，为的是不再真正地去倾听。因此，一名精神科医生在凡常生活中很可能跟我一样：尽量保持简单的生活，尽量避开心理治疗中的风险（比如无休无止的纠纷、冒险的举动等），尽量保持良好的身体状况和生活习惯，尽量从事简单易行、唾手可得的娱乐活动。比如说我，在感到疲劳的时候，我会买一份《队报》（*L'Équipe*）。高水平运动项目对卓越和完美的追求，其观赏性，还有从不重样的游戏和结果，以及体育的无用，都能平复我的心境。我还常常会从音乐中寻找慰藉，所有类型的音乐，它是一种沉思和感悟的源泉，能让我更加温和，更加具有创造力。我很少去电影院，因为最好的故事都在我的诊所里。偶尔几次走进漆黑的放映厅，基本上都是去看惊险片或喜剧片，因为没有人会来诊所跟我讲述自己的奇异冒险，而且很少有人能够让我开心一笑，虽然我也有较为轻松的时候。简而言之，我设法去做一些能让自己从一整天的工作状态中解脱出来的事情，因为我不得不承认：我之所以从来不把病人的故事“带回”家中，是因为我清楚地知道，当一个人自己的精神状态都欠佳的时候，是难以做到去倾听他人的。我经常以一种略显煽情的方式告诉参与心理治疗的学生，心理治疗的首要目标，就是要保持治疗师自己良好的健康状态……

心理医生的职业让我不断进步

我觉得自己在心理医生这个职业中的第一个重大收获，就是明白了一个道理：没有人是完全错误或完全正确的，每个人都有自己的一番道理。第二个收获，就是接受了一个显而易见的事实：没有人知道什么是好，什么是坏，但人人都知道什么是不好——谎言、背叛、盲目的暴力、破坏、偷盗、奴役、剥削、操纵。第三个收获，是接受了没有人拥有万全之法的事实，但可以通过面对而非忽视困难令情况得到改善。说得再简单一点，就是一旦开始着手处理问题，问题就会出现转机……

但我在心理医生这个职业中取得的最大的进步，就是在日复一日、年复一年中，学会了更好地接受自己的局限性。有一个体育爱好者都知道的例子，我对这个例子留有难以磨灭的印象，有时还会在治疗中用到它。跟很多人一样，我也有自己欣赏的运动员。从青春期开始，我就对一位足球运动员崇拜不已，他在获得很多冠军头衔之后，还三次荣膺世界最佳球员。在退役的时候，有人问他作为球员最大的遗憾是什么。所有的人都期待着他做出这样的回答："从来没有赢得过世界杯。"他曾经为了这个所有球员心中的圣杯三次铩羽而归。出乎所有人的意料，他回答道："我最大的遗憾，就是没能成为一个伟大的运动员。"于是，有人仔细回溯了这位著名球员的整个职业生涯，结果发现，他的时间确实都花在用各种计策和额外的努力来弥补不足上了，实际上，所有的人都对此心知肚明，只是没有明说罢了，也就是说，他其实是一个"天资平庸"的运动员。几年之后，在为继他之后的"世界最佳球员"颁奖的仪式上，他袒露了同样的心声："从身体条件上来说，他比我要强得多。"这一点与我在自己精神科医生工作中的一个观察结果不谋而合：人各有才能和缺陷。这个男孩在学业上表现平平，而且性格越来越羞怯，这个女孩总是心不在焉，那个男孩性情懒惰。但所有的人都想成为"冠军"，那几乎就相当于在他们一直以来最弱的领域中拥有最佳的表现。他们想要的，不仅仅是获得提升或弥补不足。不，他们想要的，是向所有人证明，向自己证明，即使是在自己最弱的项目中，他们也是世界冠军！重大的心理谬误！因为我们无法将自己的阿喀琉斯之踵变成坚不可摧的盔甲。所以，在治疗的过程中，我会帮助病人去接受自己的局限性，同时完善自己的才能。在本就不占优势的领域中，每个人都应该少一些对自己的过分苛求。准备、稳定、加强、控制，已经是相当高的目标了，做到这些可以让人不再马失前蹄，不再身陷险境，并将自己的才能发挥至最大限度。减少受限的程度，可以带来更大的成功。

我自己就对这条规则身体力行：不对自己的短处过分苛求，并不会对此感到自责，更好地发扬自己的长处，并不会对此感到羞怯。我以自己的方式不断地取得进步。随时随地，始终如一。生活变化不息，我们的脚步始终不停，即便是向后而行，也是为了另寻他途。岁岁年年就这么过去啦？谚语有云："愿少者有识，老者力强。"所以呢，无论少年还是老年，人人都以自己的方式取得进步。我目前的工作，是做到"更多地临在"。更多地临在于我的所做、所听、所感，以及我遇到的人和这个人对我说的话，从而让注意力少几分飘忽不定，对自己的胡思乱想和穷思竭虑少几分听之任之，让自己的想象力少几分天马行空。有的人会觉得这是很简单的事情，但对我来说却相当困难。我觉得，这种方式能够让我做好面对死亡的准备。

道别之前

这些回忆是否回答了那个关于"为什么"的问题？显然没有，认为"一个恰当的理由"就能解释一个人整个的职业生涯，该是一种多么幼稚的想法。既没有唯一的理由，也没有

“全部的理由”。这些回忆涌上心头，只是为了展现一种与时间、与那时之风尚、与某天之真相的断裂，是对某些人健康和生活的过度炒作。我的精神病学主课导师曾对我说：“你知道吗？在如今这个年代，每个人都有权利在镜头前自我展示十五分钟。”我在参加电视节目或接受采访的时候，常常会想起这句话。我花了很长时间才接受了这样的事实：那些教育程度极高的男男女女，为了赢得媒体的关注，不惜屈服于似是而非。我也是他们中的一员吗？我希望不是。我敢肯定吗？我想是的。万一我哪天把持不住，相信您一定可以把我拉回正轨。

第十九章

为追寻意义而活

Vivre en quête de sens

玛丽-克里斯蒂娜·西蒙（Marie-Christine Simon）

家庭心理上的凌乱不堪，始终萦绕在我的心间，而且我在物质的具体现实中对此有着深刻的体会：但凡有挪动的可能，无论是我的身体还是周围的物品，杂乱无章就会以一种无可阻挡的势头侵占我的房间，然后蔓延到书桌的抽屉、我的书包和旅行包、课堂和功课、第一个造访的朋友，接着是后面来的人。这种情况一直持续到我三十岁。

从记事起，我就尝试去弄懂身边的人和事，还有我自己，追寻意义是令人甘之如饴的生活之盐。

从幼年开始，这就好像是为了防范笼罩在我生活中的无意义而做出的一种回应。或许我们每个人对说与做或表现之间的差距，或是我们的感觉和我们的表达之间的差距都多多少少有些敏感，这些差距有时甚至会深不见底。这种敏感促使我成了心理医生，就像是内心对理解的一种必然需要，为一种不协调的生活找到和创造某种意义。

茫然无知，且几乎太过乖巧

这种对意义的追寻源自一种家庭氛围，一种始终都让我摸不到头绪的家庭氛围。连续性的断裂和令其无处不在的种种缺失，还有未说、掩饰或秘密，在很长一段时间之内都与一种难解的混乱如影随形，这种混乱令我感到异常孤独。对于一个孩子来说，在一个充满各种激烈的、潜在的和掩饰的冲突的家庭盘根错节的关系中，找到自己的位置几乎是不可能的事情。这对我未来的人格产生了深入骨髓的影响，肯定是不利于我人格更为和谐地发展了。因此，我小小年纪就能轻而易举地把玩字词和概念……至于弹珠，或是通常意义上的具体物件，则全然相反——我相当地笨拙和心不在焉，而且对我毫无吸引力。人们总是夸赞我纯熟的语言能力和敏捷的推理能力，完全没有意识到其中有什么不妥。对我的安静、喜欢幻想和独来独往，人们又总是夸我表现得“乖巧”，是孩子们的好榜样（又或是坏榜样）——要是大人们还记得立我为榜样让我跟其他孩子的关系变得有多复杂的话，他们就不会觉得是好榜样了。

直到我长大成人——先是做了病人，后来做了心理医生——在回看往事时，这一切才渐渐变得清晰起来，我已经跟自己的过去和解，虽然旧日的疮疤在遭逢某个事件时依旧会隐隐作痛。

我生命的第一个阶段，跟大多数人一样，献给了“构建”：

成长、与父母的分离、找到融入职业社会的途径和一种生活的方式。同样跟大多数人一样，我之后经历了一次生活境况的危机，哀痛、疾病和分离忽然间从天而降，简直就像一次多少有些粗暴的重洗牌局。今天，我已进入了生命的第二个阶段，非常愿意分享和传递我在工作中的所学所长。

先天的不足令我成了心理医生，但我至今仍是心理医生则另有原因：乐于培养某种适合于我的寓居于世的方法，这种方法仰赖相遇相识和疑问怀疑，仰赖对人性复杂性不再令人痛苦不堪的关注。

在经历了建构和危机之后，如果我们有幸能够与自己和自己的过往和解，那么就会出现一种不同性质的动力，从某种意义来说，这种动力不再只为征服故，而是更为内在且往往更加真诚。

“无处安身”的痛楚

两个大洲，三个国家，但拥有同一种语言——法语。我一直都觉得，能够察觉身边之人在语调和用语上的各种不同和变化无常，但却不知该对此做些什么，是一件让人深感不安的事情。我尤其注意到，父亲和母亲在不同的国家会表现出大相径庭的言行举止。还有那些特异的字词，或是源自其他语言或方言的外来语，根本无法从一地照搬到另一地，除非不怕落得“鸡同鸭讲”的局面。无法完全认出自以为知根知底的人，是一种混乱而痛苦的体验。

我学会了“见风使舵”，这不仅仅是在言语的层面，更是付出了某种远离自我的代价。现在我知道，随机应变是本性使然和必然之举，但保留自我的真实同样重要，即便会受人指摘或难以忍受，也要竭力而为。

我很小就感觉自己不属于任何地方，感到无处安身；成年之后，我一方面渴望能够在某处落脚和扎根，另一方面又感到自己的这种渴望难以得到满足。首都巴黎，一座既真实又魔幻、充满了奇思妙想和浮光掠影的大都市，我有很多年都认为它会是自己问题最终的解决之地。为了追随我的伴侣而离开这座城市，曾让我感受心被撕裂的剧痛，觉得只有真正弄懂我为什么会把这座城市当成自己的庇护所，才能跨过这道坎。在那个时候，我亲身验证了一条心理学的原则：如果我们无法做到彻底地解决某个问题——对于我来说就是“离地”的过往所造成的问题，这个问题就会再次出现且反反复复。经过对自己过往耐心的梳理和我的精神分析师移情式的陪伴，我最终明白了自己为什么会对巴黎抱有如此强烈和非理性的难舍之情。但更为重要的是，这种理解让我获得了内心的平静，从而能够坦然地做出在他处继续自己生活的打算。

找到、创造意义，从而感到更加自由

赋予自身的经历以某种意义，从而能够更好地体验这种经历，乃至从中有所收获。自身经历中的所学所获可以帮助我们疗愈某种创伤，而我们往往料想不到这创伤之深，直到某个特殊事件再次牵动往日的创痛。比如我自己，离开巴黎就是一种创伤。今天，在兜兜转转之后，我对现在自己工作和生活的城市里昂，产生了一种琴瑟和鸣的感觉。此外，我还非常喜欢聆听相聊之人言词中的“弦外之音”，有时能够听得出对方的乡园故里或社会出身，又或是在这种因人而异的乐音之中窥见几分其人的性格特点。作为心理医生，这对我也是裨益无穷的。

撇开语言的因素不谈，对于为什么成了心理医生这个问题，我可以从更加偏重事实的角度悉数自己在异国他乡的童年往事——很多时候我都沉浸在幻想之中，在成年人的眼中，那是一种归返，但在我的眼中，那是……放逐，因为我从来没有在家人的出生地生活过。我的父母来自截然不同的两个世界，出生之地相隔万里，他们早在我出生之前就做出了远走他乡的选择。

我不知多少次曾以航空公司所说的“无人陪伴儿童”的身份搭乘飞机，这种经历形成了一种安全感的保护罩，没有太多的依恋，没有太多的寻找、创造生活可能意义的渴求，那个保护罩的里面就是我全部的生活。每当遭逢家人工作上的变动、疾病或是政局的不稳，我就会身处异地，在襁褓之中，或依靠自己的双腿，跟随我喜欢或不喜欢甚至是害怕的祖父母、曾祖父母或是姑姥姨奶四处辗转……

不同地方的语言有着不一样的韵律，不同地方的饮食有着不一样的滋味，而不同地方的天空也或湛蓝或阴郁，空气中飘浮着不一样的芬芳。我在一次次分离之中遭受的苦楚与天灾人祸造成的创痛一样强烈。我不得不通过漫长的治疗和精神分析，才在源自以下这个事实的悖论之中找到了逃生的出口：我的父母，更为广义地说就是童年时我身边的成年人，已经倾尽他们的所有，而这种经历则让抛弃和无意义的蚀骨灼心成了我童年的深深烙印。

当生命从源头汩汩流出并变得顺理成章，良好的自我状态也就会顺理成章地形成。反之亦然。但是该从哪里入手呢？在我看来，生命自会在某些时刻顺理成章地流动起来。根据我的经验，经常接触艺术、文学，追随它们在心中激起的鸣响，在遐思漫步中或晨曦初露时投入大自然的怀抱，沉浸在瑰丽雄壮的景色之中，信步在跳动着生命脉搏的闹市街区，为精彩的演出欢欣鼓舞，或是独享自处的静谧，这些都是全然体验当下一刻的绝好机会，生命自然而发的一刻。我总是觉得，首先是因为自己的状态良好，我们接着才会感到生命的自然流动。不过我也发现，有意识地为自己寻找那些生机勃发的时刻，也就赋予了自己获得良好或更好状态的可能。

带着童年的疑问步入成年

为什么有那么多的成年人会要求孩子——曾经是孩子的那个我——去说和去做他们自己都不说和不做的话语和事情，甚至是与他们的言行举止完全相反的话语和事情呢？这些童年时期的巨大疑问虽然难闻其声，但一直持续到我长大成人；这些疑问改变了模样但本质依然。在我断断续续的生命历程中，安全感和显见性的缺乏之下掩藏了一种关于存在的疑问，而就是这种疑问促使我不断思考我们为什么、为了什么而存在，我们的存在可以具有什么样的意义？倘若果真存在这么一种意义的话。

自我疗愈和成为心理医生的漫漫之路，让我得以重新建立起并鲜活地保有了与童年时那个自己的联结，并清楚地看到自己当时的种种疑问、对恐惧的领悟。重新寻获我的青春期与青年期，让现在的我拥有了与孩子、青少年和成年人更为丰实的关系，无论他们跟我亲近与否。我觉得，与童年（我将其区别于“幼年”）的重逢能够让我们更好地尊重他人心理世界的完整性，让我们不会僭越他人生命的界限。这是一种我最为珍视的价值观。

我之所以成了心理医生，是因为对我来说，那是一条追寻意义的可行之道；我之所以成了心理医生，也是因为意识到一种关系的治愈能力，治疗式、分析式的关系，这种关系将作为自己之安好的对他人之安好的期望置于首位，而不是那种替他人想象的安好，也不是那种“社会”——我们所有人构成的整体——想要强加于人的安好。

还是孩子的我不停地跟自己近在眼前的疑问——发生了什么，为什么情形变了？为什么某个人对我或对他人的举止有所不同了？又或者为什么那人一言不发、泪如雨下、甩门而去？——或关于存在的疑问纠斗，那就好像一块浓如沥青的云团，偶见几束令人茅塞顿开的光亮，这种情况一直持续到我步入成年。随后，在精神分析徐徐的转变作用中，这些疑问蜕变成一种持久的追寻，就像推动磨坊水车的汩汩涓流。从那以后，这种内心和解的体验就成了我心理医生工作的支撑，每当看到某个病人有了起色，我就会对自己的工作深感欣慰。

在两岁的时候（进入学校让我得以清晰地追溯这些回忆），我就已经看得出身边成年人的“心理风格”了，对其他孩子也是。我最喜欢出神地看着教室里或操场上发生的事情，而不是跟大家一起嬉戏。哪个孩子忧伤地独自待在一旁，哪个孩子又有着惊人的敏感，专横跋扈或是和蔼可亲投射出五花八门的存在方式，让我困惑不已。别人都说我是个安静的孩子，可我的内心却一点都不安静。现在我了解到彼时的偏好隐藏的意味：喜欢观察的孩子是想要知道怎么做才能融入他人的圈子。我终于明白了。而无时无刻的小心谨慎，也变成了专注的好奇，成了我职业的得力助手，一种穿梭在与他人的关系和认知之间、与“人”之奥秘近在咫尺的职业。懂得如何融入他人圈子的渴望，促使我开始了个人的治疗工作，具体来说，就是可以让自己找到一条道路从而获得治愈。于是，最初的问题变成了一股源泉，因为我作为孩子的观察能力，也就是超级警觉、“没有更好”的存在方式，令我的工作大受裨益。

我经常问自己：“什么是人？”“我究竟是谁？”在我清清楚楚地听到自己说出一些我根本不想说的话，或是我心里清楚却语焉不详的话，不该说或不该那样说、不该在那个时候说的话时，那个说话的人是谁？在五岁的我第一次不得不独自前往面包店，却发现自己僵立不动的时候，我是谁？在我四岁时因为害怕跟那位男士问好而故意摔倒在楼梯上的时候，是谁在这么做？为什么在还是少女的我感到把家族秘密——某个亲生子的存在——昭告天下的责任落到自己头上的时候，我却只顾着搬出自己刚刚学来的基因知识慌忙招架，而不是直话直说？

我的症状：凌乱不堪

我难以面对自己“并非顺理成章”的生活，在很长一段时间中都伴随着一种让我苦不堪言但对大人而言却是有形无实的症状，他们或许无从想象这种症状可能具有某种意义，甚至可以借助这种意义对它进行治疗，而我就是那个深受其苦的病人。家庭心理上的凌乱不堪，始终萦绕在我的心间，而且我在物质的具体现实中对此有着深刻的体会：但凡有挪动的可能，无论是我的身体还是周围的物品，杂乱无章就会以一种无可阻挡的势头侵占我的房间，然后蔓延到书桌的抽屉、我的书包和旅行包、课堂和功课、第一个造访的朋友，接着是后面来的人。这种情况一直持续到我三十岁。我很清楚自己对这种状况也负有一定的责任，清楚自己为什么会这样，但我那时无力应对，我对此毫无掌控之力，却又不得不面对那些轮番喋喋不休或无能为力的大人，他们对我横加指责，甚至因此而惩罚我，仅有的几个曾经帮我拾掇一片凌乱的大人，也未能坚持太久。听来似乎难以想象，一个小姑娘、少女或是思维敏捷、给人以成熟稳重之感的年轻女子，竟然会落到如此混乱不堪的田地。似乎没人认为我的性格是一个包含不同方面的整体——敏捷的思维，当然了，也有惊人的笨拙，某种情绪的脆弱，以及自识字开始就对其他活动视若无睹而专爱文学的偏好。

有时候，在别人帮我收拾了一片凌乱之后，我也曾体验从未有过的体面和优雅。童年最美好的回忆之一，就是我在三岁时骑着一辆三轮童车，我清楚地记得是红色的，在自己整洁的房间里围着一个用来放玩具的洗衣粉桶一圈一圈绕个不停。后来，我在与病人治疗的过程中又再次找回了当时那种心花怒放的感觉。在感受眼前之事的同时，寻找自己的感受可能具有的意义，再反过来梳理这些感受的来龙去脉，对自己的这种两面性我早就习以为常，但在那些我心安若磐石的时刻，我感到自己是统一的、和谐的、完整的。我感到了快乐，就好像自己跟世界和睦相容了。顺理成章的生活就是由这些时刻构成的。

兼顾时间的因素去找到自己

我本可以投身哲学、神经科学或是医学，成为神秘主义者、诗人或是作家，因为我觉得这些都是理解什么是人的可行途径。这些研究领域中的每一个都曾让我心向往之，而且至今依然如此，每读一本书，每遇一个人，都让我的经历愈加丰富。

鉴于没有哪种理论，尤其是心理学的理论，可以脱离其作者的人差方程——文化、家庭历史、个性，因此我认为，我们也会依照自己的人差方程来挑选特定的方向。在我看来，竭力靠向某种选择，不如去尝试理解为什么，在这种理解之中或许会得出另一种恰当的观念。承认自己治疗工作的局限性，对我来说具有非凡的意义。

这种观点的相对化，是我在循序渐进之中才慢慢形成的。或许，这是光阴的流逝和它赋予我们渐渐成熟之可能的功效。实际上，在职业生涯的初期，我是个有些一根筋的新手，难以接受自己没有选择甚至几乎一无所知的方法。

十二岁时，我在一位精神科医生那里偶然看到了一份诊疗报告，同时发现了一种似乎专于描述这些让我如此好奇的人类范式的工作。我当时就特别渴望能够追随这条道路。几年之后，我在哲学课上读了西格蒙德·弗洛伊德的《文明及其不满》，这本书于我而言堪称第二次神启：不仅对人类的行为及其动因的种种描述是存在的，而且心理学的理论也是存在的。原来，心理学是医学与哲学融会贯通的产物。我决心追随这条道路。问题来了：我须得敢于投身不为人所看好且前景暗淡的专业，就像绝大部分人称天资聪颖的学生。虽然我钟情于文学，但也没能违背家人的意愿，或是我想象中的家人的意愿（说得更大些，这种意愿就是关于这个专业选择的普遍共识），考取了理科类的高中文凭。从我今时今日的生活状况和个人的思考来看，我认为应该竭尽所能帮助儿童和青少年去找寻属于他们自己的道路，并对他们的选择予以支持，而不是打着为他们好的旗号，把牵涉其未来、不符合其本心的选择强加给他们。

或许，我是因为缺乏自信才没有在一开始就选择心理学专业的。如今看来，我也可以把那段自己忙于他事的日子看成是孵化成熟的蛹茧，我在那几年里潜心学习文学和普通语言学，直至认识到在语言之外（之内亦然），人，无论那人口若悬河或一言不发，才是我最为看重的。实际上，我们经历的兜兜转转有时是所见非所得，而我们一路行来，时间确实是一个至关重要且具有不稳定性的因素。

然而，我在开始学习心理学和精神分析之前，又绕了一个弯子。一位女朋友介绍我阅读了卡尔·古斯塔夫·荣格的著作，我本能地感到这个精神分析的方向适合自己。我开始接受精神分析，这既是为了自己，也是为了有朝一日能够成为精神分析师。但我并没有重拾心理学，而是改道进入了一个语言和心理学交汇的职业领域——广告，那是在完成了精英商校的学业之后。想要通过精英学校的入学考试，我们就不得不埋头苦学，尤其是要面对激烈的竞争。就我而言，这对我职业上的保障起到了重要的作用。

在跟广告界和广义上的营销界打交道的数年之中，我越来越难以忍受在职业道德上一脚踏空的感觉，于是我向一家精神分析机构递交了培训申请，并重新踏上求学之路。我从不后悔选择了广告这个行当，那几年的从业经历使我开始思考能够让我在这个世界上找到自己位置的价值观。

我清楚地记得做出这个自己内心真切呼唤的决定的那一刻，而之后的一件事更是让这段回忆历历在目。当时我申请了用于职业再培训的资金援助，当我听到负责审查申请资料的那个人说出那句话的时候，心中喜不自胜："我接受，我签字。"我永远不会忘记那一刻，并将对那位女士永怀感激之情。此外，这种感激之情也促使我去帮助其他人。在三年的学习中，我购入、借出或赠送了成堆的书籍，并为我的同行兼同学影印了大量的资料。那位女士对我资金援助申请的"挥手放行"，于我就如同一种事前的信任，而我之后的表现也从未辜负过这份信任。

所以呢，有时候我们真的会遇上给予我们支持的人，甚至是为我们插上双翅的人，而我们往往在事后才意识到这些相遇起到了多么重要的作用。

面对自己早年生活中对意义缺失的惴惴不安，理解的热望擒住了我的一颗心，就像一股远远袭来的冲动。之后，随着时间的流逝和我个人工作的进展，这种热望转变为一种更为平静且尤为和谐的存在方式，从而令陪伴病人更好地了解他们自己，并进而走向康复的过程，成了我的一大乐事。实际上，经历了精神分析的漫长之路，我意识到，这段人生的旅程同时也是一个名副其实的疗愈过程，因为将我困住的种种症状随之消失了，或者说大大地缓解了，让我得以过上了一种自我与创造相得益彰的生活。

一个“刚刚好”的位置

总而言之，我成为心理医生是为了去“理解”，而且我发现，自己的存在方式，包括心理上、行为上或身体上的症状，构成了一种对我童年环境的（超）适应，我同时也见证了这种存在方式的演变。就这样，我的这种因家庭环境而形成的超定存在方式，也就是一种非自由、束缚性的存在方式，渐渐地显出了清晰的轮廓。在治疗的过程中，这种存在方式在我和分析师共同塑造的全新关系体验的熔炉中发生了改变。

内心对理解的迫切需要转变为一项长期的、个人的和职业的工作，如今，这项工作让我深感自己找到了一个“刚刚好”的位置，就像《金发姑娘和三只熊》（*Boucle d'or et trois ours*）里所说的那样。自那以后，尽管生活的考验依然不断，但生活在我的眼中已经是顺理成章了。成为心理医生并不能让人更多地免去那些所有人迟早都会面临的危机——只说最显而易见的，比如跟疾病或死亡有关的家庭危机，还有那些情感的难关、疑惑和踌躇。显然，成为心理医生并没有让我幸免于困境，但它让我能够更加自信地面对困境，并心怀摆脱困境甚至从中有所收获，以便更好地继续生活的希望。我觉得，我们对突如其来之事所能投以的专注，以及仰赖察觉和清醒的积极应对，为做出决定和睁大双眼向前远眺生活之路的可能奠定了基础。

我感觉到，生活的磨坊可以将一切都磨成面粉。尽管我们无法选择发生在自己身上的一切，实际上，我们往往感觉不到自己做出了选择，但我们可以选择不去被动地承受。我们可以在精神上有所炼化，也就是说，对这些事情“采取”有别于初看印象的举动，抓住一切可能，有时仅怀希望就已足够，这一切终将会显出意义，并让我们在深陷其中之前就能看到完全想象不到的可能。

第二十章

接受挑战，不断演变

Accepter les difficultés pour évoluer

奥利维耶·斯平勒（Olivier Spinnler）

因为奥利维耶是个羞涩的人，甚至可以说是非常羞涩。他在别人面前表现得非常不自在，而且他觉得自己就像个外星人。他母亲总是给他穿得“西装革履”。他总是温温顺顺，从不回嘴，从不让人操心。就因为这样，他常常在走廊和操场上被人欺负，但他深知“辱人者自辱”的道理。他吹奏长笛，而且只喜欢古典音乐，而他的那些同学根本连古典音乐是什么都不知道。

我们来到这世上是为了修三种好：与自己修好，与他人修好，与上帝修好。

——圣伯纳德（Saint Bernard de Clairvaux）

画面1

时间：1972年。一所中学里，学生的年纪都在十岁到十七岁之间。奥利维耶，十一岁，有几个要好的同学，男孩女孩都有，他喜欢跟他们聊天。当然了，学校里也不乏喜欢作弄和奚落别人的顽劣孩童。这些孩子最喜欢的游戏之一，就是捉弄奥利维耶，揪他的领带。因为奥利维耶是全校唯一一个打领带的学生。这并非因为奥利维耶特别喜欢引人注目，是他的妈妈让他穿成那个样子的。他其实一点儿都不介意“跟别人一样”。他是个温顺的孩子，从不违逆父母和老师，至少不会过分违逆。他轻而易举就能迅速理解老师讲授的内容，看起书来也不费什么力气。因为他看的书很多：百科全书、“绿色书架”丛书[1]里的故事，还有从市政图书馆的“青少年阅览区”借来的各类书籍。每逢周三的下午，他特别喜欢去青少年阅览区，一待就是几个小时。他妈妈可不太高兴，因为她更愿意看到儿子专心致志地做功课。

画面2

时间：1976年。奥利维耶将近十六岁。他不再就读公立学校。一年前，就在学年结束前的三个月，父母突然把他转到了一所离家二十公里的私立男校。为什么？因为原先那所学校里的一个老师对奥利维耶极为不满，把他批评得一无是处，还给他打了很低的分数。因为在五门决定能否达到升级平均分的科目中，这个老师就教了三门，奥利维耶对学习的热情因此而一落千丈。转校后，奥利维耶发现自己一夜之间身处完全陌生的环境之中，没有朋友。在这所私立中学里，奥利维耶在班上结交了两三个“哥们儿”，但外班的同学几乎都不认识。因为奥利维耶是个羞涩的人，甚至可以说是非常羞涩。他在别人面前表现得非常不自在，而且他觉得自己就像个外星人。他母亲总是给他穿得“西装革履”。他总是温温顺顺，从不回嘴，从不

1　原文为“Bibliothèque verte”，是法国Hachette出版社于1923年推出的一套青少年读物，因丛书绿色的封面而得名。——译者注

让人操心。就因为这样，他常常在走廊和操场上被人欺负，但他深知“辱人者自辱”的道理。他吹奏长笛，而且只喜欢古典音乐，而他的那些同学根本连古典音乐是什么都不知道。他们这一伙儿五个男孩，都选了拉丁语，而其他同学选的都是科学、经济或其他语言类科目。他本来也想选择科学类的，但拉丁语是唯一一门需要他真下苦功的科目。剩下的那些，他轻而易举就能拿下。但是对于他母亲来说，拉丁语对学习文化知识和进入大学是必不可少的，尤其法律和神学，她母亲对此深信不疑。而且，在那个年代，孩子是不能对父母的决定提出异议的，至少不能提出太多的异议。

画面3

时间：1977年。在这所无比推崇传统、由司铎管理的中学里，他们学习的都是大师的作品，尤其是“古典”科目、拉丁语和英语。极度敏感的奥利维耶在研读这些古典著作和文学小说的时候，感到既懊恼又反感：他看到的只有为暴力、统治、嫉妒、仇恨和复仇等自己无法体会的情感和态度做出的百般辩解。尽管另有旁征博引，但他只能说出“简直不知所云”这样的话。结果落得遭人嘲笑不说，还备受冷落。他感到无法被人理解，受尽排挤。但是在他的内心深处，他感到自己并非事事皆错。他觉得蒙田的想法倒是跟自己有些相似；他感到跟伏尔泰意气相投，还有狄德罗和孟德斯鸠。于是他心想，能够自由地抒发这些感受，不与暴力和战争沆瀣一气，不正是有些智慧和真正人性的意味吗？他梦想着有那么一天，或许有人会认可和接受自己的想法。他想成为一个“能为人解忧排愁的智者”，但却不知道是否存在一种可以让自己遂愿的职业……

奥利维耶极度渴望能有个女性朋友。他对被爱的感觉如饥似渴，而且他也有满腔的爱意要付出……可对于花前月下来说，这里堪比寸草不生的荒漠：男子中学，在如此的环境中跟女孩约会想都别想。思绪万千啊！他只好把自己想象成风流倜傥的英雄，或是听一听浪漫悠扬的音乐——贝多芬的、柏辽兹的、勃拉姆斯的、舒曼的、瓦格纳的……

奥利维耶在生活中总是形单影只。他也有些同学，但只是在学校里见面，因为他是个半寄宿生，每天晚上都要搭乘火车返回二十公里以外的家中。一个星期里有六天要去学校——在那个年代，星期六早上也得上学。星期天，他跟家人和回娘家的姐姐一起去探望祖父母，或是拜访家人的朋友。他没法儿跟别的同龄孩子一起玩耍，因为他要花去很长的时间做功课。倒不是因为他难以应付课业或是他喜欢那样，而是因为他很难集中精神。一刻钟就能完成的功课，他却需要一两个小时。最终，他找到了一个“窍门”、一种策略：早上五点起床，在家里人醒来之前点着蜡烛做功课。

画面4

时间：1980年。奥利维耶升入了医科二年级。他有一个自己亲近的小得不能再小的同学圈，大概只有五个人。上课的时候他跟他们挨着坐，实践课的时候跟他们同一个小组，课间休息也跟他们在一起。同届的学生大概有一百五十人，那些人对他来说几乎都是陌生人。当然了，奥利维耶从来不参加课外活动，也从来没人邀请过他……他心想，那是因为自己跟别人过于不同。说他“跟别人不同”倒也不错。另外，他依然打着领带。但可以肯定的是，这并不是问题的症结所在，他远没有意识到这一点，更不用说明白其中的原因了。

画面5

时间：1989年。奥利维耶参加了一个灵修研习班，在山上的一个酒店里。在那里研修期间，跟那些根本不认识的人在一起，他感到了从未有过的惬意。他跟那些人有好多可以分享的东西：对灵修的兴趣、替代医学、瑜伽、冥想，等等。绝大多数人都比十几年前的同窗更让他心感畅快。而且这些人也更为热情和年长，奥利维耶是其中年纪最小的之一。因为年长的人总能让奥利维耶感到更加自在，所以对他来说，这里是个舒适的地方。最让他感到局促不安和浑身不自在是吃饭的时候。参加研修班的人都待在一个大厅里等待开饭，大厅里摆放着圆形的餐桌，每张桌子可以坐六到八个人。位子都是随便坐的，这让奥利维耶不知所措：晚点儿来，以便挑一桌好相处的人？那就不得不硬着头皮开口去问，可奥利维耶得攒足了劲儿才开得了这个口。在有些日子里，这简直就超出了他的能力范围。早点儿来，坐下之后再看谁会来跟自己同桌吃饭？那就有可能得眼看着好相处的人坐到别桌，剩下那些讨人厌的家伙跟自己一起——研修班里确实有些不招人喜欢的家伙。

画面6

时间：2004年。奥利维耶参加了法语国家和地区的认知行为疗法研讨大会。这次的情形跟画面5里的一样：入住酒店，与会者一起吃饭。但奥利维耶几年前就明白了自己要解决的问题是拒绝的心理，所以这一次，他几乎没有不自在的感觉。他轻松自如地与人相处，毫无困难地融入不同的小组之中，在休息或吃饭的时候主动跟人攀谈，真是身心舒畅！

全景

我选择用这种有些老掉牙的方式为您展现自己过往的一部分，因为这是我对它的记忆使然，对它的理解使然。这就好像一幅马赛克镶嵌画，或是细木镶嵌画，当我们凑到跟前仔细观瞧的时候，眼里看到的只有彩釉陶片或细木拼块。只有退后几步，才看得出画中的图案和韵味。相较于我们的生活，从本质上来说，时间就是那退后的几步。带着平静朴素的心思去打量自己的所有经历，种种倾向和意义终究会显露真身。

我想说一说关于灵魂的创伤问题。我们所有的人都或多或少有着程度不一的“深层创伤”，这些创伤会束缚我们，并时不时地让我们遭受痛苦。根据心理疗法的不同流派和模式，我们会谈到生活情境[1]，或是适应不良图式[2]。在大部分情况下，我们认为是生活事件，尤其是童年的生活事件让这些图示各就其位。我们往往可以通过实践对这一点加以印证。但也并非总是如此。我曾碰到过很多表现出各种缺失图示的人，彻头彻尾的缺失，甚至能够在这些人的过往经历中找到这些缺失的根源。比如，一些人苦于抛弃综合征[3]的困扰，但却拥有幸福的童年，

1 Jean Cottraux, *La répétition des scénarios de vie. Demain est une autre histoire*, Paris, Odile Jacob, 2001.

2 Jeffry E. Young, Janet S. Klosko, Marjorie E. Weishaar, *La Thérapie des schémas*, Bruxelles, De Boeck, 2005.

3 日常法语中的说法。在心理学术语中，有时指依赖型人格，有时指抛弃图式。

在一种和谐的家庭氛围中长大，而且从来没有被人抛弃过。面对这些绝非只我一人亲眼得见的情形，我们必须给出另外的解释，比如应运而生的谱系心理学。心理治疗师们意识到，一些人的行为或经历，可以在他们祖先的经历中找到根源。[1]还有精神分析学家所说的强迫性重复，指的是一些重复出现的行为和问题，当事人往往对这些行为和问题的反复出现毫无意识，而且这些行为和问题会代代相传。此外，一个人完全不似一台机器，人不仅仅是一个由血肉和神经纤维，以及像电脑那样的核心构成的物种，他尤其会表现出某些更为微妙的东西，那就是灵魂。

今天，我以自己的文化知识库、阅读和生活经验，再加上持之以恒的冥想产生出对事物的所见而言，我还得说这越来越不是一种假设，而是变得显而易见——我们拥有一个灵魂。我们在感官可以触及的范围内感知到的自己，就是灵魂的体现。我们的灵魂也有过往，这段过往承载着经验、回忆、创伤和制约。而促成某种可能具有修复或教益功能的生活体验，以及我们感受和思考方式的，正是所有这些知识库。在我今天看来，这与现实和日常经验正相吻合，就如同生鸡蛋掉在地上会碎掉那样不言而喻。

1 Anne Ancelin Schützenberger, *Aïe, mes aïeux !*, Paris, Desclée de Brouwer, 1998.

理解灵魂的创伤

就这样，当我多年之后回望往事时，我终于看清了自己的过往。从我完成学业时的不满二十四岁，到年满三十八岁的这段日子里，我不断地留心自己，为的就是能够战胜自己曾经以为仅此而已的羞涩。我甚至都没有想到过那是一种“对他人的恐惧”。但是有一点很明确，我清楚地知道那是一种恐惧。在我碰巧看了丽兹·布尔博的《五种阻止我们成为自己的创伤》[1]之后，事情就变得极为明朗了。这五种创伤是：抛弃、拒绝、羞辱、背叛和不公。我立刻明白了自己打出生起就在面对“不公”和“拒绝”的创伤。不公的创伤，我在青春期曾有过刻骨铭心的体会，但我没过多久就治愈了。可以说，到了二十岁的时候，这个创伤在我的所经所历中已经踪迹全无。至于拒绝的创伤，则是完全不同的另一个故事。

我认为有一种说法不无道理，那就是我们灵魂“知识库”里存在着各种各样的记号和烙印，这些记号和烙印促使我们遇到某些人和某些事，而这些人和事又会帮助我们不断进步。尤其是如果我们愿意以这样的方式去看待事物，而这就是我希望分享给您的。印度谚语有云：“如果你接受自己的命运，它就会牵起你的手。如果你拒绝自己的命运，它就会拖住你的腿。”

1　Lise Bourbeau, *Les 5 blessures qui empêchent d'être soi–même*, Québec, Éditions ETC, 1996；Paris, Pocket, 2013.

因此，与其把自己当成是环境和事件的受害者，不如把环境和事件当成学习和进步的机遇并对它们敞开怀抱。

再回到我自己的生活经历上来。经过我在上文中的一番描述之后，可以这样来理解：在必须着手解决拒绝的创伤时，我自己所处的形势和境况都是恰逢其时的。我再举一例。在20世纪60年代，电视还不像今天这样普及。当时我们家没有电视，而我很多同学家里都有。所以呢，在同学们仿效电视上的蝙蝠侠、“投石手蒂埃里”（Thierry la Fronde）或是佐罗的时候，我连他们在说什么都不知道！况且，我对但凡跟暴力沾边的东西都毫无兴趣，您也不可能看到我会兴致勃勃地去玩什么“警察和小偷”“牛仔和印第安人”的游戏。我还可以跟您说说为什么会这样，因为我的父亲是个工程师，被派去马赛的造船厂，结果当时六岁的我在马赛的一所学校了待了六个月。后来父亲又被派驻到了另一个城市，我也跟着换了学校……我常常需要面对这样的挑战——融入、被人接纳。引起我兴趣的是，竟然可以借助谱系心理学或是强迫性重复来对此做出解释。[1]我的祖父是出生在德国的瑞士人，是瑞士法语区的“移民”。他的儿子，也就是我的父亲，出生在瑞士法语区罗曼地（Romandie），童年时移居到德语区的巴塞尔（Bâle）。我母亲那边，祖父母是西西里人，20世纪20年代移民到瑞士。我母亲

1 这就表明，这些理论虽然不能解释一切，但确实指出了一切合乎情理的东西，就像肯·威尔伯（Ken Wilber）所说的：“不全面，但确乎真实。”

虽然生在瑞士，但母语是西西里语。作为“工人的女儿”，她在整个童年期和青春期都不得不面对司空见惯的仇外现象，并与阶层之分不停抗争。她认识我父亲以后，遭到了来自我父亲家庭的强烈排斥。现在您明白了，这种“模式”对我可是威力无穷呢！

这一切是否跟我成了心理医生有某种关联呢？我想是的，而且对此深信不疑，因为我觉得，所有这些关于拒绝的问题让我看到了人类和心理学问题的核心所在。我深切地感到自己与这些问题的关联，并一心想要弄个明白。我非常清楚，怀着相互间的理解去生活并非那么困难。我为什么会这么说，您可以在“画面2”的文字中找到答案。我在很小的时候就对暴力和诸如种族偏见、支配欲望或报复渴望这类肤浅的观念深恶痛绝。虽然身边总有人不遗余力地对我说这些感觉和欲望纯属“正常”，因为都是“人性”，但我从青春期开始就坚信，没有这些感觉和欲望也完全正常。更重要的是，我极度渴望能够与人分享自己的观点。

借助所有之物去实现自我

在我整个成长过程中，所有的人都认为我将来必定是要去念大学的。但念哪个专业呢？我母亲的愿望，毫无疑问是去学医，但我还是非常认真地考虑了进入父亲任教的瑞士联邦理工学院（École polytechnique fédérale）的可能，以便能够成为像他那样的工程师。我可以轻松自如地应付理科专业，根本无须用功，这并非是自吹自擂，因为我并没有可以自吹自擂之处。至于医学嘛，我很清楚那需要刻苦钻研，就像有人说的那样。但是，一种内心深处的召唤要我去照料人而非机器。我听从了这种内心的召唤，没有选择自己可以轻松踏出的道路。之后，经历了十一二年的多番辗转，我成了自由执业医生，这才最终安定了下来，每天接待访客，怀着一颗谦卑的心去倾听他们，帮助他们理解、解决和摆脱自己的困境。我渐渐意识到，这一切跟我十六岁时的那个幻想越来越接近：成为一个“能为人解忧排愁的智者”。注意，我这么说绝非自命不凡。我很清楚，没有智者会自称是智者！那只是一种印象，我唯一觉得自己身上可以跟智者沾上点儿边的，就是渴望“企及”智慧，就像我们每个人的心中所想；至少，就像任何一个察觉自己并勉力改善与其他人关系的人——如有可能——也竭尽所能去改善这个世界，为什么不呢？

毫无疑问，经历过如此的拒绝创伤让我对内心经历的问题有了非同寻常的认识，因而我才可以心如明镜地畅谈疗愈工作，这自然让身为治疗师的我受益无穷。您或许会问，我成为心理治疗师是否是为了治疗自己？我可以这么说，这肯定不是最主要的原因。在将近而立之年的时候，我还不曾有过成为治疗师的念头，我也从未想过可以通过对自己下一番功夫来改善自己的性格或克服某些困难。但可以肯定的是，我是在成为治疗师之后才加深了对自己的认知，并开始真正地疗愈自己的创伤。或许可以说这是个“鸡生蛋，蛋生鸡”[1]式的问题：是灵魂的创伤塑造了心理治疗师呢，还是心理治疗师把问题当成了灵魂的创伤？从我对事物的看法来说，我更倾向于认为自己注定是要成为心理治疗师的，这是我此生最好的选择，而且我也有幸能够在同一时间去疗愈那些不公和拒绝的创伤。

这一切都是为了说明，我把自己治疗师的工作看作是一种召唤[2]（法语为“vocation”，此处取其在词源学中的本义）。当我沉浸在工作中的时候，我真的感觉到自己把天赋发挥到了最大的限度，而且证明了亚里士多德的一个说法：“你的才干和这个世界的需求相遇的地方，就是你的使命诞生的地方。”然后还有那句我作为篇头题词的圣伯纳德所说的话。我是2005年在丰特奈（Fontenay）的熙笃会隐修院里偶然看到的这句话。它就这么出现在我眼前，完全出乎意料，就好像是专门为了让我更加深刻地领悟自己可以赋予工作和生活的意义。

---

1 先出现的那个是鸡还是蛋，是应该觉得鸡生了蛋呢，还是应该觉得蛋生了鸡呢？

2 源自拉丁语词根“vocatio”（召唤的行为），由“vocare”（召唤）的动名词“vocatum”而来。

与自己修好

当我们试图理解自己的感受、创伤、欲望、弱点，诸如此类，我们想要寻找的不正是与自己修好吗？在与自己修好的过程中，我们为什么不可以看到心理治疗的本质——或至少是纯粹个人的部分和心理治疗自省其身那一部分的本质所在呢？

与他人修好

在与他人修好的过程中，我们为什么不可以看到系统疗法、家庭疗法和夫妻疗法的本质所在呢？无论如何，在我的治疗中，我从不满足于将自己对面的那个人看作是一个自我的统一体，一个从世界上分离出来的统一体。当然了，专注于这个人，以足够的强度和耐心去专注于这个人，从而有所收获，是至关重要的，但这还不够。人的一生总是处在与其他人的关系之中。通过尝试帮助病人去改善他们的人际关系，我渐渐琢磨出一种成年人之间的关系模式。从无到有，或者说从笔头到键盘，从字句到章节，这种模式最终成了一本书：《与他人融洽相处：人际关系新视角》[1]。我还可以告诉您，关于这本书的名

1 Olivier Spinnler, *Vivre heureux avec les autres. Une nouvelle approche des relations humaines*, Paris, Odile Jacob, 2012.

字，克里斯托夫·安德烈和我，还有编辑，我们三个人可是好一番苦思冥想，还是克里斯托夫想到了最终的书名。对于我想要表达的本质想法，这本书就是最好的体现！

与上帝修好

对于一个身在以政教分离为主流价值观的社会中的医生来说，这是个比较“敏感”的话题。但是，就像雷蒙·德沃斯（Raymond Devos）所说的：“那又怎样！”如果说我们可以把科学研究——医学就属此类——中的谨慎和严密，以及在心理治疗师的职业中养成的审慎和尊重带到灵修的领域中，那么我们就没有理由不在宗教这一人类体验的特殊领域中去进行一番大胆的探索。首先，认知心理学教会了我们如何对信仰、思维和事实加以区别。而人本主义心理学则教会我们在充分考虑到自身价值观和信仰的前提下，如何去全然地接纳和尊重每一个人。因此，对于这个与上帝修好的建议，第一点，就是不要强迫任何人。对于那些坚信上帝不存在的人，根本提都不要提。其次，每个人对上帝的理解都不一样。就拿我来说，我显然不会把上帝想象成一位住在某朵云里的白胡子老翁，但我对这个世界和整个宇宙的“灵性”深信不疑。因此，我所理解的“与上帝修好”，就像是一份对顺乎而非违背自然和宇宙法则的邀约。如果意识到这一点，那么对上帝之安好的关注，就将意味着关注所有的个人行为、集体行为——所有的社会行为。举一个简单的例子，生态保护可以仅仅是出于卫生的原因不去污染水流，也可以是出于科学的原因避免过度使用空调，还可以是出于神秘主义的感触而不去侵犯大地——女神盖娅（Gaia），一个神灵。这就是我对与上帝修好的理解，这种理解可以推及整个生活，进而推及我的工作，无论是在诊所接待病人，还是撰文著书，以及我和朋友们的社会活动，还有自己的娱乐休闲。因为，就像克里希那穆提所说的："生命是一个整体，是人令它变得支离破碎。"

如何改善

我从所有这一切中获得的启发主要有三点，在此与您分享。

把困难当作挑战。没有任何方法可以让生活——我们的生活，我们亲近之人的生活——免于所有的困难。我们不可避免地会常常碰到一些自己不愿面对的情形。同样，事情也总是不可避免地不遂人意。所以卡尔·波普尔[1]将自己的最后一部讲座文稿命名为《人生就是解决问题》（*Toute vie est résolution de*

1 卡尔·波普尔（Karl Popper），20世纪伟大的科学哲学家。

problèmes）。这也是为什么从古至今的许多哲学家都曾奉劝世人，要以自己的方式去改变可以改变的和接受无法改变的事情。[1]我觉得，我们处在一个好时代，与其自怨自艾或是把自己当成受害者，不如直面困难并把它们当作挑战。当我们觉得似乎有什么事或什么人挡住了自己的去路时，问问自己这个问题会是个不错的主意："我应该做些什么或学些什么才能摆脱困境或是让状况有所改善？"这个问题几乎总是比以下这类想法更具成效："为什么世界上会有这样的事？"又或者"为什么我会碰上这样的事？"后面一个问题让我在自己的生活经验中获得了第二个启发。

看待事物的时候不要夹带私货。与我不同的其他人很可能会这样表述，比如托尔特克智者的约定[2]。至于我嘛，我更愿意这样表述："在所有的事物中，我们应该意识到自己负有责任的那一部分。"有的时候，一件事情的发生可能完全因为我们的错误，也可能跟我们毫无关系。在这两个极端之间，我们负有一部分责任，而且应该承担起这部分责任，这是最为常见的情况。我在这个分析中还要加入一个事实：某些事情似乎无须我们必要的认同就已经跟我们密不可分了。我在这里的所指是灵魂的创伤和家系的负累。我们可以在自己的身上

1 至于区别"可以改变的"和"无法改变的"的辨别能力，要么生而有之，要么后天习得，要么祷告求得。

2 Don Miguel Ruiz, *Les Quatre Accords toltèques. La voie de la liberté personnelle*, Thônex (Swisse) , Éditions Jouvence, 2005.

和自己的生活中察觉到一些反复出现的情况里存在的倾向和癖好。因此，重复可以把我们引向未被察觉的根源。在意识到某件事、某种性格特征并非自己的固有之物时，我们会感到如释重负。但请注意，这并不意味着我们可以免除自己的那部分责任。意识到某种倾向可能源于我们的家系——无论是因为纯粹的遗传因素，还是因为强迫性重复——是一回事，制止这种现象又是另一回事。意识到某种倾向可能源于自己的祖先，可以帮助我们看待事物的时候不会夹带私货，但并不能免除我们在其中应该承担的责任，具体的含义我在上文中已经提到。当我们辨认出某种倾向，当我们理解了深层的根源所在，我们就会对自己必须面对的挑战和必须解决的问题具有更为清晰的认识。但说到底，无论是哪种情况，关键之处都是面对挑战和解决问题！接下来是我想跟您分享的第三个启发，也是最后一个。

面对困难，耐心等待，直到出现转机。显然，除了个别特殊的情况，我们在二十岁的年纪是无法看到自己的人生出现重大转机的，到了四十岁或五十岁就容易得多了。因此我建议，心无旁骛地投身工作，不必干等能够纵观全局的那一天。我的意思不是说纵观全局毫无用处，恰恰相反，我所建议的只不过是心怀希望，遭逢之事的意义迟早会显露真容，而且这种意义将会帮助我们去接纳那些自己觉得难以接纳的事情。但不管怎么说，我们依然免不了当学则要学，当做则要做。

在为什么之外

您或许注意到了，我们总是回到没完没了的关于为什么的问题上："为什么世界上会有这样的事？""为什么我会碰上这样的事？"我们尽可以纠缠于此类问题，但这只会让人原地踏步。我的意思并不是说这些问题没有任何道理可言，只不过，我们往往只需稍加耐心就能得到答案。但如果我们在等到了答案之后才迈开脚步，那么就只能原地打转了。再说了，无论在何种情形下，我们总会倾向于对为什么的答案采取视而不见、退避三舍的态度，而且会对关于为什么的问题念念不忘："为什么是我？""为什么是我的祖先？""为什么是生活？""为什么是这个世界？""为什么是宇宙？""为什么总会发生点什么事情？"这些抽象的问题非常吸引人，但不该让它们转移了我们对行动的专注，不该让它们阻挡我们去改善我们可以改善的一切，我们自身和我们周围的一切。

第二十一章

应对制约我们的无常

Gérer des hasards qui nous conditionnent

雅克·冯·希拉尔（Jacques Van Rillaer）

我的父母去世了，我的一个孙女也已不在人世，跟我同龄的朋友和同事纷纷故去。死亡，我每天都在想。我尝试以斯多葛派的方式去领会死亡。我经常会跟来我这里以求摆脱恐惧症、强迫症和其他焦虑病症的人谈到死亡，因为这些疾病往往与对失控、不堪一击或死亡的恐惧有关。

每个生命都以某种意外开始和终结。意外勾勒出生命历程的轮廓和样貌。朋友、伴侣、学识、信仰，每个生命都是以偶然的方式拥有的。

——保罗·瓦勒里（Paul Valéry）[1]

---

1 Paul Valéry, *Œuvre II*, Paris, Gallimard, «Bibliothèque de la Pléiade», 1966, p.776.

我的职业生涯中最重大的转折点，就是从精神分析转向了行为主义。我想，读者大概会对这一重新定位的原因感到好奇。我会用大部分篇幅为您解答这个疑问。

1962年，我即将完成高中古典学科的课业，打算毕业之后去做神父并加入道明会。父母恳求我将这个计划延后至少一年，于是我选择了一个看起来最有利于“帮助亲近之人”的专业——心理学。两本著作让我坚定了这个信念：弗洛伊德的挚友斯蒂芬·茨威格（Stefan Zweig）的《精神疗法》（*Guérison par l'esprit*）和精神分析学家皮埃尔·达科（Pierre Daco）的《现代心理学的伟大胜利》（*Les Prodigieusesvictoires de la psychologie moderne*）。

几个事件（影响最大的一个，就是阅读了有关宗教审判所的书籍）导致了我在专业上的重新定向：我决定成为心理治疗师而非道明会的修士。在进入鲁汶大学（Université de Louvain）的第二年，我向比利时精神分析协会（Société belge de psychanalyse）询问了有关精神分析培训的事宜。女会长答复说，我必须拥有心理学本科学历。第二年，我得知恩师雅克·肖特（Jacques Schotte）打算创办比利时精神分析学院（École belge de psychanalyse），届时将附属于拉康在1964年创办的巴黎弗洛伊德学派（École freudienne de Paris）。拉康创建的精神分析学派，其办学规则不似“安娜·弗洛伊德”学派那么“冥顽不化”[1]。拉康学派向心理学专业的大学生、哲学家、神学家和其他人士敞开了大门。我因而得以在大学心理学专业三年级的时候，投到温弗里德·胡伯（Winfried Huber）的门下接受精神分析的培训，胡伯曾在巴黎师从朱丽叶特·法维兹-布东尼耶（JulietteFavez-Boutonnier）。我当时并不知道拉康学派真正的创建原因——国际精神分析协会决定不再承认拉康式教学法的有效性，因为拉康无视协会十多年间的多次敦促，依然固执地推行短期和极短期的课程培训。

1 拉康在《文集》（*Écrits*, Paris, Seuil, 1966, p.312）中用来评价由安娜·弗洛伊德（Anna Freud）担任会长的国际精神分析协会（Association internationale de psychanalyse）的用语。

整整十年的认知失调

在完成了心理学本科的学业之后，我成了肖特的秘书，他当时在比利时精神分析学院担任院长一职。我在他的临床心理学中心工作，负责接待参加弗式治疗法培训的学生。肖特建议我到荷兰奈梅亨大学（Université de Nimègue）临床心理学系工作六个月，系主任是他的一个朋友。

我的上司不知道的是，他那位朋友的想法已经在很短的时间里发生了巨大的转变。系里那些从美国和英国回来的助教们引进了全新的观念，而且这些新观念被系主任一一采纳。这位荷兰教授最终失去了对精神分析和投射测试（尤其是斯佐迪投射测试和罗夏墨迹测验）的兴趣。那是1968年，质疑权威和“单向度思维”正大行其道。在巴黎，拉康借“主体”和“欲望”的绝对至上之名，成功地将这股潮流推到了新的高度［并不遗余力地消除颂扬“非彼我”（moi）和“快感”（jouissance）的负罪感］[1]。而荷兰的心理学家们，他们在精神分析中看到的是一种资产阶级的意识形态，这种意识形态对自我关系（冲动、肛欲期的固着、俄狄浦斯情结和阉割情结，等等）的阐释万年不变，对精神疾病中的社会经济因素视而不见，这正中权

1　比如拉康在《精神分析的伦理学》（*L'éthique de la psychanalyse*）研讨班（1960年）上得出的结论：“我认为，人唯一有罪的地方，至少从精神分析的角度来看，就是屈服于自己的欲望。我所说的‘屈服于自己的欲望’，在主体的命运中总是伴随着某种背叛。” *Le Séminaire. Livre VII*, Paris, Seuil, 1986, pp.368, 370.

威派的下怀。

荷兰人还对弗洛伊德学说的科学性提出了批评。弗洛伊德过度地一概而论（尤其是有关性学和恋母倾向的理论）。弗氏对无意识之概念的阐述方式，令他可以言之凿凿地对任何行为、梦境和幻想做出解释，并将所有的异议都归咎于相关个体的“压抑”。卡尔·波普尔曾在1963年出版的《猜想与反驳》(*Conjectures and Refutations*)一书中，对这些问题进行了探讨。科学性（尤其是反驳性）标准的问题，是当时系里的讨论主题。

第三个批评——在我看来是最为重要的一个——直指有效性。最著名的当属汉斯·艾森克（Hans Eysenck）在1952年进行的多项研究。它表明，不同心理疗法的效果相对保持在同一水平上。[1]这对耗时最长、耗资最巨的精神分析学派来说，可不是什么好消息。较之华丽的辞藻，荷兰人更看重支出与收益的平衡，因而他们认为，弗氏疗法已然不合时宜。而刚刚兴起的行为疗法，则显得更为有效，至少对反复出现且有时会严重影响主体功能的症状——恐惧症，是颇有疗效的。大学医院里的精神科医生，把罹患恐惧症的病人送到临床心理学系，好让他们在那里接受心理医生阿德·博格（Aad Burger）的“实验性”治疗，博格曾接受过约瑟夫·沃尔普（Joseph Wolpe）的培训。我

1 Hans Eysenck, «The effects of psychotherapy: An evaluation», *Journal of Consulting Psychology*, 1952, n° 16 , pp.319-324.

因此亲见了用于治疗非理性恐惧的“系统脱敏”疗法。那个时候，我觉得不考虑“压抑”之含义的病症消除，会导致“症状替代”的出现。因此，当我看到针对恐惧症的行为疗法所产生的“正面雪球效应”时，心中大感惊讶：恐慌症消失不见，病人重拾自信并感到快乐。我心怀一种信念回到了比利时，就像对医学的那种信念，我坚信，对科学性的疑虑，并非是在事实上对某些人的不尊重，而是为了治疗某些病症的一种必要有效条件。

在随后的十几年中，我遭受了一种强烈的认知失调，令人厌恶，但有利于研究、观察和思考。虽然我对弗洛伊德的信仰产生了严重的动摇，但我还是继续完成了精神分析的培训，并以精神分析为业（因为我当时没有任何其他的实践技能），完成了关于精神分析中攻击性的博士论文，并于1972年通过了答辩。在由四位精神分析学家和一位实验主义心理学家组成的评审团看来，我乃是一个弗洛伊德学派的专家。

获得可以质疑的身份

1974年，我被任命为母校的全职讲师（1980年获得“教授”头衔），我拥有了可以自由思考的理想环境。早在1975年出版的《从精神分析的角度探讨人的攻击性》（*L'Agressivité humaine. Approche psychanalytique*）一书中，我就表达了一些未敢在博士论文中表达的观点。（我的上司是个不折不扣的弗洛伊德派，他告诫我，弗氏学说是批评不得的，只能对其深入研究，直到“理解”为止。）而我在这本书中表示，精神分析学说提出了诸多大有可为的假设，但是，区分被证实的假设和被反驳的假设之责任在科学心理学。我对“死亡冲动”概念的阐释价值提出了质疑。我们可以证实毁坏冲动或自毁冲动，但造成这种感觉的原因还有待探究。弗洛伊德曾经写道：“冲动‘可以说’（sozusagen）是我们的神话。”[1]实际上，“可以说”纯属多余，那就是一种神话。它阻碍了探寻，并且让问题行为无法得到改变。

1972年，拉康造访鲁汶，我借机跟他共进了一次午餐，在场的还有我的上司和另外几位精神分析医生。我问这位法国的“弗洛伊德”，在1984年发表了那篇文章[2]之后，他是否对攻击性有了新的想法。拉康的“讲话”不仅没有任何新意，而且让我觉得是一些东拼西凑、支离破碎的观点。

三年之后，一个偶然的事件发挥了决定性的作用。一群我们学校的精神分析学家，花了整整两个晚上的时间去分析拉康在一次电视采访中的两句结语：“解释必须简短，以满足互借

1 Sigmund Freud, *Neue Folge der Vorlesungen zur Einführung in die Psychoanalyse*(1933), *Gesammelte Werke*, XV, p.101.

2 Jacques Lacan, «L'agressivité en psychanalyse»(1948), *Écrits*, Paris, Seuil, 1966, pp. 101–124.

(entreprêt)的需要。从幸存于完全的丧失到只寄望于从父亲到更糟。”[1]第一句话就成问题。弗洛伊德早就说过，对这种为病人做出解释的殷切要有所警惕[2]，而“entreprêt”这个词字典里根本就没有。第二句话就更成问题了。就像信徒面对晦涩难解的经文，精神分析学家根本没有想过这两句话可能是毫无根据的或是随性而发的。拉康在采访的一开始就提醒说：“我的话是说给行内人、不蠢的人、假定的精神分析学家听的。”对他说的话，必须进行解译。每个人都各执一词，那个有幸到拉康家中亲口陈述自己分析的人，便背负起求问最终解答的众望。据说，拉康是这样回答的：“我这么说是为了押韵。”我终于明白了，对于拉康那些令人费解的文字，门生们永远不能提出“他会不会弄错了”或是“这是否可能毫无意义可言”之类的问题，而只能问：“经过分析之后，它意味着什么？”这让我想起了荷兰同僚对这些艰涩语句的典型反应：“这或许只是虚张声势。”而很多的法国人和法语区的比利时人则认为：“这肯定寓意（非常之）深奥，只有水平最高的专家才能理解。”

我依然对弗洛伊德很感兴趣，但在我的眼中，那位巴黎的权威人物却越来越像是个江湖术士……当然也是个天才。他将

---

1 Jacques Lacan, *Télévision*, Paris, Seuil, 1973, p.72; *réédité dans Autres écrits*, Paris, Seuil, 2001, p.545.

2 Freud écrivait qu'il ne faut communiquer des interprétations que «lorsque, par une préparation, le malade est arrivé lui-même à proxmité de ce qu'il a refoulé» et «s'set attaché (transfert) au médecin de telle sorte que les sentiments à son égard redent une fuite rapide impossible» («Über "wilde" Psychoanalyse», 1910, Gesammelte Werke, VIII, p.123s).

字词玩弄于股掌之间，他的那些信徒到最后总能从他的“话语”中挖掘出某种“深奥”的意义。后来我得知，拉康本人也承认国王没穿衣服。1977年，他说道：“我们的实践是一种骗术，虚张声势，让人应接不暇，用晦涩炫技的字词令人晕头转向，这就是我们平时所说的装腔作势。从职业道德的角度来说，我们的职业让人难以忍受；正是出于这个原因，我才感到举步维艰，因为我跟所有的人一样，也有一个超我。”[1]他在1979年又说道：“就像那个名叫卡尔·波普尔的人所证实的，精神分析根本算不上是一门科学，因为它是可以被驳倒的。这是一种实践，一种做一天和尚撞一天钟的实践。这是一种喋喋不休的实践。”[2]

对弗洛伊德学说科学性的总结

1975年出版的那本书销量颇佳，于是出版商建议我再写一本。我提议把新书定名为《精神分析中的科学与错觉》(*Science et illusions en psychanalyse*)，对弗氏理论中可用的部分和可弃的部分做个小结。我于是拜读了亨利·艾伦伯格的经典大作——

1 *Quarto*. Supplément belge à *La lettre mensuelle de l'École de la cause freudienne*, 1981, n°2.
2 *Ornicar? Bulletin périodique du champ freudien*, 1979, n°19, p.5.

《发现无意识》[1]。

我发现，弗洛伊德最让人感兴趣的那些理论（儿童很早就出现了性活动，口误和笔误体现了一种被压抑的思维，等等），绝大部分都是从先人或同代人那里借鉴而来的，而他的那些独家学说（比如，所有的梦境都毫无例外地体现了某种欲望）却几乎全部都没有得到过证实，或者是遭到了驳斥。初读汉斯·艾森克（Hans Eysenck）和格伦·威尔森（Glenn Wilson）的论著[2]，我心中老大不以为然，但读到最后竟然感到所见略同。我还通过艾伦伯格了解到，奠定了精神分析学基础的个案——安娜·O.（Anna O.）号称“所有的症状都被治愈”，但这个被粉饰成里程碑式的成功典范，实际上却是一次可悲的惨败。在撰写《精神分析中的科学与错觉》的过程中，我看到的科学越来越少，错觉却越来越多。1979年，我不再把自己看作是精神分析学家，并向比利时精神分析学院递交了辞呈。这本书的题目也变成了《精神分析中的错觉》（*Les Illusions en psychanalyse*），并由Mardaga出版社在1981年出版发行。书在问世之后，随之而来的是各方热烈的争论、接连不断的敌意和全新的友谊。我举办过很多次研讨会，而且笔耕不辍，

---

1 Henri Ellenberger, *The Discovery of the Unconscious*, New York, Basic Books, 1970, tr. fr., *À la découverte de l'inconscient. Histoire de la psychiatrie dynamique*, Paris, Éditions Simep, 1974；réédition, *Histoire de la découverte de l'inconscient*, Paris, Fayard, 1994.

2 Hans Eysenck, Glenn Wilson, *The Experimental Study of Freudian Theories*, Londres, Methuen, 1973.

后来，我厌倦了口诛笔伐。

“行为主义”的培训和实践

在20世纪80年代初，我参加了一次行为疗法的培训，并开始进行实践。这次培训的成效远胜于弗洛伊德的精神分析，因为它让我能够以自己希望的方式进行自我管理。我学到了四种对自己裨益最大的方法，那就是放松法、呼吸调节法、认知重建法和新行为尝试法[1]。

- 放松法，是在认知行为疗法中采用的一种方法，它可以（在几秒钟之内）令肌肉放松，令人恢复心理和生理上的平静，获得深度的休息，而且可以缓解失眠。
- 尽量缓慢地呼吸，可以降低主动情绪（恐惧、焦虑、愤怒）的强度。
- 不同形式的认知重建，已经成了我的日常实践，它们可以有效地淡化不快并提升幸福的状态。我身为老师的最大受益，就是可以在课堂上始终专注于我想要“给予”学生一些什么，而不是学生会对我有什么看法。

1 Jacques Van Rillaer, *La Nouvelle Gestion de soi*, *Bruxelles*, Mardaga, 2012.

行动的实践：获得改变的王道

想要学会游泳，就应该了解其中的原理并下水一试。想要战胜恐惧症，就应该了解什么是恐惧症，并让自己“亲临险境”——按照从低到高的困难程度，把自己暴露在引起不安的情境之中。为了消除依赖性或某种强迫性习惯，就应该学会与侵入性想法拉开距离，并形成一些可以跟强迫冲动形成竞争的活动。想要摆脱抑郁状态，就应该在思维模式发生改变之前就脚踏实地地投入到能够提升价值感的行为中去。阿尔伯特·班杜拉（Albert Bandura），认知行为疗法的前驱之一，曾经这样说道：“行为的改变以认知过程为中介，但能够最为迅速地诱导并改变这些认知过程的，是在有效控制之下的体验行为。”[1]

尝试新的行为模式和互动模式，是认知行为疗法的核心原则之一。行为主义者从一开始就看到了“个人行为”（预期、情绪反应、心理视觉化、内心对话、自我管理等）产生的重要影响，而他们之所以只把自己称为“行为主义者”，是因为他们所理解的“行为”是广义上的行为，这种广义上的“行为”，指的是一切可以直接或间接观察得到的具有意义的活动，这些活动呈现出三种维度：认知维度（感知、回忆、思考等）、情感维度（快乐、痛苦、冷漠）和驱动维度（行为、肢体表达）。

1 Albert Bandura, «Self-efficacy: Toward an unifying theory of behavior change», *Psychological Review*, 1977, n° 84, pp.191-215；réédition in *Advances in Behaviour Research and Therapy*, 1978, n° 1, p.139.

争议不断

1991年至2003年间，我几乎没有发表任何与精神分析针锋相对的言论，至多接受了几家报纸的采访，参加了几次电视辩论，翻译了一篇汉·伊斯雷尔斯（Han Israëls）撰写的有关精神分析学家赫尔米内·冯·胡格-赫尔穆特虚构的少女传记[1]的文章。我最终与精神分析学家们重修旧好。我的时间大部分都花在教学工作上了，但我每周仍会留出几个小时用来治疗恐惧症、恐慌症、强迫症和冲动症。结合自己的实践经验和理论阅读，我出版了《自我管理》（*La Gestion de soi*，1992年），这本书经过我的几番修改，于2012年重版，并更名为《自我管理新编》（*La Nouvelle Gestion de soi*），还有幸请来克里斯托夫·安德烈为新书作序。此外，我还出版了三本关于行为疗法（1995年）、恐惧症（1997年）和愤怒（1999年）的小书。

2004年，平地里响起两声惊雷：其一，一部分精神分析学家（尤其是拉康一派）及其友人［尤其是贝尔纳-亨利·利维（Bernard-Henri Lévy）］对议员贝尔纳·阿克耶（Bernard Accoyer）试图规范心理治疗师职业的举措表示了抗议；其二，这部分精神分析学家对法国国家健康与医学研究院公布的一份将精神分析定性为较之认知行为疗法收效甚微的报告表示了更为强烈的

1 Hermine von Hug-Hellmuth, «L'histoire du Journal d'une adolescente» , *Science et pseudo-sciences*, 2001, n°246, pp .34-38.

抗议。雅克-阿兰·米勒（Jacques-Alain Miller）是拉康的女婿和继承者，开始大肆抨击认知行为疗法，比如，他曾声称："认知行为疗法是一种通过把主体暴露于自身创伤之中的残忍做法，比如在患有蟑螂恐惧症的病人面前放蟑螂。第一次，病人大声喊叫；第二次，病人喊叫得没那么厉害了，过了一段时间之后，病人就被确诊为痊愈了！这不过是在粉饰太平。疗效，倘若果真有的话，只要没有表现出危害性，就不过是转瞬即逝或流于表面。"[1]伊丽莎白·卢迪内斯库（Élisabeth Roudinesco）则将认知行为疗法描述为"徒有虚名，这种疗法其实是关于如何实施控制的技术"，她认为，认知行为疗法把人当成是"实验室里的老鼠"，而"人性的残忍，显然是毫无下限的"。[2]洛朗·果里（Roland Gori）是艾克斯-马赛大学（Université d'Aix-Marseille）的教授，他在当年2月26日出版的法国《世界报》（*Le Monde*）中宣称："认知行为疗法，是一种巴甫洛夫的经典条件反射。人处在一种自愿的服从之中。从政治的角度来说，这是危险的。法国国家健康与医学研究院的报告如同一台针对精神分析的战争机器。""巴甫洛夫的经典条件反射"这一表述，成了我在2004年应法国科学信息协会（Association française

1 Jacques-Alain Miller, «Une auto-évaluation par le patient lui-même», *L'Express* du 23 février 2004.

2 Élisabeth Roudinesco, *Le Patient, le Thérapeute et l'État* Paris, Fayard, 2004.

pour l'information scientifique）之邀举办的研讨会的议题[1]。我再次被卷入了争议的旋涡。我的三缄其口没能救助那些身陷险境的人——信赖拉康派的病人们。

2004年9月，Les Arènes出版社的责编邀请我参与撰写一本将会集合对精神分析之批判的著作。我对此未有丝毫的欣喜之感，但觉得这是自己的职责所在。我想到了那些把精神分析想象成心理疗法不可逾越之巅峰的可怜人，还想到了那些挖空心思去背诵拉康理论的大学生，他们的老师都对这些理论似懂非懂，而且还把最异想天开的概念传授给学生。

图书出版后，争议四起，之后喧嚣渐落，我又回归到教学工作和认知行为疗法的实践中……直到2011年的一天，我得知，三位拉康派精神分析医生状告网络发行纪录片《墙》（*Le Mur*），又名《精神分析如何治疗自闭症》（*La psychanalyse à l'épreuve de l'autisme*）的制片人苏菲·罗贝尔（Sophie Robert），并提出了赔付三十万欧元（原话如此）的荒唐要求。状告何罪？影片对十来个精神分析医生进行了关于自闭症的采访，并且选择性地向观众呈现了令人反感的言论。这几位拉康派精神分析医生认为，该片的发行损害了他们的形象。初审法官判定原告获胜，但在三年之后的上诉审判中，另一位法官为制片人昭雪平反。

---

1 «Le "dressage pavlovien" des freudiens. Comprendre leconflit psychanalyse-psychologie scientifique», en ligne：http://www.pseudo-sciences.org/spip.php?article373. Version papier dans la *Revue de psychoéducation* Université de Montréal, 2005, n°34, pp.135-151.

这第二位法官仔细观看了所有的采访记录，并裁定苏菲·罗贝尔原本可以在成片中展示受访者更为令人不齿的言论。这个事件让我再次身陷对精神分析的批判声中，至今都未得脱身。

古稀之年重新定义自己的价值

如今，我已是古稀之年，幸得身体康健，而且也还算是神清智明。这种状况跟基因的巧合不无关系，但也赖于“健康的行为”。对心理法则的了解让我不必大费周折就能做到膳食平衡，我坚持体育锻炼，也未曾沾染有害的瘾癖，可以足够迅速地消除紧张和负面情绪，并常常拥有幸福和快乐的感觉。很早以前，我就懂得了幸福在很大程度上取决于自我管理的能力。我觉得自己从这种想法的实践中受益无穷，而斯多葛派和伊壁鸠鲁派都提出过这种想法。

不管怎样，衰老总会伴随着体力的下降和认知能力的减退。行为的助推力也会发生改变。比如，我就发现自己的好奇心大大减弱了（对旅行、电影和展览不再像以前那样痴迷不已），有用于他人的乐趣则有增无减（也可能是因为我有了更多的空余时间）。有一种助推力至今仍在鞭策着我，那就是分享可以帮助他人减轻痛苦并感到更加幸福的信息。从前，在阶梯教室里讲课给了我极大的快乐。现在，我在接待病人、翻译著作和撰写文章的时候，感到了同样的满足，尤其是在为《科学与伪科学》（*Science et pseudosciences*）杂志撰稿的时候。这些文章中有一部分是关于普通心理学和自我管理的[1]，另一些则是为了提醒读者要警惕招摇撞骗、无意义或一些判断上的误区[2]。

接受生命的消逝

我的父母去世了，我的一个孙女也已不在人世，跟我同龄的朋友和同事纷纷故去。死亡，我每天都在想。我尝试以斯多葛派的方式去领会死亡。我经常会跟来我这里以求摆脱恐惧症、强迫症和其他焦虑病症的人谈到死亡，因为这些疾病往往与对失控、不堪一击或死亡的恐惧有关。我经常会让他们去读塞内卡和伊壁鸠鲁（Épicure）的文章，然后再跟他们一起讨论。我尤其记得塞内卡写给卢基里乌斯（Lucilius）的一段话："我跟死亡早已是老相识了。你要问我什么时候相识的？在出生之前。死亡，就是非在。这是关于什么，我心里非常清楚。在我之后将会出现在我之前出现过的情形。我们的生命之光被人点亮，又被人熄灭。在此期间，我们总会遭点罪，但在起点和终

1　Exemple: «L' impact psychologique des traumatismes et leur traitement». En ligne: http://www.pseudo-sciences.org/spip.php?article1598

2　Exemple: «Le freudisme: un conte scientifique». En ligne: http://www.pseudo-sciences.org/spip.php?article2347

点，则是深邃的宁静。”[1]其实，死亡，就是所有身体痛苦和情感痛苦的彻底终结，就是狂热与炽烈的日常戏码的终场落幕，就是日渐衰老的身体和智力的最终消亡。前人让位给后人，循环往复。

认知行为疗法的培训让我明白了，我们可以自由地解读现实，无论什么样的现实。我希望在自己生命最后的日子里，可以保持一种从容不迫，至少是一种自尊自重的态度。斯蒂文·海耶斯（Steven Hayes）的著作让我渐渐学会了对无可避免之事泰然处之[2]。诚然，这种观点早就存在于斯多葛派学说和古代文化的字里行间，但海耶斯教会了我在别无他法去缓解痛苦的时候如何心怀善意地接受现实。

为终极时刻所做的准备并没有阻止我去拥抱幸福——此时此刻的幸福。积极主动地进行认知重建的习惯，让我能够专注于当下这一刻及它所赋予的思考、学习、行动和感知幸福的可能。

心理学是一门柔弱娇嫩、青春正茂的科学，它承载着众多的谬误和错觉。在面对心理学在科学性和有效性上的不足时，我有时会对自己的选择心生遗憾。但无论如何，如果可以重头

---

1 Sénèque, *Apprendre à vivre.Lettres à Lucilius*, «Lettre no 54», tr.fr., Paris, Arléa, 1990, p. 59.

2 Pour une Présentation en français: Benjamin Schoendorff et al., *La Thérapie d'acceptation et d'engagement*, Préfaces de S. Hayes, R. Kolhenberg et M. Tsai, Breuxelles, De Boeck, 2011.

来过，我依然会做出同样的选择。因为说到底，心理学终究是一门在不断进步的学科，我的幸福，以及我有幸带给他人的幸福，在很大程度上都是拜心理学的研究成果所赐。

经典语录

致读者

- “思考并行动，行动并思考，这是智慧的大成。两者在生命中发挥的作用永无休止地交替而行，就像呼吸一样。应该以思考去检验行动，以行动去检验思考。”约翰·歌德（Johann Goeth）[1]
- “我将要做的事情取决于我正在做的事情。行动具有双向的作用，它改变了情形，也改变了我自己。伐木工砍倒树木，并用它做成自己的左膀右臂。”阿兰[2]
- “幸福的一个障碍，就是期待过多的幸福。”伯纳德·德·丰特奈尔（Bernard de Fontenelle）[3]

致心理医生

- “我们的信仰，是一种在他人信仰中的信仰。”威廉·詹姆士（William James）[4]
- “弗洛伊德那些臆造的伪解释误人不浅。如今，随便哪个蠢蛋都可以用这些画面来‘解释’疾病的症状。”路德维希·维特根斯坦（Ludwig Wittgenstein）[5]
- “尝试做到简明扼要，是所有知识分子的一种道德义务：不够清晰是一种罪孽，自命不凡是一种罪行。”卡尔·波普尔[6]

---

1 *Les Années de voyage*, in P. Hadot, *N'oublie pas de vivre. Gœthe et la tradition des exercices spirituels*, Paris, Albin Michel, 2008, p. 271.

2 Alain, *Propos* (1928), TOME Ⅱ, Paris Gallimard, «Bibliothèque de la Pléiade», 1970, pp.736, §462.

3 Bernard de Fontenelle, *Du bonheur*, 1724.

4 William James, *The Will to Believe* (1897), Cambridge, Harvard University Press, 1979.

5 Ludwig Wittgenstein, *Culture and Value* (1946), Chicago, University of Chicago Press, 1984, p.55.

6 Karl Popper, *La Connaissance objective*, Bruxelles, Éditions Complexe, 1978, p.55.

第二十二章

心理医生之所想

Dans la tête d'un psy

弗雷德里克·方热（Frédéric Fanget）

每次我思索为什么自己不想受苦时，都会想到我的母亲她三岁时被抛弃，一生都在经历被抛弃的认知图式。我觉得，促使我成为精神科医生的原因之一（显然还有其他很多的原因），就是想要去疗愈这种自己从小在饱受创痛的母亲身边耳濡目染的精神创伤。因此，我在幼年时就已经感觉到灵魂的创伤是一种极大的痛苦（虽然它受重视的程度不比生理上的痛苦），这也是我选择了精神病学而非身体医学的其中一个原因。

“我为什么成了心理医生？”这么复杂的一个问题，是如何让我们对自己有了那么多了解的呢？如果我们能够接受种种问题或某些生活的情境所引发的焦虑、不安、怀疑或困惑的话，我们就能不断地向前。

为了回答这个问题，我运用了一种我每天都会跟病人一起使用的方法。这种方法叫作认知概念化。接下来，我会借助第425—426页的那张“弗雷德里克的表格”把这种方法用在自己的身上，以便让你了解其中的原理，第427页的那张“您自己填写的表格”是给你的，或许有一天你也会借助它去亲自尝试一下这种方法。

冰山露出水面的部分

运用这种方法的关键，在于此时此地对自我的倾听。从情绪上来说，这种对自我的关注并不总是那么容易做到，这也是为什么这个工作需要一步一步来完成。所以，我才会以自己的例子作为本章的开篇。

步骤1

什么样的情境会引发不适？对我来说，引发不适的情境是："撰写一篇关于'为什么我成了心理医生'的文章。"

我把这一初始情境写在了我的概念化表格的第一栏中。

步骤2

我问自己："我做了什么？我在面对这种情形时做出了什么样的反应和行为？"

"我犹豫不决，我非常想要写些什么，但我觉得这个问题太难了；同时我也在拖延，也就是说，我把写文章的任务今天推明天，明天推后天（其间，我请求责任编辑原谅我因拖延症而迟迟未能交稿)。"

亲爱的读者，你瞧，我也会犯拖延症。我们中的很多人在心怀疑虑或缺乏自信的时候都会出现这种情况。

我把这些行为填在了表格的第二栏中。

步骤3

我问自己，我在眼前的情境中有什么样的感觉，也就是说我有哪些情绪。

“我感到不知所措、疑虑重重、身陷困境，我在犹豫不决和想要下笔之间摇摆不定。”

步骤4

在感到这些情绪的那一刻，我专注于自己脑中的想法（这就是认知，我常常把它们叫作内部批评的声音）。我内部批评的声音说道：

“我能做到吗？为什么自己会从事目前所从事的职业？这是一个很难回答的问题。我能怎么回答呢？我回答得不清楚，读者会感到失望。说到底，也许我没有办法弄明白为什么我成了心理医生。即便某些答案在我看来是显而易见的，但它们并非一成不变。”我在2007年就想到过这个问题，当时我正在撰写《你去哪儿？赋予生活意义的心理学解答》[1]——一本关于生命意义的书。我当时想到了几个可以用来回答为什么我成了心理医生这个问题的答案。2010年，在我应邀参与撰写《心理医生的秘密》[2]一书时，我又再次对自己提出了同样的问题。而到了2015

1 Frédéric Fanget, *Où vas-tu? Les réponses de la psychologie pour donner du sens à sa vie*, Paris, Les Arènes, 2007.

2 Christophe André(dir.), *Secrets de psys. Ce qu'il faut savoir pour aller bien*, Paris, Odile Jacob, 2011.

年，我意识到自己成为心理医生也许还有另外一些原因。因此，我到最后会语焉不详，我真的不是很清楚这个问题的答案。”

我把自己的想法写在了表格的第四栏中。

我观察这些接二连三的想法，观察它们的普遍化，然后我任由这些想法自由流动，尽管它们跟经历过的情境之间的关联性越来越少。或许你也会这样。

接二连三的想法

在几个星期中，我那些接二连三的想法是这样的：

“不管怎么说，我不是个凡事都想得很清楚的人。小的时候，我想成为医生而非精神科医生，我肯定是个相当矛盾的人。我一时觉得充满斗志，想要讨论复杂的问题，感到自己干劲儿十足；一时又会感到茫然无措、缺乏信心，感到自己的热情消减、想要放弃。在这种情况下，我无法真正地成为读者的表率，我其实并没有读者想象的那么靠得住，那么强大。”

在我放任自己的想法自由流动的时候，我总会在正面想法和负面想法之间不停摇摆。慢慢地，我们的想法会跟我们正在经历的情境脱节，它们会通过暴露我们自身的矛盾、怀疑、长处和短处而成为一种对我们自身的整体评价。

让我们的想法自由流动是很重要的，即使它们会让我们感到某种程度的不适，因为在这混杂着负面想法、不适、疑虑、茫然、焦虑和恐惧的一刻，我们看到了浮出水面的冰山。我们的不适是我们的负面情绪，而我们的想法则是通向无意识的窗口。正是在这些我们心理生活的护卫，也就是我们的负面情绪和想法出现的时候，直面它并去倾听才能让我们更好地了解自己，进而更好地接纳自己。

情绪的记忆

步骤5

对情绪的倾听让我得以回首过去。在这一步，我停留在当下的情绪上，并带着与之相连的负面想法。对我来说就是，“我其实没那么靠得住”的想法与不知所措的情绪相连。在这个步骤中，我们可以回望过去，找寻那些我们曾经体验过此类情绪的时刻，即便当时的情境与我们正在体验的情境毫不相干。这些回忆很有可能不会按照时间顺序一一浮现，情境之间也不一定会有联系。这就是我们所说的情绪记忆。这些记忆可能会让我们感到情绪上的不适，但不要害怕我们的情绪，不要逃避这些令人感到不适的时刻，因为在这个时候，情绪会让我们沉下心来，不适会让我们有机会更好地了解和懂得自己。

弗雷德里克，在你自问“为什么我成了心理医生”这个问题（触发情境）的时候，在你下笔时感到怀疑、茫然和焦虑（情绪）的时候，在你生出“我靠不住，我做不到”的想法（负面想法）的时候，你脑海中有没有浮现出曾经感到过这些情绪和出现过这些想法的情境?

我想到的第一个场景是在最近发生的。这个场景发生在我和儿子之间，他刚刚度过青春期，正值人格的形成时期，他想跟我谈谈自己的问题。那天，我没能很好地倾听他，我试图帮他解决他说给我听的问题，但却没有好好倾听他的想法。他坦率地指出了这一点，并对我说：“你根本没在听我说，你从来都不听我说，你总是想要去解决我的问题，但是你意识不到首先要做的是听听我的看法。”然后他摔门走掉了。

我因此而感到非常苦恼。我感觉自己很脆弱、不可靠，在愤怒和争执过后会感到力不从心，而且会出现如下想法：“我的意见他不感兴趣，但我知道自己在说些什么，我的生活经验是这个孩子所没有的。”还有“他意识不到这都是为了他好，他最好听从我的建议……”

于是，我进入了抗争和挑战的阶段，但我的想法接着会调转枪口对向自己：“很显然，你不成啊，你不是个称职的父亲，他说得没错；你整天都跟你的病人说，想要赋予他人自信，就要去倾听他们，让他们绽放自我，而不是给他们提意见……那你为什么不对你的儿子这样做呢？”

您大概也看得出，这些想法让我产生了对自己身为人父的能力感到苦恼、不安和失望的负面情绪。不过，正是赖于这种我在一位同事的帮助下运用在自己身上的认知概念化方法，我才得以大大改善跟儿子的关系。否则的话，我大概会错失良机，而我和儿子也会继续针锋相对很长一段时间。

矛盾推动我们前进

我想到的第二个场景，距现在要久远一些。那是在住院实习期间，我对自己选择什么专业想了很多，在选择上也是一拖再拖。这种不适持续了好几年。我当时的想法是："你不太清楚自己想要什么……有时候你对某个专业兴趣十足，并且义无反顾地投入其中，然后你又改变了主意……"这些想法跟我在写这篇文章时的想法有些相像。我可能早就显示出了建造者、"问题终结者"的特质（只不过当时并没有意识到），这些特质把我引向了以行动为主导的专业（心脏病学、急诊医学……），而善于倾听、理解和与人相处的特质（在对自己运用认知概念化方法之前同样没有意识到），则把我引向了需要倾听的专业，比如内科学，甚或是精神病学。就是在住院实习和其他不同实习的漫长时间中，我意识到自己对出现心理问题的病人越来越感兴趣，对出现身体问题的病人则越来越不感兴趣。心脏病学、风湿病学，尤其是内分泌学（研究激素），就属于后一种情况。内分泌学是一种技术性极强的专业，从智力层面来说，这是专业术，属于那些天才型的实习医生，我那些喜欢对肾上腺、脑垂体和下丘脑争论不休的实习同事就属此类，他们的争论常常让我听得目瞪口呆。我渐渐感觉到，自己不属于这种技术性、智力型的医学科学。我慢慢对身体医学失去了兴趣，尽管这种医学我从十岁起就已经听着让我痴迷不已的救护车鸣笛声而沉浸其中了……

在内分泌科，我常常听到同事的口中说出这样的话："又是个得厌食症的……好吧，咱们给她做个激素检查，让她重新进食，然后把她打发回家。"同事当场做出的这种消极反应让我惊愕不已。但不要误会，我跟他们其中的一些人至今仍然保持着良好的关系；现在我知道，他们都是非常通情达理的医生，那些在心脏病学层面对焦虑患者和在内分泌学层面对厌食症患者的消极反应，乃是面对这些病人束手无策所导致的结果，因为那个时候的医学还无法为这些病人提供有效的治疗方法，尤其是心理学的基本治疗方法。

我就这么打开了记忆的闸门，让这些贯穿我整个住院实习期的混乱和茫然的情绪汹涌而至，于是，我的眼前浮现出一位入院治疗的年轻厌食症女患者的面孔。我至今还记得那个年轻女孩的样子：瘦骨嶙峋、面无血色、两颊深陷，瘦弱得让人心感不安，就那么静静地躺在病床上。我至今都记得自己在面对她时感到的不自在。完全不知所措，我没有接受过任何关于如何应对神经性厌食患者的培训，整个人从头到脚被她的不安所包裹，根本无法思考。我在她身旁坐了下来，低垂着头，肩膀耷拉着，担着我所有的无力，只剩下两只耳朵还在工作。而让我大感吃惊的是，那个女病人开始跟我说起了她自己……真的是在说她自己。更让我感到吃惊的是，在一个小时后我起身离开病房的时候，她对我说道："谢谢您的倾听。"我感觉自己几乎要晕厥过去。"她为什么要感谢你？你根本什么也没做。你，一名实地学习过怎样区别症状，怎样做出诊断，怎样排除错误的诊断以免贻误病情，怎样采取行动，怎样治疗的医生，你什么也没做，只是满足于对她的倾听，而你对她几乎什么话都没说，你都不曾给她做过检查，而她呢，却感到心满意足！"我几乎因为她让我的人生意义变得岌岌可危而感到恼火：成为医生是为了有所作为——为了照料病人，为了迅速而有效地进行治疗。从住院实习的一开始，我就感到自己特别没有效率的，大概要算是会诊了，而正是住院实习的经历让我感到了精神病学的召唤。

矛盾的心理学

正是矛盾的心理学，让我现在能够更好地懂得在自己身上发生的一切。我以一种积极的、技术性的和有效的医学为基础，为自己构建了一种职业的理想典范，而就在我感到自己最没有成效、茫然无措、无计可施的时候，是那个女病人向我展示了所有她在我们相遇时感觉到的成效。在面对自己的自相矛盾时，我们会感到身上产生了一种强烈的精神冲击。我们会觉得这些时刻令人厌恶、让人浑身不自在、让人想要逃之夭夭，最终找回能让自己安心却扼杀了一切可能的确信感。但是，这种在我们与自己的矛盾擦肩而过时令我们大感吃惊的情绪的两面性，正是真正了解我们是谁的关键所在——那个带着优点、缺点、怀疑、犹豫和矛盾的真正自我。说到底，我天生适合倾听的专业，一种技术性没那么强、更为人性化的专业。可最终还不是在接受了在面对那位女病人的时候去倾听——而非逃避——自己的不自在之后，我才意识到这一点。谢谢您女士，是您让我从事了一项自己热爱的职业，而且至今已有三十余年了。您是我最好的心理医生！您或许永远也不会知道您的那句“谢谢您的倾听”帮了我多大的忙。

我是在事后，才借助认知概念化理解了自己的运转模式。

通过这三个例子——写文章、跟我儿子的相处和跟厌食症女患者的相遇可以看出，我们的图示是在生活中渐渐形成的，并一个接一个地储存到我们的情绪记忆中。在某个生活情境唤起我们的情绪记忆和我们过去的认知图式时，这些图示就会以隐约不适的面目再次出现。借助认知概念化，我们可以拉开距离并相对地看待不适。

您瞧，这就是如何追随自己的认知概念化去了解自我的过程。

步骤6

接着，我仔细观察了三种情境的共同之处。无论是写文章还是跟我儿子的交谈，或是跟那位精神性厌食症女患者的相遇，我在这三个生活情境中的负面情绪和想法都是一样的。

冰山没入水中的部分

硬币的正面

这种针对自我的工作，让出现在以上三种情境中的价值浮出了水面。对我来说，最重要的是什么？出现在这三种情境中的是哪些价值、哪种骄傲、哪类品质？

“我的价值在于挑战，在于解决他人的问题、帮助读者解决他们的难题、写完这篇文章、借助我自己所有的经验和我对儿子问题的思考去帮助他解决问题、通过满怀善意的倾听去帮助那位厌食症患者缓解她焦虑的意愿，在于构建、建造和前进。我确实是个不惧挑战的人，一些熟悉我的人都把我叫作‘问题终结者’。此外，他们中的很多人，包括我的亲朋好友，都会因为我的这个品质而毫不犹豫地向我倾吐他们的生活困难和难解的问题。”

我刚刚描述的是自己硬币的正面。即便上述三种情境似乎在情绪上是负面的，但对我们的不安等情绪、两面性和矛盾的倾听，可以揭示出真实自我的正面。这就是我所说的硬币的正面，我在《从自我苛求中解放出来》[1]一书中对这个概念做出了

1　Frédéric Fanget, *Je me libère*, Paris, Odile Jacob, 2013.

详尽的解释。在我们种种不适的背后，隐藏着我们的价值——那些构建了我们并给予我们力量的东西。发现自己的矛盾可以帮助我们。如果只看到负面模式中的自己，我们就无法在认识自我的工作中取得进展。我们遭遇困难的源头就在矛盾之中。实际上，我们感到痛苦，就是因为无法接受自己的矛盾。如果我们耐心倾听自己的矛盾、自己的正面和自己的负面，也就是有些人称的两面性，那么我们就能取得进步。

步骤7

拥有价值和生活的意义还不足矣，还要发展出能将这些价值和意义转化为行动的策略。这就是我们所说的生活原则。我所依赖的是什么样的生活原则呢？这些生活原则往往都以“我必须”“应该”“理应”等句式开头。对于我来说，我在第425—426页的表格中写下了自己的生活原则：“我必须解决他人的问题，我必须有效率、顶得住困难，我必须面对复杂的问题——那些别人向我提出的问题，而不能去逃避它们……”

步骤8

第一个具有魔法的字眼是：“所以呢？”这句话可以让我们加深对个人策略的理解。所以呢，如果我不去遵守自己的生活原则，如果我不去解决问题，如果我没有效率、顶不住困难，我会承受什么样的负面后果呢？（这就是我们所说的负面条件图示。）

就我而言，可以用这样的方式来描述这些负面条件图示：“如果我不去帮助他人，如果我缺乏抵抗力，如果我撑不住了，那么我就不值得受人尊重。我必须向前走，迎接挑战，找到解决问题的方法，以免承受痛苦。”

这些条件图示意味着，我们为了成为一个不错的人、避免成为一个糟糕的人，会给自己设定一些条件。这可以让我们更好地理解为什么要遵循策略和生活原则，以便不会经历我们所说的负面条件图示，也就是说，我们给自己设定正面条件，以成为一个值得尊重的人。

就我而言，可以这么说：“如果我帮助了他人、顶住了困难、找到了解决的方法，那么我就会是个有价值的人。”所以，我就发展出了问题终结者的品质。

步骤9

如何发现我们的无条件图示呢？对此，另一个具有魔法的字眼是“为什么”。为什么我会在无法解决问题的时候惧怕糟糕的感觉？为什么我必须为别人的问题提供解决的办法才能感到自己是个有价值的人？

如果敢于对自己提出这样的问题，我们就会发现自己那些最令人不安、最可怕的恐惧，也就是我们核电站的中心，就像文森蒂－达尔邦医生描述的那样，这个核心往往重重包裹着厚厚的混凝土层，以避免我们自己危险的如核辐射的可怖看法浮出水面。[1]就我而言，那就是不配为人子，不配为人父。

在我对自己提出并写下这些问题的时候，我感到强烈的情绪扑面而来，在我们回首过去、生平往事一一浮现的时候，确实会产生这种感觉。比如，我父亲的形象，十七岁投身反抗运动、老练的问题解决者，当年为了满足三个儿子（我是最小的那个）的基本需求而不得不夜以继日地辛勤工作。

我依然记得那个一生都勤勤恳恳的父亲，我平日里几乎见不到他的面，但每次见到都感到欣喜万分。他曾经开着一辆雷诺皇太子妃轿车，一天之内，带着我们在里昂和地中海之间跑了个来回，那个时候，A7高速路还只有里昂和瓦朗斯之间的路段。父亲在为了养活家人连续工作了六天、每天工作十四个小时之后，还要开十个小时的车带三个儿子去海边！这样的男人，怎能不让人心生敬佩？我们怎能辜负他给予我们的价值、挑战、抗争和坚韧？

所以，我的无条件图示、我的终极恐惧，就是感到自己不配（在这里是为人子，在跟我儿子的例子中是为人父）。

在这个回首往事的步骤中，任凭记忆自由流动，感觉强烈的情绪，感觉到热泪盈眶、心潮澎湃都属于正常情况。不该惧怕这些情绪反应，因为这意味着这个工作显示出了成效，意味

---

1 奥蒂勒·文森蒂-达尔邦（Odile Vincenti-Darbon）和弗雷德里克·方热（Frédéric Fanget），“夫妻行为与认知疗法”（Les thérapies comportementales et cognitives de couple）工作坊，欧洲行为与认知疗法学会（European Association for Behavioral and Cognitive Therapies, EABCT）大会，日内瓦，2012年。

着我们触及了不适的核心。

步骤10

放手！当我们放开对自我的控制，回忆就会涌上心间。在这个时候，我们应该再次审视概念化的表格，问问自己为什么这个负面条件图示会让我们感到如此沉重，为什么我们会那么惧怕最糟的情形。

每次我思索为什么自己不想受苦时，都会想到我的母亲，她三岁时被抛弃，一生都在经历被抛弃的认知图式。我觉得，促使我成为精神科医生的原因之一（显然还有其他很多的原因），就是想要去疗愈这种自己从小在饱受创痛的母亲身边耳濡目染的精神创伤。因此，我在幼年时就已经感觉到灵魂的创伤是一种极大的痛苦（虽然它受重视的程度不比生理上的痛苦），这也是我选择了精神病学而非身体医学的其中一个原因。

您很容易就能看出，在很短的时间之内，通过我个人的概念化例子，理解我在此时此地的反应并非难事。理解为什么我们会在某种表面看来平淡无奇的情境中感觉到某种极为强烈的情绪："为什么我会在某种其他人一点都不会感到担心的情境中感到如此不安和茫然？"

不要评判自己，首先要去理解自己。在心理学中，在期望改变之前先去了解自己，是至关重要的一点。这种通过认知概念化方法对自我洞察入微的了解，可以将我们硬币的两面——

正面和负面——融为一体，从而让我们可以心无旁骛地决定自我必须做出哪些改变和改善，以及哪些是需要学着去接受的。

“生活=选择=焦虑”。

通过在不同的生活情境中使用这张概念化的表格，你可以更好地对自己正在经历的情境所引发的不适和源自你自我印象的不适加以区分。借助这种方法（你可以在我的《从自我苛求中解放出来》一书中找到所有的细节），你将可以辨别当下情境引起的不适和一段至今仍然没有被意识到的过往的重现。

成为自己最好的朋友……

我们生活在一个凡事讲求效率的社会之中，这个社会不惜一切代价想要传递一种义务式幸福的概念。接纳了这些信息，我们就变得难以接受自己的弱点和心怀疑虑的状态。我经常会在自己受邀前往的关于竞争力的研讨会上听到这样的发言：应该不断提高竞争力，不能暴露自己的弱点。在轮到我发言的时候，我会说出意思恰恰相反的话：“接受自己无法随时保持竞争力的状态，接受自己真实的模样，让自己的弱点暴露出来。如果我们能够真实地认识到自己的弱点，并告诉别人我们坦然接受之，那么这些弱点就会变成力量。”

通过对这种认知概念化的实践，你将可以做到不再惧怕自己的不安和弱点。这种对自我的理解将会变成一种真正的力量，让你可以分辨出自己当下的不安和源自过去的不安，这样一来，你就可以选择最适于眼前情境的解决办法了。

我的伴侣下班回来晚了，这是否意味着他正考虑离我而去？女朋友一直没回我的电话，我已经在她的电话机上留了好几条信息，这是否意味着她要跟我分手？我的最后一项工作称不上完美，这是否意味着我能力不足？那些因为害怕遭到抛弃、拒绝或无法胜任而时时感到不安的读者，你们或许会对这些例子感同身受。

与其对自己做出负面评判，不如花时间去接纳这些不安，它们是正常的情绪，是我们和我们过去的一部分，只不过在某些时刻会浮现出来。发现这些不安揭示出你硬币的正面。如果你害怕被抛弃，那很可能是因为你曾经有过被抛弃的经历，但你也同样有能力付出很多的温情。如果你害怕遭到拒绝，那很可能是因为你对自己跟他人的联系极为重视，而且你肯定是个以融入团体为先的人。如果你害怕自己无法胜任，那很可能是因为你是个极为严苛的人，总想把工作做得尽善尽美。我常常都会注意到，人往往会是自己最糟糕的敌人。如果能够反过来，那么在遭遇困境的时候，我们就能够去践行这条原则："要是我成为自己最好的朋友呢？"

了解更多

弗雷德里克·方热（Frédéric Fanget），《从自我苛求中解放出来》（*Je me libère*）。

在这本书中，您可以找到操作概念化方法的所有步骤，每个步骤都附有详细的解释和例子。您还可以找到其他我经手过并觉得会对您有所帮助的病例。

弗雷德里克·方热，《你去哪儿？赋予生活意义的心理学解答》（*Où vas-tu? Les réponses de la psychologie pour donner du sens à sa vie*）。

我是2007年写的这本书，也是在那个时候，我开始清楚地意识到“为什么我成了精神科医生”这个问题的存在。我在这本书中为您提供了一些练习，其中包括一个生活总结对照表，可以让您更加清晰地了解自己。

弗雷德里克的表格

	当下——此时此地发生的事情
发生了什么（触发因素、情境）	撰写一篇关于“为什么我成了心理医生”的文章
我做了什么，我的反应（行为）	我犹豫、拖延，总想着明天再说……
我感觉到了什么（我的情绪）	心烦意乱、疑虑重重、不知所措……
我对自己说了些什么（我的想法）	我能行吗？我该怎么去回答呢？要是我说得不够清楚，读者就会感到失望。我并不是很清楚为什么自己成了心理医生，我的回答会根据自己不同的生活时期而发生变化…… 不管怎么说，我不是个凡事都想得很清楚的人。小的时候，我想成为医生而非精神科医生。有时候，我想要写点什么；有时候，我又想要放弃。在这种情况下，我无法真正地成为读者的表率，我其实并没有读者想象的那么靠得住、那么强大

（续表）

	过去——这对我自己惯常的运转模式意味着什么
对我来说什么是至关重要的（价值、自豪、品质）	挑战、待定的解决办法、构思、安排、进展……
我的生活原则	我必须解决他人的问题，我必须有效率、顶得住困难……
我担心的是什么（条件图示）	如果我不去帮助他人，如果我缺乏抵抗力，如果我撑不住了，那么我就不值得受人尊重……
我随机应变的方法（条件图示+）	如果我帮助了他人、顶住了困难、找到了解决的方法，那么我就会是个有价值的人
最让我感到害怕的自我印象，最糟糕的情况（无条件图示）	不配为人子，不配为人父
我的过去（情绪、重要事件、生平）	• 跟我儿子最近的一次谈话 • 在我住院实习期间跟那位厌食症患者的相遇 • 父亲17岁投身反抗运动，是任劳任怨的工作者，从不向困难低头，令人钦佩

您自己填写的表格

	当下——此时此地发生的事情
发生了什么 （触发因素、情境）	
我做了什么，我的反应 （行为）	
我感觉到了什么 （我的情绪）	
我对自己说了些什么 （我的想法）	
	过去——这对我自己惯常的运转模式意味着什么
对我来说什么是至关重要的（价值、自豪、品质）	
我的生活原则	
我担心的是什么 （条件图示）	
我随机应变的方法 （条件图示+）	
最让我感到害怕的自我印象，最糟糕的情况 （无条件图示）	
我的过去 （情绪、重要事件、生平）	

作者介绍

克里斯托夫·安德烈（Christophe André）

法国著名心理学家，精神科医师及畅销书作家。出生于法国南部蒙彼利埃，目前在巴黎圣安娜精神院工作。著有《恰如其分的自尊》《我们与生俱来的七情》《无处不在的人格》《幸福生活的秘密》。

尼古拉·迪歇纳（Nicolas Duchesne）

精神科医生和心理治疗师，认知行为疗法教师和督导，法国蒙彼利埃数家医院的住院医生。著有《悲悲喜喜：善待循环性情感症》，合著有《通过角色游戏获得自我肯定》。

贝尔纳·格贝罗维奇（Bernard Geberowicz）

精神病专家，前精神科住院医生，夫妻与家庭疗法专家，*Générations*杂志创办人兼联合主编。合著有《将要为人父母的夫妻：如何避免婴儿抵触心理》和《夫妻的七宗美德：个人的炼金术》。

法蒂玛·布韦·德·迈松纳夫（Fatma Bouvet de la Maisonneuve）

巴黎圣安娜精神病院精神科医生。著有《女性与酒精：抗争与解脱》《女性的选择》《身陷痛苦的孩子与家长：阅读障碍、学业焦虑、身体疾病》。

索菲·舍瓦尔（Sophie Cheval）

临床心理学家和心理治疗师，专门研究与身体表象相关的病痛，是一名在巴黎工作的自由医师。著有《别样的美丽：摆脱外表的桎梏》。

克洛德·佩内（Claude Penet）

精神科医生，认知与行为治疗师，冥想与治疗实践关系专家。

卡罗琳·迪雷（Caroline Duret）

精神科医生和认知行为疗法心理治疗师，在巴黎皮提耶-萨尔佩特里厄尔医院大卫·科恩教授的儿童精神病科任住院医生。卡罗琳负责亲子小组培训的督导工作，并为患有注意力缺乏的多动症儿童的家长提供咨询。

斯特凡妮·阿于索（Stéphanie Hahusseau）

精神科医生，整合心理治疗师，情绪管理专家。阿于索在图卢兹一边从事诊疗工作，一边从事写作。著有《受益一生的心理自愈术》《悲伤、恐惧与愤怒：掌控自己的情绪》《复杂之人的幸福爱情指南》和《男人，真正的男人：消除男女间的情绪误解》。

克里斯蒂安·盖伊（Christian Gay）

精神病专家，德尼克教授领导的部门的前临床主管，法国抑郁症协会联合创始人（1992年），法国俱乐屋协会联合创始人（2010年）。著有数部关于双相情感障碍及其治疗的书籍：《悲喜交加的生活》《如何与躁郁症患者相处》《心理教育手册：双相情感障碍》《双相情感障碍》。

布鲁诺·科埃兹（Bruno Koeltz）

行为及认知治疗师，正念冥想之正念认知小组培训师，接纳与承诺疗法小组培训师。著有《不要把一切推到明天》。

亚斯明·利埃纳尔（Yasmine Liénard）

精神科医生和认知行为治疗师。作为正念认知疗法小组的督导，利埃纳尔搭建起灵思心理学与精神病学之间的连接之道。著有《修得现代智慧：第三代的心理治疗法》。

安妮·洛兰（Anne Lorin）

儿童精神病学家和心理治疗师，心理分析学派。蒙彼利埃教学医院中心前住院医生，现为自由医生。

若埃尔·本（Joël Pon）

精神科医生，图卢兹医院坐诊医生，蒙特伯龙医院临床医生。著有《准寻常病患的非凡故事》。

克莱尔·米齐（Claire Mizzi）

心理学家和心理治疗师，从事行为及认知疗法、眼动脱敏与再处理、图式疗法和接纳与承诺疗法，正念认知和正念减压的正念冥想小组培训师。

让-路易·莫内斯蒂耶斯（Jean-Louis Monestès）

心理学教授和心理治疗师，格勒诺布尔大学心理历程及临床心理学研究小组主管。著有《精神分裂症：更好地了解疾病，更好地帮助患者》《与过去和解》《借助达尔文获得改变：自身演化疗法》《接纳与承诺疗法》和《解放自我》。

迪迪埃·普勒（Didier Pleux）

发展心理学博士，临床心理学家，心理治疗师，多种教育参考书的作者。任法国认知疗法学院主管。著有数部畅销书：《从小皇帝到小暴君》《你可以做得更好：如何让孩子在学校里重拾信心》《理智地表达愤怒》《幸福儿童养成记》《从大皇帝到大暴君》《良好家教十诫》。

斯特凡娜·罗伊（Stéphane Roy）

心理学家和布尔日乔治桑医院的心理治疗师，教授并从事HTSMA疗法（催眠、策略疗法和交替运动）。著有《如何战胜羞怯》和《不再脸红，接受他人的目光》。

阿兰·索特罗（Alain Sauteraud）

波尔多精神科医生，焦虑症、抑郁症和延长哀伤障碍专家。著有两部关于强迫症的书籍：《我无法停止清洗、查验和计算：如何更好地应对强迫症》和《强迫症：治疗师指南》，并著有《你离去之后的生活：哀伤心理学》。

玛丽-克里斯蒂娜·西蒙（Marie-Christine Simon）

里昂临床心理学家，心理分析师，心理治疗师，心理分析和荣格派心理治疗师协会会员，法国分析心理学会和国际分析心理学协会会员，与《荣格分析心理学手册》保持常年合作关系，在里昂实践心理学家学院任教。

奥利维耶·斯平勒（Olivier Spinnler）

瑞士洛桑精神科医生和心理治疗师。催眠及艾瑞克森疗法学派，从事植根于肯·威尔伯（Ken Wilber）整合模式的人文疗法，并从事个人及联合病患的正念疗法。著有《与他人融洽相处：人际关系新视角》。

雅克·冯·希拉尔（Jacques Van Rillaer）

心理学博士，鲁汶大学荣誉教授。从事了十数年的弗洛伊德精神分析疗法，后转向认知行为疗法。著有十数本书籍，包括《自我管理》《日常生活心理学》，与纳狄·冯·布勒克合著有《患儿的心理陪护》。

弗雷德里克·方热（Frédéric Fanget）

精神科医生和心理治疗师，在里昂第一大学任教。著有畅销书《肯定自我，与他人更好地相处》《医治受伤的自信》《要更好！完美主义心理学》《敢于两个人的生活》和《从自我苛求中解放出来》。